Pierre Grand'Maison
le 8 dec 2003

**COLLECTION
SUCCÈS D'AMÉRIQUE**

Données de catalogage avant publication (Canada)

Goldratt, Eliyahu M., 1948-

Le But: l'excellence en production
(Collection Succès d'Amérique)
Traduction de: The Goal
2-89037-321-5

I. Cox, Jeff, 1951- .   II. Titre.   III. Collection.

PR9510. 9. G64G6214 1987   823   C87-096039-3

Ce livre a été produit avec un ordinateur Macintosh
de Apple Computer Inc.

Édition originale The Goal © 1984, Creative Output BV
© 1986, AFNOR pour la traduction française
© 1987, Édition canadienne: Québec/Amérique

Réimpression janvier 2002
DÉPÔT LÉGAL :
2ème trimestre 1987
BIBLIOTHÈQUE NATIONALE DU QUÉBEC
ISBN 2-89037-321-5

aussi que les tourneurs ne sont pas du tout en train de se préparer à usiner la pièce en question, mais qu'ils s'occupent d'une pièce superurgente que quelqu'un leur a demandé de faire immédiatement pour un autre produit.

Peach se moque éperdument de cette pièce superurgente. Tout ce qui l'intéresse, c'est de faire partir la commande 41427. Il demande à Dempsey d'ordonner à son contremaître, Ray, de faire faire sur-le-champ par le chef tourneur la pièce manquante pour la 41427. En entendant cela, le tourneur regarde Ray, puis Dempsey, puis Peach, pose sa clé et leur dit qu'ils sont tous complètement cinglés parce qu'il vient de passer une heure et demie, avec son assistant, à régler la machine pour faire l'autre pièce que tout le monde demandait à cor et à cri et que, s'il doit tout recommencer pour une autre pièce, ils peuvent tous aller se faire voir! C'est alors que Peach, toujours diplomate, se plante devant lui et lui annonce que, s'il ne fait pas ce qu'on lui dit, il est vidé. On échange quelques amabilités, le tourneur menace de s'en aller immédiatement, et pour arranger le tout, le délégué syndical fait son apparition. Tout le monde est furieux et personne ne travaille. Et moi, je me retrouve avec quatre types qui me racontent chacun leur histoire, devant une usine qui ne tourne pas. Je demande à Dempsey:

–Où est Bill Peach maintenant?

–Dans votre bureau.

–Très bien. Voulez-vous lui dire que je le rejoindrai dans une minute.

Soulagé, Dempsey se précipite vers les bureaux. Je me tourne vers Martinez et l'ouvrier, qui se trouve être le tourneur. Je leur dis qu'en ce qui me concerne il n'y aura ni renvoi ni suspension et que toute cette histoire n'est qu'un malentendu. Martinez n'est pas vraiment satisfait et le tourneur a l'air de vouloir que Peach lui fasse des excuses. Ça, ce n'est pas mon affaire. Mais je sais que Martinez ne peut pas déclencher une grève de sa propre autorité. Je lui dis donc que si le syndicat veut faire connaître ses griefs, très bien, je parlerai avec le responsable local, Mike O'Donnell, et nous réglerons l'affaire ensemble au moment voulu. Comprenant qu'il ne peut rien faire d'autre avant d'avoir lui-même parlé à O'Donnell, Martinez en reste là et reprend la direction de l'usine, suivi du tourneur.

–Remettons-les au travail, Ray.

–D'accord, M. Rogo, mais par quoi devons-nous commencer? La pièce pour laquelle nous avons tout préparé, ou celle que veut Peach?

–Faites celle que veut Peach.

–Nous allons gaspiller un réglage d'outil!

–Eh bien tant pis! Ray, je ne sais ce qui est en train de se passer; pour que Bill soit venu jusqu'ici, il doit y avoir urgence. Logique, non?

–C'est sûr, je voulais seulement connaître vos instructions. J'essaie de lui remonter le moral.

–Je sais que vous n'y êtes pour rien, Ray. Essayons simplement de préparer le tour le plus rapidement possible et de sortir cette pièce.

–O.K.

Je rentre dans le bâtiment et croise Dempsey qui repart vers l'usine. Il vient juste de sortir de mon bureau et il a l'air plutôt pressé de s'en aller. Il secoue la tête en me voyant et me dit:

–Bon courage!

La porte de mon bureau est grande ouverte. J'entre et je m'arrête pile. Bill Peach est assis derrière mon bureau. C'est un homme trapu, au poitrail de taureau, doté d'une épaisse chevelure grise et des yeux presque de la même couleur. Il me fixe pendant que je pose mon attaché-case et je peux voir dans son regard que ça va être ma fête.

–Alors, Bill, que se passe-t-il?

–Il faut que nous parlions. Asseyez-vous.

–J'aimerais bien, mais vous occupez mon fauteuil.

Ce n'était peut-être pas exactement la meilleure chose à dire. Il attaque.

–Vous voulez savoir pourquoi je suis ici? Pour vous sauver la peau!

–Si j'en juge par le comité de réception que je viens de voir, je dirais plutôt que vous êtes ici pour démolir mes relations avec le personnel.

Il me regarde droit dans les yeux et dit:

–Si vous n'êtes pas capable de faire tourner cette boutique,

Eliyahu M. Goldratt et Jeff Cox

Le But

l'excellence en production

QUÉBEC/AMÉRIQUE

329 O. de la Commune
Montréal (Québec)
H2Y 2E1
Tél.: (514) 499-3000

INTRODUCTION

Cet ouvrage est consacré à une nouvelle approche de gestion industrielle appelée «TOP» (Technologie optimisée de production). Il met en scène des personnages qui tentent de comprendre les rouages de leur monde afin de l'améliorer. En analysant leurs problèmes de façon logique et cohérente, ils parviennent à déterminer les relations «de cause à effet» entre leurs actions et les résultats de celles-ci. Dans le cadre de cette réflexion, ils déduisent certains principes de base: ceux de la Technologie optimisée de production, qu'ils appliquent afin de sauver leur usine et d'assurer sa réussite.

Pour moi, la science sert à comprendre ce qu'est le monde et pourquoi il est ainsi. Nos connaissances scientifiques ne sont jamais que la somme de ce que nous parvenons à comprendre. Je ne crois pas aux vérités absolues; je les redoute même, car elles freinent la quête d'une plus large compréhension des choses. Chaque fois que nous pensons avoir trouvé des réponses définitives, le progrès, la science et la recherche marquent un temps d'arrêt. Mais vouloir comprendre notre environnement n'est pas une fin en soi. Je suis convaincu que nous devons poursuivre la quête de la connaissance pour rendre notre monde meilleur et notre vie plus accomplie.

Plusieurs raisons expliquent le choix de la forme romancée pour présenter ma conception de la fabrication: ce qu'elle est (la réalité) et pourquoi elle est ainsi (les principes de la TOP). Tout d'abord, je voulais rendre ces principes plus faciles à comprendre et montrer comment ils peuvent apporter l'ordre dans le chaos qui est si souvent la règle dans nos usines. Ensuite, je voulais illustrer l'importance de les assimiler et les bienfaits que l'on peut en tirer. Les résultats obtenus ne sont pas imaginaires: ils ont été et sont chaque jour constatés dans des usines bien réelles. Si nous comprenons et appliquons les bons principes, nous pouvons lutter à armes égales avec n'importe quel type de concurrence. J'espérais aussi, en utilisant ce moyen, que les lecteurs percevraient la justesse et la valeur de ces principes appliqués à d'autres structures, telles que les banques, les hôpitaux, les compagnies d'assurance et jusqu'à la famille. Le même potentiel de développement et d'amélioration existe peut-être dans toutes les entreprises.

Enfin, et c'est peut-être le plus important, je voulais montrer que nous pouvons tous être des scientifiques accomplis. Point n'est besoin, pour cela, d'avoir un cerveau exceptionnel. Il suffit de regarder la réalité et d'analyser de façon logique et précise ce que nous voyons. L'essentiel est d'avoir le courage de reconnaître les contradictions entre nos constatations et nos déductions, et la façon dont les choses se déroulent. La remise en question d'hypothèses fondamentales est un élément clé de l'innovation. Quiconque a jamais travaillé dans une usine éprouve pour le moins quelques doutes quant à l'efficacité de la comptabilité analytique comme moyen de contrôle des opérations. Pourtant, rares sont ceux qui ont osé remettre en cause directement cette règle d'or.

Pour aller de l'avant, nous devons récuser les idées reçues sur ce que sont notre monde et ses rouages. Si nous parvenons à mieux comprendre notre univers et les principes qui le gouvernent, je suis convaincu que notre vie en sera améliorée.

Bonne chance à tous ceux qui se lanceront à la découverte de ces principes et de cet ouvrage.

L'AUTEUR

Le Dr Eliyahu Goldratt est une sommité internationale dans le domaine du développement de principes et systèmes novateurs en matière de contrôle de la production et de gestion des entreprises. Il est le conseiller de nombreuses grandes compagnies américaines, parmi lesquelles Ford Motor Co., General Motors, General Electric et Westinghouse, pour n'en citer que quelques-unes. Il est à l'origine des principes mathématiques et de la philosophie qui sous-tendent la Technologie optimisée de production (TOP) pour la planification et l'ordonnancement des opérations de fabrication. Ses travaux dans ce domaine commencent à révolutionner la façon dont les dirigeants d'entreprise conçoivent et gèrent leurs problèmes de production et sont orientés vers une nouvelle approche de la gestion des entreprises industrielles, appelée TOP.

Il détient un baccalauréat ès sciences de l'Université de Tel-Aviv, ainsi qu'une maîtrise et un doctorat de l'Université Bar-Ilan. Outre ses travaux novateurs sur la gestion des matières, il détient des brevets dans plusieurs autres domaines, des instruments médicaux aux capteurs thermiques en passant par des systèmes d'irrigation au goutte-à-goutte. Le docteur Goldratt écrit dans des revues scientifiques et a donné de nombreuses conférences dans de grandes compagnies et diverses universités.

Il est cofondateur et administrateur de Creative Output, directeur général de Creative Output (Netherlands) BV, et président de Creative Output, Inc. et Creative Output, U.K.

CHAPITRE PREMIER

En franchissant la grille ce matin, à sept heures trente, j'aperçois la Mercedes rouge dans le parking. Elle est garée à côté de l'usine, tout près des bureaux. À ma place. Qui d'autre que Bill Peach se permettrait ça? Pourtant, le parking est pratiquement vide à cette heure, et il y a des emplacements réservés aux visiteurs. Non, il faut que Bill se gare à la place marquée à mon nom. Il aime bien mettre les points sur les i: il est vice-président de la division et je ne suis qu'un simple directeur d'usine, donc il peut garer sa sacrée Mercedes où il veut.

Je range ma Buick à côté de sa voiture, à la place marquée «Contrôleur». Un bref coup d'œil me confirme qu'il s'agit bien de la voiture de Bill car la plaque d'immatriculation annonce «NUMÉRO 1». Tout le monde sait que c'est effectivement la place que Bill vise. Il veut être président-directeur général. Moi aussi. Mais au train où vont les choses actuellement, ça m'étonnerait que j'y arrive jamais.

Je me dirige vers la porte des bureaux. L'adrénaline a déjà commencé à monter. Je me demande ce que Bill peut bien faire ici. Inutile d'espérer faire quoi que ce soit ce matin. J'arrive en général tôt pour m'occuper de tout ce que je n'ai pas le temps de faire dans la journée; c'est fou ce que j'arrive à faire avant que les téléphones se mettent à sonner, que les réunions commencent, bref avant que le ciel me tombe sur la tête. Mais aujourd'hui, pas question. Une voix m'interpelle:

«M. Rogo!»

Je m'arrête en voyant quatre types sortir de l'usine et se diriger vers moi. Il y a là Dempsey, le chef d'équipe; Martinez, le délégué syndical; un ouvrier que je ne connais pas; et un contremaître de l'atelier d'usinage, dénommé Ray. Ils parlent tous en même temps: Dempsey m'annonce que nous avons un problème, Martinez hurle qu'il va déclencher une grève, l'ouvrier raconte je ne sais quoi à propos de «persécution», et Ray qu'il ne peut pas finir un truc parce qu'il lui manque des pièces. Je les regarde, ils me regardent... et je n'ai même pas encore pris ma première tasse de café!

Quand j'arrive enfin à ramener suffisamment de calme pour demander ce qui se passe, j'apprends que M. Peach est arrivé une heure avant moi, est entré dans mon usine et a demandé qu'on lui montre l'état de la commande numéro 41427.

Évidemment, comme c'était mon jour de chance, personne n'avait jamais entendu parler de cette commande. Peach avait donc sonné le branle-bas de combat pour qu'on la retrouve. Grosse commande, en retard bien sûr. Et alors? Tout dans cette usine est en retard. Nous avons quatre niveaux de priorité pour les commandes: urgent... Très urgent... Très très urgent... et SUPERURGENT! Dans ces conditions, impossible d'arriver à tout faire à temps.

Dès qu'il s'aperçoit que la 41427 n'est pas prête à partir, Peach, bouleversant tout sur son passage, se met à chasser les pièces, donne ses ordres à Dempsey. On arrive enfin à déterminer que presque toutes les pièces nécessaires sont prêtes, des piles entières. Mais on ne peut pas les assembler. Un composant d'un sous-ensemble manque, en attente d'une autre opération. Si les hommes n'ont pas la pièce, ils ne peuvent pas monter, et s'ils ne peuvent pas monter, ils ne peuvent pas expédier.

On découvre que les pièces manquantes du sous-ensemble sont devant un tour à commande numérique. Mais on s'aperçoit aussi que les tourneurs ne sont pas du tout en train de se préparer à usiner la pièce en question, mais qu'ils s'occupent d'une pièce superurgente que quelqu'un leur a demandé de faire immédiatement pour un autre produit.

Peach se moque éperdument de cette pièce superurgente. Tout ce qui l'intéresse, c'est de faire partir la commande 41427. Il demande à Dempsey d'ordonner à son contremaître, Ray, de faire faire sur-le-champ par le chef tourneur la pièce manquante pour la 41427. En entendant cela, le tourneur regarde Ray, puis Dempsey, puis Peach, pose sa clé et leur dit qu'ils sont tous complètement cinglés parce qu'il vient de passer une heure et demie, avec son assistant, à régler la machine pour faire l'autre pièce que tout le monde demandait à cor et à cri et que, s'il doit tout recommencer pour une autre pièce, ils peuvent tous aller se faire voir! C'est alors que Peach, toujours diplomate, se plante devant lui et lui annonce que, s'il ne fait pas ce qu'on lui dit, il est vidé. On échange quelques amabilités, le tourneur menace de s'en aller immédiatement, et pour arranger le tout, le délégué syndical fait son apparition. Tout le monde est furieux et personne ne travaille. Et moi, je me retrouve avec quatre types qui me racontent chacun leur histoire, devant une usine qui ne tourne pas. Je demande à Dempsey:

–Où est Bill Peach maintenant?

–Dans votre bureau.

–Très bien. Voulez-vous lui dire que je le rejoindrai dans une minute.

Soulagé, Dempsey se précipite vers les bureaux. Je me tourne vers Martinez et l'ouvrier, qui se trouve être le tourneur. Je leur dis qu'en ce qui me concerne il n'y aura ni renvoi ni suspension et que toute cette histoire n'est qu'un malentendu. Martinez n'est pas vraiment satisfait et le tourneur a l'air de vouloir que Peach lui fasse des excuses. Ça, ce n'est pas mon affaire. Mais je sais que Martinez ne peut pas déclencher une grève de sa propre autorité. Je lui dis donc que si le syndicat veut faire connaître ses griefs, très bien, je parlerai avec le responsable local, Mike O'Donnell, et nous réglerons l'affaire ensemble au moment voulu. Comprenant qu'il ne peut rien faire d'autre avant d'avoir lui-même parlé à O'Donnell, Martinez en reste là et reprend la direction de l'usine, suivi du tourneur.

—Remettons-les au travail, Ray.

—D'accord, M. Rogo, mais par quoi devons-nous commencer? La pièce pour laquelle nous avons tout préparé, ou celle que veut Peach?

—Faites celle que veut Peach.

—Nous allons gaspiller un réglage d'outil!

—Eh bien tant pis! Ray, je ne sais ce qui est en train de se passer; pour que Bill soit venu jusqu'ici, il doit y avoir urgence. Logique, non?

—C'est sûr, je voulais seulement connaître vos instructions.

J'essaie de lui remonter le moral.

—Je sais que vous n'y êtes pour rien, Ray. Essayons simplement de préparer le tour le plus rapidement possible et de sortir cette pièce.

—O.K.

Je rentre dans le bâtiment et croise Dempsey qui repart vers l'usine. Il vient juste de sortir de mon bureau et il a l'air plutôt pressé de s'en aller. Il secoue la tête en me voyant et me dit:

—Bon courage!

La porte de mon bureau est grande ouverte. J'entre et je m'arrête pile. Bill Peach est assis derrière mon bureau. C'est un homme trapu, au poitrail de taureau, doté d'une épaisse chevelure grise et des yeux presque de la même couleur. Il me fixe pendant que je pose mon attaché-case et je peux voir dans son regard que ça va être ma fête.

—Alors, Bill, que se passe-t-il?

—Il faut que nous parlions. Asseyez-vous.

—J'aimerais bien, mais vous occupez mon fauteuil.

Ce n'était peut-être pas exactement la meilleure chose à dire. Il attaque.

—Vous voulez savoir pourquoi je suis ici? Pour vous sauver la peau!

—Si j'en juge par le comité de réception que je viens de voir, je dirais plutôt que vous êtes ici pour démolir mes relations avec le personnel.

Il me regarde droit dans les yeux et dit:

—Si vous n'êtes pas capable de faire tourner cette boutique, vous n'aurez plus à vous préoccuper de vos relations avec le personnel. Vous n'aurez plus à vous faire de souci pour cette usine. En fait, vous n'aurez peut-être même plus à vous faire de souci pour votre job, Rogo.

–Un petit instant, calmez-vous. Discutons. Quel est le problème avec cette commande?

Pour commencer, Bill me dit avoir reçu un appel chez lui hier soir vers dix heures de ce cher vieux Bucky Burnside, président d'un des plus gros clients d'UniCo. Apparemment, Burnside était fou de rage parce que sa commande (la 41427) avait sept semaines de retard. Peach en avait entendu de toutes les couleurs pendant au moins une heure. Bucky avait dû prendre des risques pour que nous ayons la commande alors que tout le monde lui disait de la donner à l'un de nos concurrents. Il venait de sortir d'un dîner avec plusieurs de ses clients qui l'avaient rendu responsable du fait que leurs commandes étaient en retard, comme il se doit, par notre faute. En bref, Bucky était fou de rage (et aussi peut-être un peu ivre). Peach l'avait calmé en lui disant qu'il s'occuperait personnellement de l'affaire et en l'assurant que la commande serait expédiée aujourd'hui même, dût-il déplacer des montagnes pour y arriver.

Effectivement, lui dis-je, nous avons eu tort de négliger cette commande et je vais m'en occuper moi-même, mais ce n'était pas une raison pour débouler ici ce matin comme il l'a fait et semer la pagaille dans mon usine.

Où étais-je, la nuit dernière, me demande-t-il, lorsqu'il a essayé de m'appeler chez moi? Ce n'est vraiment pas le moment de lui dire que moi aussi j'ai une vie privée. Je ne veux pas lui dire que les deux premières fois qu'il m'a appelé, j'ai laissé sonner le téléphone parce que j'étais en train de me disputer avec ma femme, qui me reprochait justement de ne pas m'occuper suffisamment d'elle. Et la troisième fois, je n'ai pas répondu parce que nous étions en train de nous réconcilier.

Je préfère dire à Peach que je suis arrivé très tard à la maison. Il n'insiste pas, mais s'étonne que je ne sache pas ce qui se passe dans ma propre usine. Il en a par-dessus la tête d'avoir des réclamations pour des livraisons en retard.

–Comment se fait-il que vous soyez toujours à la traîne,

Rogo?

–Je n'en sais rien! Mais ce que je sais par contre, c'est qu'après la deuxième série de mises à pied que vous nous avez imposée il y a trois mois et l'annonce d'une future réduction de 20% des effectifs, c'est un miracle que nous sortions quoi que ce soit dans les délais.

–Al, me dit-il en martelant ses mots, contentez-vous de fabriquer vos fichus produits. Compris?

–Alors, donnez-moi le personnel qu'il me faut!

–Vous avez assez de monde! Regardez vos rendements bon sang! Vous pouvez faire beaucoup mieux dans ce domaine, Al. Et ne venez pas pleurer en me disant que vous n'avez pas assez de personnel tant que vous ne m'aurez pas prouvé que vous pouvez utiliser efficacement celui que vous avez.

Je m'apprête à lui répondre mais il me fait signe de me taire, se lève et va fermer la porte. Aïe! Le temps se gâte.

Il se retourne et me fait signe de m'asseoir.

Pendant tout ce temps, je suis resté debout. Je prends une des chaises réservées aux visiteurs, devant mon bureau. Peach retourne s'asseoir dans mon fauteuil.

–Écoutez, Al, il ne sert à rien de discuter comme cela. Votre dernier rapport d'activités parle de lui-même.

–D'accord, vous avez raison. L'important c'est de faire partir la commande de Burnside...

Peach explose.

–Bon sang! L'important n'est pas la commande de Burnside! Elle n'est qu'un symptôme du problème de cette usine. Croyez-vous que je sois venu jusqu'ici simplement pour faire partir une commande en retard? Croyez-vous que je n'ai pas suffisamment de travail sans cela? Je suis venu ici pour vous secouer, vous et tout le personnel de cette usine. Ce n'est pas seulement une question de service à la clientèle: votre usine perd de l'argent.

Il fait une pause, comme pour me laisser digérer ce qu'il vient de dire. Puis il tape du poing sur la table et pointe son doigt sur moi.

–Si vous n'êtes pas capable de faire partir les commandes à temps, je vais vous montrer comment il faut le faire. Et si vous n'y arrivez toujours pas, alors je n'ai besoin ni de vous, ni de cette usine.

—Attendez une minute, Bill...

—Non, je n'ai pas une minute! Je n'ai plus le temps d'écouter vos excuses. Et je n'ai pas besoin d'explications, j'ai besoin de résultats. J'ai besoin d'expéditions. J'ai besoin d'argent qui rentre!

—Je le sais, Bill.

—Mais ce que vous ne savez peut-être pas, c'est que cette division est en train de subir les plus lourdes pertes de toute son histoire. Nous sommes en train de tomber si bas que nous n'arriverons peut-être jamais à nous en relever, et votre usine est le poids mort qui nous enfonce.

Je suis déjà épuisé. Je lui demande avec lassitude:

—D'accord. Qu'est-ce que vous attendez de moi? Je suis ici depuis six mois. Je reconnais que les choses ont empiré au lieu de s'améliorer depuis que je suis arrivé, mais je fais de mon mieux.

—Je vais être franc avec vous, Al: vous avez trois mois pour redresser la situation de cette usine.

—Et s'il n'est pas possible d'y arriver dans ce délai?

—Dans ce cas, j'irai voir le comité de direction et je recommanderai la fermeture de l'usine.

Je reste sans voix. C'est encore pire que ce à quoi je m'attendais en arrivant ce matin, et pourtant, je ne suis pas véritablement surpris. Je regarde par la fenêtre. Peu à peu les voitures des ouvriers de la première équipe remplissent le parking. Peach s'est levé et contourne le bureau. Il s'assied à côté de moi et se penche. Maintenant, il va jouer au patron rassurant, et je vais avoir droit au discours de remise en condition.

—Al, je sais que la situation dont vous avez hérité ici n'était pas brillante. Je vous ai donné ce poste parce que je pensais que vous pourriez remettre sur pied ce canard boiteux. Je le pense encore. Mais si vous voulez faire carrière dans cette compagnie, vous devez absolument obtenir des résultats.

—Mais il me faut du temps, Bill.

—Désolé, vous avez trois mois. Et si les choses empirent encore, je ne pourrai peut-être même pas vous accorder ça.

Je suis pétrifié. Bill jette un coup d'œil à sa montre et se lève, signifiant que la discussion est close.

—Si je pars tout de suite, je ne manquerai que ma première

réunion, dit-il.

Je me lève. Il se dirige vers la porte.

Le main sur la poignée, il se retourne et me dit en souriant:

—Maintenant que je vous ai aidé à secouer tout le monde ici, vous n'aurez pas de problème pour faire partir la commande de Bucky aujourd'hui, n'est-ce pas ?

—Nous l'expédierons, Bill.

—Parfait, dit-il en me faisant un clin d'œil avant de sortir.

Par la fenêtre, je le regarde monter dans sa Mercedes et franchir la grille.

Trois mois. Ce chiffre tourne dans ma tête.

Je ne me rappelle pas m'être éloigné de la fenêtre. Je ne sais pas combien de temps s'est écoulé. Brusquement, je décide d'aller me rendre compte par moi-même de ce qui se passe dans l'usine. Je prends mon casque et mes lunettes de sécurité sur l'étagère près de la porte, sors et m'arrête au passage devant le bureau de ma secrétaire.

—Fran, je vais dans les ateliers pendant un moment.

Fran lève les yeux de sa machine à écrire et me sourit.

—Très bien. À propos, n'était-ce pas la voiture de Peach que j'ai vue à votre place ce matin?

—Oui.

—Belle voiture, dit-elle en riant. J'ai cru que c'était la vôtre.

Je ne peux pas m'empêcher de rire. Elle se penche sur le bureau.

—Dites-moi, combien est-ce que cela peut coûter, une voiture comme ça?

—Je ne sais pas exactement, mais aux environs de 30 000$, je pense.

—Vous plaisantez! Tant que ça? Je n'aurais jamais cru qu'une voiture pouvait coûter aussi cher. Ce n'est pas demain que je vendrai ma Chevette pour m'en acheter une comme celle-là.

Elle rit et se remet à taper.

J'aime bien Fran. Quel âge peut-elle avoir? Une quarantaine d'années, peut-être, avec deux enfants qu'elle essaie d'élever toute seule. Son ex-mari est alcoolique. Ils ont divorcé il y a longtemps... Et depuis, elle ne veut plus rien savoir des hommes. Enfin, presque rien. C'est elle qui m'a raconté tout cela, le lendemain de mon arrivée à l'usine. Je l'aime bien, et j'apprécie son travail. Elle gagne bien sa vie... du moins, jusqu'à présent. Enfin, elle a encore trois mois devant elle.

Entrer dans l'usine, c'est comme pénétrer dans un lieu où anges et démons se seraient réunis pour créer une espèce de magie. C'est du moins l'impression que j'ai toujours. Elle est pleine de choses qui sont à la fois simples et miraculeuses. J'ai toujours été fasciné par les usines, même d'un simple point de vue esthétique. Mais la plupart des gens ne jettent pas sur elles le même regard que moi.

Derrière la porte à double battant qui sépare le bureau de l'usine, le monde change. Des rampes d'éclairage sont suspendues aux poutrelles du toit et tout baigne dans la lumière chaude, légèrement orangée, des lampes à sodium. Dans une énorme cage grillagée sont alignés des rayonnages qui vont du sol au plafond, chargés de caisses et de cartons remplis de pièces et de matériaux pour tous les produits que nous fabriquons. Dans une allée étroite, entre deux rangées de rayonnages, un homme est assis dans la cabine d'un pont roulant qui se déplace sur un rail fixé au plafond. Sur le sol, une bande d'acier étincelante est lentement avalée par la machine qui émet, à intervalles réguliers, son bruit caractéristique: «tchack-boum».

Les machines. L'usine n'est en réalité qu'une immense pièce de plusieurs centaines de mètres carrés, remplie de machines. Elles sont disposées en groupes, séparés par des travées. La plupart d'entre elles sont peintes de couleurs vives, orange, rouge, jaune, bleu. Sur les plus récentes, les chiffres rouges des commandes numériques luisent doucement. Des bras robotisés exécutent les figures d'une danse mécanique.

Çà et là, souvent dissimulés par les machines, il y a des gens. Ils lèvent la tête en me voyant passer. Certains me font un signe de la main, et je leur réponds. Un chariot électrique me double, piloté par un type incroyablement gros. Des femmes, assises à de longues tables, travaillent sur des faisceaux de fils aux couleurs de l'arc-en-ciel. Un homme vêtu d'une combinaison protectrice ajuste son masque de soudeur et allume un chalumeau. Derrière une vitre, une rousse aux formes rebondies pianote sur le clavier d'un terminal d'ordinateur, devant un écran ambré.

Et il y a le bruit, symphonie jouée par le sifflement des ventilateurs, le ronflement des moteurs, l'air qui passe dans les aérateurs, le tout formant comme une immense respiration. On entend parfois un grand «boum», sans qu'on sache d'où cela vient. Derrière moi, une sonnerie m'avertit que le pont roulant approche. Les relais cliquettent. La sirène sonne. Diffusée par les haut-parleurs, une voix désincarnée annonce de temps à autre des choses que personne ne comprend.

En dépit de cette cacophonie, j'entends le coup de sifflet. Me retournant, je vois la silhouette inimitable de Bob Donovan qui remonte l'allée. Il est encore loin. Bob est ce qu'il est convenu d'appeler un mastodonte. Il mesure plus d'un mètre quatre-vingt-dix et pèse plus de cent kilos, dont une bonne partie concentrée dans son estomac de buveur de bière. Ce n'est pas vraiment ce qu'on peut appeler un Apollon... J'ai toujours l'impression qu'il s'est peigné avec un rateau. Le moins que l'on puisse dire, c'est que son langage n'est pas vraiment châtié: je crois d'ailleurs qu'il s'en fait une gloire. En dépit de son apparence, qu'il entretient soigneusement, Bob est un brave type. Il est responsable de la production depuis neuf ans. Si vous voulez quelque chose, il suffit d'en parler à Bob, et si la chose est faisable, il ne sera pas nécessaire d'en reparler.

Une bonne minute s'écoule avant que nous nous retrouvions. Je m'aperçois immédiatement qu'il n'est pas de meilleure humeur que moi.

–Bonjour.

–Bonjour, Bob. Vous avez su que nous avons eu un visiteur?

–Oui, toute l'usine en parle.

–Alors je suppose que vous êtes au courant pour l'expédition ultra-urgente de cette fameuse commande 41427?

Il devient tout rouge.

–Il faut justement que je vous en parle.

–Pourquoi? que se passe-t-il?

–Je ne sais pas si on vous l'a dit, mais Tony, le tourneur que Peach a engueulé, a démissionné ce matin.

–Oh, merde!

–Je pense que je n'ai pas besoin de vous dire que des types comme ça ne se trouvent pas sous le sabot d'un cheval. Nous allons avoir du mal à le remplacer.

–Peut-on le faire revenir?

–Peut-être vaudrait-il mieux pas. Avant de partir, il a fait le réglage que Ray lui avait demandé et il a mis la machine en automatique. Le problème, c'est qu'il a oublié de serrer deux vis de réglage. Résultat: nous nous retrouvons avec tout un tas de pièces répandues sur le sol.

–Combien de pièces gâchées?

–Pas trop. La machine n'a tourné qu'un petit moment.

–En aurons-nous assez pour exécuter cette commande?

–Il faut que je vérifie. Mais le hic, c'est que la machine elle-même est en panne et risque de le rester pendant un certain temps.

–Laquelle est-ce?

–La NCX-10.

Je ferme les yeux. J'ai l'impression d'avoir reçu un seau d'eau glacée. Cette machine est la seule de son type dans l'usine. Je demande à Bob si les dégâts sont importants.

–Je ne sais pas. On a commencé à la démonter, et on a immédiatement appelé le fabricant.

Je me précipite. Je veux voir par moi-même. Seigneur, nous sommes dans de beaux draps! Je jette un coup d'œil à Bob, qui m'a emboîté le pas.

–Vous pensez que c'était un sabotage?

Bob a l'air surpris.

–Je n'en sais rien. Je crois simplement que le type était si contrarié que son attention s'est relâchée et il a fait une connerie.

Je sens la moutarde me monter au nez. Je suis tellement furieux après Bill Peach que j'ai envie de l'appeler et de lui sortir ce que j'ai sur le cœur. Tout cela est de sa faute! Je le revois, assis derrière mon bureau, en train de me dire comment il allait me montrer ce qu'il fallait faire pour livrer les commandes. Chapeau, Bill, belle démonstration.

CHAPITRE 2

Cela fait un drôle d'effet de voir son monde s'écrouler autour de soi tandis que celui de ses proches ne bouge pas. Et vous n'arrivez pas à comprendre comment ils peuvent ne s'apercevoir de rien. Vers six heures et demie je quitte discrètement l'usine pour rentrer à la maison manger un morceau. Dès que je franchis la porte, Julie détourne les yeux de la télévision.

—Bonjour, comment trouves-tu ma coiffure?

Elle fait un tour sur elle-même. À la place de ses longs cheveux bruns et lisses, elle a maintenant une masse de petites bouclettes. Et la couleur n'est plus la même. Il y a des mèches claires.

—Très joli, dis-je distraitement.

—Le coiffeur a dit que ça faisait ressortir mes yeux.

Elle me jette un regard langoureux. Elle a d'immenses yeux bleus. À mon avis, ils n'ont pas besoin d'être «mis en valeur», mais je n'y connais sans doute rien.

—Très joli.

—Tu n'es guère enthousiaste.

—Excuse-moi, mais j'ai eu une rude journée.

–Pauvre chéri. J'ai une idée: nous allons dîner dehors, cela te détendra.

–Je ne peux pas. Je vais manger un morceau en vitesse, il faut que je retourne à l'usine.

Elle se plante devant moi, les mains sur les hanches. Je remarque qu'elle a une nouvelle robe.

–Tu n'es vraiment pas drôle! Et moi qui ai fait garder les enfants.

–Julie, j'ai vraiment un gros problème. Une de mes machines les plus coûteuses est tombée en panne ce matin et j'en ai besoin pour produire une pièce destinée à une commande urgente. Il faut absolument que je m'en occupe moi-même.

–D'accord, mais je te signale qu'il n'y a rien à manger, parce que je pensais que nous sortirions. Hier soir, tu as dit que nous irions dîner dehors.

Elle a raison, c'est l'une des choses que j'ai promises pendant que nous nous réconciliions après la bagarre.

–Je suis désolé. On peut peut-être aller prendre rapidement un verre quelque part?

–C'est ça que tu appelles une soirée en amoureux? Laisse tomber, Al.

–Écoute, Julie: Bill Peach est arrivé à l'improviste ce matin et il parle de fermer l'usine.

Son visage s'éclaire. J'ai l'impression que ça lui ferait plutôt plaisir.

–Fermer l'usine... Vraiment?

–Oui, la situation est très mauvaise.

–Est-ce que tu lui as demandé où il t'enverrait ensuite?

Je suis surpris par sa réaction.

–Non, je ne lui ai pas parlé de mon prochain emploi. Mon travail est ici, dans cette ville, dans cette usine.

–Mais si l'usine ferme, tu ne veux pas savoir où nous irons vivre ensuite ? Moi oui.

–Ce n'est qu'une possibilité.

–Ah!

Je la regarde fixement.

–Tu as vraiment envie de partir d'ici, n'est-ce pas?

–Ici, ce n'est pas chez moi, Al. Je ne vois pas les choses de la même façon que toi.

–Il y a seulement six mois que nous sommes ici.

–C'est tout? Six mois seulement? Al, je n'ai pas d'amis ici. Je n'ai personne d'autre à qui parler en dehors de toi, et la plupart du temps tu n'es pas là. Ta famille est très gentille, mais si je passe plus d'une heure avec ta mère, je deviens dingue. J'ai l'impression que nous sommes là depuis beaucoup plus de six mois.

–Qu'est-ce que tu veux que je fasse? Je n'ai pas demandé à venir ici. La société m'y a envoyé pour accomplir un travail. C'est le hasard qui l'a voulu.

–Eh bien, il a mal fait les choses.

–Julie, je n'ai pas le temps de me disputer avec toi.

Elle se met à pleurer.

–Très bien! Va-t'en! Je resterai ici toute seule, comme tous les soirs.

–Oh, Julie.

Je la prends dans mes bras et nous restons serrés l'un contre l'autre pendant un moment, silencieux. Lorsqu'elle se calme, elle se dégage et me regarde.

–Je suis désolée. S'il faut que tu retournes à l'usine, il vaut mieux que tu y ailles.

–Pourquoi ne sortirions-nous pas demain soir?

–Si tu veux... Ou un autre soir.

–Tu es sûre que ça ira?

–Mais oui. Je trouverai bien quelque chose à manger dans le réfrigérateur. Et toi?

–J'achèterai quelque chose en chemin. À plus tard.

Une fois dans la voiture, je m'aperçois que je n'ai plus faim.

Depuis que nous nous sommes installés à Bearington, les choses n'ont pas été faciles pour Julie. Lorsque nous parlons de la ville, elle la critique et je la défends.

Il est vrai que je suis né et que j'ai été élevé à Bearington, et je m'y sens chez moi. J'en connais toutes les rues, les meilleurs magasins, les bons bars et les endroits où il vaut mieux ne pas aller. Elle a constitué tout mon univers pendant 18 ans et c'est pourquoi je la préfère à toute autre.

Pourtant, je ne me fais pas beaucoup d'illusions à son sujet. Bearington est une ville industrielle. Celui qui la traverse ne lui trouve rien de particulier. Tout en conduisant, je regarde autour de moi: le quartier où nous vivons est typiquement américain; les maisons sont relativement récentes, il y a des commerces et des restaurants à proximité et, tout près de l'autoroute, un grand centre commercial. Ce n'est guère différent des autres banlieues où nous avons vécu.

Mais il est vrai que le centre-ville est un peu déprimant. Les rues sont bordées de vieux bâtiments de brique, crasseux et décrépits. Beaucoup de vitrines sont vides ou masquées par des panneaux de contre-plaqué. Les rails de chemin de fer ne manquent pas, mais il n'y a pas beaucoup de trains.

Au coin de Main et de Lincoln se dresse le seul «gratte-ciel» de Bearington, une tour solitaire qui se découpe sur le ciel. Lors de sa construction il y a 10 ans, l'immeuble avait été considéré comme une grande réalisation, avec ses 14 étages. Les pompiers l'avaient pris comme prétexte pour s'acheter un gros camion tout neuf, avec une échelle assez longue pour aller jusqu'au sommet (depuis, je les soupçonne d'avoir secrètement espéré qu'un incendie se déclare au dernier étage, juste pour pouvoir utiliser la nouvelle échelle). Les promoteurs locaux annoncèrent immédiatement que la nouvelle tour était en quelque sorte le symbole de la vitalité de Bearington, un signe de renouveau dans une vieille ville industrielle. Puis, il y a deux ans, les propriétaires de l'immeuble dressèrent un énorme panneau «À vendre» sur le toit, avec un numéro de téléphone. De la route, on dirait que toute la ville est à vendre. Ce n'est pas très loin de la vérité.

Chaque jour, en me rendant au travail, je passe devant une autre usine située sur la même route que la nôtre. Elle est là, derrière un grillage surmonté de fils de fer barbelés. Devant, il y a un parking, vaste étendue de béton avec des touffes d'herbe qui poussent dans les fissures. Il y a des années qu'aucune voiture n'est venue se garer là. La peinture finit de s'écailler sur les murs. Sur le fronton du bâtiment, on peut encore distinguer le nom de la société; il reste des traces de peinture plus foncée aux endroits où s'étalaient les lettres et le logo, avant qu'on les retire.

La compagnie qui était propriétaire de l'usine s'est installée dans le Sud. Elle a construit une nouvelle usine, quelque part en Caroline du Nord. On a dit qu'elle avait réglé de cette façon un

grave conflit avec son syndicat. On a dit aussi que le syndicat la
rattraperait au tournant dans quelques années. Mais entre temps,
elle aura bénéficié d'au moins cinq ans sans augmentations de
salaires et peut-être de tranquillité avec le personnel. Cinq ans,
cela semble une éternité dans le domaine de la gestion moderne.
Bearington s'est donc retrouvée avec un autre squelette de
dinosaure industriel dans ses faubourgs et quelque 2 000 chô-
meurs de plus.

Il y a six mois, j'ai eu l'occasion de pénétrer dans l'usine. À
cette époque, nous recherchions un entrepôt pas trop cher à
proximité. Ce n'était pas vraiment mon travail, mais j'avais
accompagné d'autres personnes, juste pour voir. Je pensais alors
que nous aurions peut-être un jour besoin de place pour nous
étendre. Quel rêveur! Tout cela me fait sourire aujourd'hui. Ce
qui m'avait vraiment frappé, c'était le silence. Tout était si tranquille. L'écho de nos pas se répercutait sur les murs. C'était
étrange. Toutes les machines avaient été retirées. Ce n'était plus
qu'une énorme coquille vide.

En passant devant aujourd'hui, je ne peux pas m'empêcher de
penser que c'est ce qui nous attend dans trois mois. Cela me rend
malade.

Tout ce qui se passe ici me révolte. Depuis 1975, la ville perd
de grands employeurs au rythme d'environ un par an. Soit parce
qu'ils ferment complètement, soit parce qu'ils vont s'installer
ailleurs. Rien ne semble pouvoir arrêter cette spirale. Et nous
sommes peut-être les prochains sur la liste.

Lorsque j'avais pris la direction de l'usine, le *Bearington
Herald* avait écrit un article sur moi. Je sais, ce n'était pas grand-
chose, mais pendant un moment, j'avais eu ma petite heure de
gloire. J'étais le gars du coin qui avait réussi. Un peu comme un
rêve de gosse devenu réalité. Je déteste l'idée que la prochaine
fois que mon nom apparaîtra dans le journal, ce sera peut-être à
propos de la fermeture de l'usine. Je commence à avoir le sentiment d'avoir trahi tout le monde.

Donovan a l'air d'un gorille énervé lorsque j'arrive à l'usine.
Avec toutes les allées et venues qu'il a faites aujourd'hui, il a au
moins dû perdre trois kilos. Tout en m'approchant de la NCX-10,
je l'observe: il se dandine d'un pied à l'autre, fait quelques pas,

s'arrête et reprend son manège. Brusquement, il traverse l'allée pour dire un mot à quelqu'un avant de s'éloigner à grands pas pour vérifier quelque chose. Je lui lance un bref coup de sifflet mais il n'entend pas. Je le poursuis dans tout l'atelier avant de parvenir à le rattraper de nouveau devant la NCX-10. Il a l'air surpris de me voir.

–Va-t-on arriver à arranger ça, Bob?

–On fait ce qu'on peut.

–Oui, mais est-ce qu'on va y arriver?

–Nous faisons de notre mieux.

–Bob, allons-nous expédier la commande ce soir, oui ou non?

–Peut-être.

Je n'insiste pas et me plonge dans la contemplation de la NCX-10, qui en vaut d'ailleurs la peine. C'est un engin énorme, la plus chère de toutes nos machines à commande numérique, peinte d'une ravissante couleur bleu lavande dont je n'ai jamais compris la raison. Sur le côté s'étalent un panneau de commande plein de voyants rouges, verts et jaunes, toute une rangée de boutons, un clavier noir, des dérouleurs de bande magnétique et un écran. C'est beau, mais moins que de la voir travailler les pièces prises dans le mandrin central où un outil coupant détache des copeaux de métal arrosé en permanence par un jet lubrifiant turquoise.

Nous avons eu de la chance: la NCX-10 fonctionne à nouveau. Les dégâts n'étaient pas aussi importants que nous l'avions pensé au départ, mais le technicien d'entretien n'a terminé qu'à quatre heures et demie, l'heure à laquelle la seconde équipe arrive.

Tout l'atelier de montage va faire des heures supplémentaires, bien que ce soit contre la politique actuelle de la division. Je ne sais pas comment nous allons camoufler cela, mais il faut absolument que cette commande parte ce soir. Johnny Jons, le directeur du marketing, m'a appelé quatre fois, rien qu'aujourd'hui. Lui aussi a été rappelé à l'ordre par Peach, par ses propres vendeurs et par le client.

J'espère qu'il ne se produira plus d'autres catastrophes. Dès que chaque pièce est terminée, elle est apportée à l'endroit où elle est intégrée au sous-ensemble, puis le contremaître en charge envoie chaque sous-ensemble vers la zone de montage final. Et le rendement, me direz-vous? Les pièces sont transportées à la main, une à une... le volume de pièces par employé doit être ridicule. C'est fou. Je me demande où Bob a trouvé tous les gens qu'il fallait.

Je regarde autour de moi. Les ateliers qui ne sont pas concernés par la 41427 sont pratiquement déserts. Donovan a rameuté tous ceux sur qui il pouvait mettre la main et les a mis au travail sur cette commande. Ce n'est pas la bonne méthode, mais la commande partira.

Je jette un coup d'œil à ma montre. Il est un petit peu plus de onze heures. Sur le quai d'expédition, les portes de la remorque sont verrouillées, le chauffeur grimpe sur son siège, lance le moteur, lâche les freins et s'éloigne lentement dans la nuit.

Je me tourne vers Donovan.

–Félicitations.

–Merci, mais ne me demandez pas comment nous y sommes parvenus.

–D'accord, je ne vous le demanderai pas. Qu'est-ce que vous diriez si nous allions manger un morceau ensemble?

Pour la première fois de la journée, Donovan sourit. Dans le lointain, nous entendons le grincement des vitesses du camion.

Les deux premiers restaurants que nous essayons sont fermés. Je dis à Bob de traverser la rivière à la 16e Rue et de prendre Bessemer en direction de South Flat jusqu'à ce que nous arrivions au moulin. Les maisons de ce quartier sont collées les unes aux autres, pas de cour, pas d'herbe, pas d'arbre. Les rues sont étroites et il y a juste la place pour passer entre les voitures garées de part et d'autre. Nous finissons par arriver devant le Grill-Bar de Sednikk.

Donovan jette un regard curieux à l'endroit.

–Vous êtes sûr que c'est bien là?

–Oui, oui. Venez. Ils ont les meilleurs hamburgers de toute la ville.

À l'intérieur, nous nous asseyons dans un box au fond de la salle. Maxine me reconnaît et vient immédiatement me saluer. Nous bavardons pendant un instant puis Donovan et moi commandons des hamburgers avec des frites et de la bière.

–Comment connaissez-vous cet endroit? me demande Dono-

van en regardant autour de lui.

—C'est là que j'ai pris ma première cuite, au bar. Je crois que j'étais assis sur le troisième tabouret en partant de la gauche, mais il y a longtemps de cela.

—Est-ce que vous avez commencé à boire tard ou est-ce que vous avez grandi dans cette ville?

—J'ai été élevé à deux rues d'ici. Mon père avait une épicerie. C'est mon frère qui s'en occupe aujourd'hui.

—Je ne savais pas que vous étiez de Bearington.

—Avec toutes les mutations, il m'a fallu environ 15 ans pour y revenir.

Les bières arrivent.

—Ces deux-là sont offertes par Joe, dit Maxine.

Elle nous montre Joe Sednikk, debout derrière le bar. Donovan et moi le remercions d'un signe de la main.

—À la santé de la 41427, dit Donovan en levant son verre.

—À sa santé.

Après quelques gorgées, Donovan a l'air plus détendu, mais je continue à penser à ce qui s'est passé ce soir.

—Vous savez, nous l'avons payée très cher cette livraison. Nous avons perdu un bon ouvrier, il y a la facture de la réparation de la NCX-10, plus les heures supplémentaires.

—Plus le temps que nous avons perdu sur la NCX-10 pendant qu'elle était en panne, ajoute Donovan. Mais reconnaissez que lorsque nous nous y sommes mis, nous avons vraiment été efficaces. J'aimerais bien que ça puisse être pareil tous les jours.

—Non merci. Une journée comme celle-là me suffit, dis-je en riant.

—Non, je ne veux pas dire qu'il nous faut Bill Peach tous les matins à l'usine. Mais nous sommes arrivés à faire partir la commande.

—Moi aussi, Bob, j'aime voir partir les commandes, mais pas comme nous l'avons fait ce soir.

—Peut-être, mais enfin, elle est partie, non?

—Oui. Mais c'est la façon dont ça s'est passé qui ne va pas.

—J'ai simplement vu ce qu'il fallait faire, mis tout le monde au boulot, et au diable les règles.

—Bob, vous avez une idée de ce que serait notre rendement si nous faisions tourner l'usine comme ça tous les jours? Nous ne pouvons pas mettre tout le monde sur une seule commande à la fois. Il n'y aurait plus d'économies d'échelle. Et nos coûts seraient... enfin, ils seraient pires que ce qu'ils sont actuellement. On ne peut pas diriger une usine par intuition.

Donovan reste silencieux un moment puis dit:

–Peut-être que j'ai pris trop de mauvaises habitudes, lorsque je travaillais à l'ordonnancement.

–Écoutez, vous avez fait un boulot fantastique aujourd'hui et je suis sincère en disant cela. Mais nous avons mis en place une politique dans un but bien déterminé. Et laissez-moi vous dire que Bill Peach, si on en juge par le cirque qu'il a fait aujourd'hui pour faire partir une commande, serait de nouveau sur notre dos à la fin du mois, si nous gérions l'usine en oubliant l'efficience.

–Maxine, remettez-nous ça s'il vous plaît. Oh et puis non, pour vous éviter des allées et venues, apportez-nous carrément un pichet.

Aujourd'hui, nous nous en sommes sortis, nous avons gagné, mais de justesse. Maintenant que Donovan est parti, et que les effets de l'alcool commencent à se dissiper, je ne vois vraiment pas ce que nous avons fêté. Nous avons simplement réussi à expédier une commande qui était très en retard. Alléluia!

Le vrai problème, c'est que j'ai sur les bras une usine qui a pratiquement un pied dans la tombe. Peach lui donne encore trois mois à vivre avant de tirer l'échelle.

Cela signifie que j'ai deux, peut-être trois autres rapports mensuels, pour le faire changer d'avis. Après cela, il ira voir les grands pontes et mettra les chiffres sur la table. Tout le monde se tournera alors vers Granby, qui posera une ou deux questions, parcourra une dernière fois les rapports et hochera la tête. Et ce sera fini. Une fois que la décision sera prise, il n'y aura rien à faire pour revenir en arrière.

Ils nous laisseront le temps de finir les commandes en-cours. Et après, 600 personnes prendront le chemin des bureaux de chômage, où ils rejoindront leurs amis et leurs anciens collègues, les 600 autres que nous avons déjà licenciés.

Et c'est comme ça que la Division UniWare disparaîtra d'un autre des marchés où nous ne sommes pas concurrentiels. Le

monde, pauvre de lui, ne pourra plus acheter les merveilleux produits que nous ne sommes pas capables de produire suffisamment à bon marché, ou assez vite, ou assez bien, ou assez je ne sais quoi, pour battre les Japonais. Sans parler des autres d'ailleurs. Nous quitterons donc la «famille» UniCo (dont le profil d'expansion n'a pas plus de relief que les plaines du Kansas), absorbés par une fusion que le siège social aura négociée avec une autre société en difficulté. On dirait que toute la stratégie de la compagnie se ramène à ça en ce moment.

Mais qu'est-ce qui ne va pas chez nous?

Tous les six mois, il semble que quelqu'un, dans les hautes sphères, sorte un nouveau programme qu'il présente comme une panacée. Certains marchent à peu près, mais aucun n'apporte vraiment d'amélioration. Mois après mois, nous survivons péniblement sans jamais voir le bout du tunnel. Au contraire, la situation s'aggrave.

Suffit. Le quart d'heure de lamentations est terminé, Rogo. Calme-toi. Essaie de réfléchir au problème rationnellement. Il est tard, je suis enfin seul... dans ce bureau si convoité, saint des saints de mon empire. Rien pour me déranger. Le téléphone ne sonne pas. Essayons donc d'analyser la situation. Pourquoi n'arrivons-nous pas à expédier à temps un produit de qualité à un prix meilleur que celui de la concurrence?

Quelque chose ne va pas. Je ne sais pas ce que c'est, mais je sens que quelque chose de fondamental m'échappe.

Je dirige ce qui *devrait* être une bonne usine. D'ailleurs, c'est une bonne usine: nous avons la technologie, quelques-unes des meilleures machines à commande numérique que l'on puisse trouver sur le marché, des robots, nous avons enfin un ordinateur qui est censé pouvoir tout faire, sauf peut-être le café.

Nous avons du personnel de qualité. Nous sommes certes un peu à court dans un ou deux secteurs, mais les gens que nous avons sont pour la plupart valables, même si nous gagnerions à être un peu plus nombreux. Je n'ai pas trop de problèmes avec le syndicat. Parfois, il me gêne, mais la concurrence aussi a des syndicats. Et je reconnais que les ouvriers ont fait des concessions la dernière fois; pas autant que nous l'aurions aimé, mais nous avons avec eux un accord vivable.

J'ai les machines, j'ai les gens. J'ai toutes les matières premières dont j'ai besoin. Je sais qu'il y a un marché, puisque les
produits de la concurrence se vendent. Alors bon sang, qu'est-
ce qui ne va pas?

C'est cette damnée concurrence qui nous tue. Depuis que les
Japonais sont arrivés sur nos marchés, elle est devenue très dure.
Il y a trois ans, ils nous battaient sur la qualité et sur la conception
des produits. Sur ces points, nous leur avons tenu tête, mais
maintenant, ils nous battent sur les prix et sur les délais de livraison. J'aimerais bien connaître leur secret.

Mais que puis-je faire pour être plus compétitif ?

J'ai réduit les coûts. Aucun autre directeur d'usine, dans cette
division, ne les a abaissés comme je l'ai fait. Il n'y a plus rien à
réduire.

En dépit de ce que Peach peut dire, mes rendements ne sont
pas mauvais. Je sais qu'il a d'autres usines où ils sont bien pires.
Mais ceux qui sont meilleurs que moi n'ont pas la concurrence
que j'ai. Peut-être pourrais-je encore améliorer les rendements,
mais... je ne sais pas. C'est comme de cravacher un cheval qui
court déjà aussi vite qu'il peut.

Il faut que nous fassions quelque chose à propos des retards
de livraison. Rien ne sort de cette usine sans procédure d'urgence. Nous avons des stocks de matières premières plus que suffisants, les pièces quittent le magasin au moment voulu, mais en
fin de compte, rien ne marche comme cela devrait.

Ce n'est pas une exception. Pratiquement toutes les usines
que je connais ont des chargés d'ordonnancement. Et dans n'importe quelle usine d'Amérique, de la taille de la nôtre, il y a des
stocks d'en-cours aussi importants que ceux que nous avons. Je
n'arrive pas à mettre le doigt sur le problème. D'un côté, cette
usine n'est pas pire que la plupart de celles que j'ai vues, elle est
même meilleure que beaucoup d'autres, et pourtant, nous perdons
de l'argent.

Si seulement nous arrivions à rattraper notre retard. Parfois,
j'ai l'impression qu'il y a des esprits malins dans l'usine. Chaque
fois que nous arrivons presque à être à jour, ils profitent du
changement d'équipe, quand personne ne regarde, et mettent
suffisamment de désordre pour que tout se dérègle comme à

plaisir. Sérieusement, je suis convaincu de l'existence de ces affreux jojos.

Ou peut-être ne suis-je pas compétent? Mais enfin, j'ai un diplôme d'ingénieur et un M.B.A. Peach ne m'aurait pas nommé à ce poste s'il avait pensé que je n'étais pas qualifié. Je ne suis donc pas en cause... enfin, je l'espère. Mon Dieu, combien d'années se sont écoulées depuis que j'ai commencé mes études d'ingénieur, avec l'impression de déjà tout savoir: 14, 15 ans?

Autrefois, je croyais qu'en travaillant dur, on pouvait réussir n'importe quoi. Je travaille depuis que j'ai 12 ans. Je travaillais après l'école dans l'épicerie de mon père. J'ai fait des petits jobs lorsque j'étais au collège. Lorsque j'ai été assez âgé, j'ai passé tous mes étés à travailler dans les usines des alentours. On m'a toujours dit que si je travaillais suffisamment dur, je finirais par être récompensé. C'est vrai, non? Regardez mon frère: premier-né, il ne s'est pas beaucoup fatigué. Aujourd'hui, il a une épicerie dans un quartier pauvre de la ville. Moi, j'en ai bavé pour finir l'école d'ingénieur, je suis entré dans une grande entreprise et je suis un étranger pour ma femme et mes enfants. J'ai avalé toutes les couleuvres qu'UniCo me présentait, et encore, j'en redemandais. Mais quel beau résultat! Et me voilà à 38 ans, piètre directeur d'usine. Belle réussite, non? Me voilà bien parti.

Bon, il est temps de rentrer, assez ri pour aujourd'hui.

CHAPITRE 3

Le poids du corps de Julie sur le mien me réveille. Hélas, elle n'est pas d'humeur folichonne, elle essaie d'atteindre la table de nuit pour arrêter le réveil qui sonne depuis trois bonnes minutes. Il est six heures trois. Julie donne une tape sur le bouton pour faire taire la sonnerie. Avec un soupir, elle roule sur le côté et, quelques minutes plus tard, sa respiration régulière m'indique qu'elle s'est rendormie. Une nouvelle journée commence.

Trois quarts d'heure plus tard, je sors la Buick du garage. Il fait encore nuit dehors. Quelques kilomètres plus loin, le ciel s'éclaire peu à peu. À mi-chemin, le soleil se lève, mais je suis trop plongé dans mes pensées pour le remarquer tout de suite, puis je le vois émerger lentement là-bas, derrière les arbres. Ce qui m'énerve parfois, c'est que je cours continuellement, et je n'ai même pas le temps de voir tous les miracles quotidiens qui m'entourent. Au lieu de savourer la beauté de l'aube naissante, j'ai les yeux rivés à la route et je me fais du souci à cause de Peach. Il a convoqué une réunion, au siège social, pour tous les gens qui relèvent directement de lui, c'est-à-dire essentiellement ses directeurs d'usine et ses adjoints. La réunion, nous a-t-on avertis, commencerait à huit heures juste. Peach n'a pas dit quel en était l'objet. Bizarre. C'est un grand secret, tout le monde fait des mystères, à croire que la troisième guerre mondiale est déclarée. Il nous a demandé d'être là à huit heures avec nos rapports et toutes les informations nécessaires pour faire le point en détail sur les activités de la division.

Bien entendu, nous avons tous compris la raison de cette réunion. Ou, du moins, nous en avons une idée! Fidèle à ses habitudes, Peach va saisir cette occasion pour nous «informer» des mauvais résultats de la division au premier trimestre. Ensuite, il va nous parler de l'effort de productivité que nous devons faire, avec objectifs chiffrés pour chaque usine, chaque engagement, etc. Je suppose que c'est pour cela que nous avons été convoqués au siège social à huit heures, chiffres en mains. Peach avait dû penser que cela soulignerait l'importance de l'occasion et y introduirait une certaine discipline.

Le hic, c'est que pour être là à l'heure convenue, la moitié des participants auront dû prendre l'avion la veille et passer la nuit à l'hôtel. D'où des frais supplémentaires. En conséquence, pour nous annoncer à huit heures que la division est en mauvaise posture, Peach devra payer 2 000$ de plus que ce qu'il aurait déboursé s'il avait fixé sa réunion une ou deux heures plus tard.

J'ai le sentiment que Peach est en train de perdre son sang-froid. Il ne craque pas vraiment, mais depuis peu, ses réactions sont hors de proportion avec ce qui les motive. Il ressemble à un général qui sait qu'il est en train de perdre la bataille, mais qui oublie la stratégie tant il veut désespérément la victoire.

Il était différent, il y a deux ans. Sûr de lui. Ne craignant pas de déléguer des responsabilités. Il nous laissait mener nos affaires comme nous l'entendions, tant que les résultats financiers étaient satisfaisants. Il s'efforçait d'être un patron «éclairé». Il se voulait ouvert aux idées nouvelles. Si un consultant venait lui dire «Il faut que les ouvriers se sentent bien dans leur travail pour être productifs», Peach essayait de faire quelque chose. Mais ça, c'était à l'époque où les ventes marchaient mieux et où les restrictions budgétaires étaient inconnues.

Et aujourd'hui, que dit-il?

—Je m'en fous, qu'ils se sentent bien ou pas. Si ça coûte un dollar de plus, pas question.

C'est la réponse qu'il avait fait à un directeur qui essayait de le convaincre de créer une salle de gymnastique où les employés pourraient faire de la culture physique, l'argument massue étant que ce serait bénéfique pour tout le monde, car des employés en forme sont des employés heureux, etc. Peach l'avait presque jeté dehors.

Et maintenant, il se permet de venir dans mon usine et d'y semer la pagaille, sous prétexte d'améliorer le service à la clientèle. Ce n'était pas la première fois que nous nous accrochions, Peach et moi. À une ou deux reprises déjà, nous avions eu des disputes, mais rien d'aussi sérieux que l'incident d'hier. Pourtant, je m'entendais plutôt bien avec lui. À une certaine époque, je pensais même que nous étions amis. Lorsque je travaillais avec lui, au siège social, il nous arrivait de nous retrouver tous les deux dans son bureau à la fin de la journée, et de discuter pendant des heures. De temps en temps, nous allions prendre un verre ensemble en ville. Tout le monde pensait que je faisais du zèle, mais je crois qu'il m'aimait bien justement parce que ce n'était pas le cas. Il appréciait mon travail. Nous formions une bonne équipe.

Je me souviens d'une soirée folle, à Atlanta, à la réunion annuelle des vendeurs, où Peach, moi et une bande de joyeux drilles de la division du marketing, nous avions pris le piano du bar et organisé un concert... dans l'ascenseur. Les gens qui attendaient l'ascenseur n'étaient pas peu surpris, lorsque les portes s'ouvraient, de nous découvrir en train de reprendre en chœur le refrain d'une chanson à boire irlandaise, Peach au piano, tapant comme un sourd sur le clavier (il ne joue pas mal du tout, soit dit en passant). Au bout d'une heure, le directeur de l'hôtel avait réussi à nous rattraper. Mais entre temps, la foule de nos admirateurs ayant grossi, faute de place dans l'ascenseur, nous nous étions installés sur le toit pour faire profiter toute la ville de notre répertoire. J'avais dû calmer Bill, qui voulait se battre avec deux videurs que le directeur avait envoyés pour mettre un terme à cette petite fête. Quelle soirée! Bill et moi nous étions retrouvés à l'aube en train de boire du jus d'orange dans un trou crasseux, à l'autre bout de la ville.

C'est Peach qui m'avait montré que j'avais un avenir dans la société. C'est lui qui m'avait tiré de l'anonymat, lorsque j'étais un simple ingénieur de projet qui savait seulement travailler dur. C'est lui qui m'avait fait venir au siège social. C'est encore lui qui avait tout organisé pour que je puisse retourner à l'université et passer un M.B.A.

Et aujourd'hui, c'est le conflit permanent. Je n'arrive pas à y croire.

À huit heures moins dix, je gare ma voiture dans le garage souterrain d'UniCo. Peach et le personnel de sa division occupent trois étages de l'immeuble. Je sors de la voiture et récupère mon attaché-case dans le coffre. Il pèse au moins cinq kilos aujourd'hui, avec tous les rapports et les imprimés d'ordinateur que j'ai apportés. J'ai l'impression que la journée va être dure. Les sourcils froncés, je me dirige vers l'ascenseur.

—Al!

Je me retourne pour voir qui m'appelle. Nathan Selwin vient vers moi. Je l'attends.

—Comment vas-tu, Al?

—Ça va. Content de te voir, lui dis-je en l'entraînant vers l'ascenseur. J'ai vu la note annonçant ta nomination à la division de Peach. Félicitations.

—Merci. Mais je ne sais pas si c'est vraiment la meilleure place, avec tout ce qui se passe en ce moment.

—Pourquoi? Bill te fait travailler la nuit?

—Non, ce n'est pas ça. Il fait une pause, puis reprend en baissant la voix. Tu n'es pas au courant?

Je hausse les épaules. Je ne vois pas de quoi il parle.

—Toute la division est menacée. Tout le monde au quinzième étage a peur. Granby a dit à Peach la semaine dernière qu'il avait jusqu'à la fin de l'année pour améliorer les résultats, sinon la division serait vendue. Je ne sais pas si c'est vrai, mais j'ai personnellement entendu Granby dire à Peach que, si la division sautait, Peach sautait avec.

—Tu en es sûr ?

Nathan hoche la tête et ajoute:

—Apparemment, il y a déjà un certain temps que ça couve.

Nous nous remettons en marche.

Ma première pensée est qu'il n'est guère surprenant que Peach se soit comporté comme il l'a fait dernièrement. Tout ce pour quoi il a travaillé est menacé. Si la division est rachetée par une autre société, Peach sera à la rue. Les nouveaux patrons feront le ménage et ils commenceront par le haut.

Et moi? Est-ce que j'aurai un emploi? Bonne question, Rogo. Avant d'apprendre ça, je supposais que Peach me trouverait quelque chose si la division fermait, comme cela se fait d'habitude. Bien sûr, ça ne correspondrait peut-être pas à mes aspirations. Je sais qu'il n'y a pas beaucoup de postes de directeur d'usine libres chez UniCo, mais je pensais que Peach me reprendrait à mon ancien poste dans son équipe, bien que j'aie été remplacé et que Peach soit très satisfait de mon successeur, à ce que l'on m'a dit. Maintenant que j'y réfléchis, il m'a effectivement laissé entendre hier, au début de notre «conversation», que je pouvais perdre mon poste.

Merde, mais je pourrais être au chômage dans trois mois!

–Écoute, Al. Si on te questionne, tu ne dis pas que c'est moi qui t'ai parlé de ça, d'accord? me dit Nathan en me quittant.

Je reste planté dans le couloir du quinzième étage. Je ne me rappelle même pas avoir pris l'ascenseur. Je me souviens vaguement de Nathan qui me disait, pendant la montée, que tout le monde envoyait des c.v. partout.

Je regarde autour de moi, désorienté, me demandant où je suis censé aller maintenant. Puis je me souviens de la réunion et je me dirige vers le hall où j'aperçois des gens qui pénètrent dans une salle de conférences.

J'entre et prends un siège. Peach est debout au bout de la table, un projecteur de diapositives devant lui. À huit heures précises, il commence à parler. Il y a là une vingtaine de personnes dont la plupart ont les yeux tournés vers Peach. L'un d'eux, Hilton Smyth, me regarde fixement. Il dirige lui aussi une usine et je ne l'ai jamais beaucoup aimé. Il m'agace, avec sa manie de toujours vanter l'originalité de ses méthodes de travail, alors que la plupart du temps elles ne sont pas différentes de celles des autres. Quoi qu'il en soit, il me regarde comme pour évaluer mon état d'esprit. Je me demande si c'est parce que j'ai l'air secoué. Je le regarde fixement à mon tour, jusqu'à ce qu'il détourne les yeux.

Lorsque je reprends le fil du discours de Peach, c'est pour l'entendre donner la parole au contrôleur de gestion de la division, Ethan Frost, un vieux bonhomme maigre et tout ridé qui, maquillé correctement, pourrait servir de doublure à la fée Carabosse.

Les nouvelles, ce matin, sont aussi réjouissantes que celui qui les annonce. Le premier trimestre vient de se terminer et il est catastrophique partout. La division risque vraiment de se trouver en panne de liquidités, et tout le monde doit donc se serrer la ceinture au maximum.

Frost se tait. Peach se lève et se lance dans un exposé rigoureux sur la façon dont nous allons relever le défi. J'essaie de suivre, mais après quelques phrases, mon esprit s'égare. Je n'entends plus que des bribes.

–... impératif que nous minimisions le risque accessoire... ...acceptable pour notre situation actuelle au niveau du marketing...   ...sans réduire les dépenses stratégiques... ...sacrifices nécessaires... ...améliorer la productivité dans toutes les usines...

Des diagrammes défilent sur l'écran. Peach et les autres échangent toute une série d'indicateurs. Je fais un effort, mais je n'arrive pas à me concentrer.

–...ventes du premier trimestre en baisse de 22 pour cent par rapport à l'année dernière... ...coûts totaux des matières premières en hausse... ...ratios de la main-d'œuvre directe, mesurés en heures productives sur les heures payées... par rapport aux normes, nous sommes en retrait de 12 pour cent sur ces rendements...

Je me dis que je dois absolument me reprendre et être attentif. Je fouille dans ma poche, à la recherche d'un stylo pour prendre des notes.

–Et la réponse est claire, conclut Peach. Notre avenir dépend de notre capacité d'accroître la productivité.

Je ne trouve pas de stylo. J'essaie dans une autre poche et j'en tire un cigare. Je le regarde bêtement, car je ne fume plus et je me demande d'où peut bien venir celui-ci.

Puis je me souviens.

CHAPITRE 4

Il y a deux semaines, je portais le même costume qu'aujourd'hui. C'était encore le bon temps où je pensais que tout allait s'arranger. J'étais entre deux avions à l'aéroport de Chicago. Ayant un peu de temps devant moi, je m'étais rendu dans l'une des salles d'attente de la compagnie aérienne. L'endroit était plein d'hommes d'affaires. Je cherchais des yeux un endroit où m'asseoir, dans la foule des hommes en costume trois-pièces et des femmes en tailleur strict, lorsque mes yeux tombèrent sur un homme vêtu d'un chandail et yarmulke[1] sur la tête. Assis près d'une lampe, il lisait, son livre dans une main et un cigare dans l'autre. Il y avait une place libre près de lui, et je me précipitai pour la prendre. Ce n'est qu'après m'être assis que je m'aperçus que je le connaissais.

Rencontrer quelqu'un que vous connaissez au beau milieu d'un des aéroports les plus fréquentés du monde, cela fait un choc. Au premier regard, je n'étais pas vraiment sûr que ce soit lui. Mais il ressemblait trop au physicien que j'avais connu autrefois pour que je puisse me tromper. Sentant ma présence à ses côtés, il leva les yeux de son livre et je vis sur son visage qu'il se posait la même question que moi: est-ce que je connais cet homme?

–Jonah?

–Oui.

–Je suis Alex Rogo. Vous vous souvenez de moi?

Je vois à l'expression de son visage qu'il ne se rappelle pas tout à fait.

–Nous nous sommes connus il y a quelques années. J'étais étudiant, j'avais une bourse pour étudier certains modèles mathématiques sur lesquels vous travailliez. Vous vous rappelez? Je portais la barbe à l'époque.

–Mais bien sûr! Oui, je me souviens de vous. Alex, n'est-ce pas?

–C'est ça.

Une serveuse me demande si je veux boire quelque chose. Je commande un scotch soda et demande à Jonah s'il veut prendre un verre avec moi. Il refuse, car son avion va bientôt décoller.

Je lui demande ce qu'il devient.

–Occupé, très occupé. Et vous?

–La même chose. Je me rends à Houston. Et vous?

–New York.

Tout ce bavardage n'a pas l'air de l'intéresser beaucoup et il semble vouloir mettre un terme à la conversation. Le silence s'installe entre nous. Mais j'ai la manie (dont je n'ai jamais pu me débarrasser) de meubler les silences dans une conversation avec le son de ma propre voix.

–C'est drôle, je voulais faire de la recherche dans ce temps-là, mais j'ai fini dans les affaires. Je dirige une usine d'UniCo.

Jonah hoche la tête. Il a l'air un peu plus intéressé. Il tire une bouffée de son cigare. Je continue à parler, ce qui n'est pas difficile pour moi car je suis d'une nature bavarde.

–En fait, c'est pour cela que je me rends à Houston. Nous sommes membre d'un club d'industriels, et le club a invité UniCo à participer à une conférence-débat sur la robotique à son congrès annuel. J'ai été choisi par UniCo parce que mon usine est celle qui a le plus d'expérience avec les robots.

–Je vois, dit Jonah. Est-ce que cela va être une discussion technique?

–Plutôt orientée vers les «affaires» que technique.

Puis je me rappelle que j'ai dans ma mallette un document que je peux lui montrer. Je l'ouvre et j'en sors la copie du programme que le club m'a envoyé.

–Voilà, lui dis-je, et je lui lis le titre du programme: «Robotique: la solution des années 80 pour la crise de la productivité en Amérique... Un groupe d'utilisateurs et d'experts étudie l'incidence des robots industriels sur la production des entreprises américaines.»

Jonah n'a pas l'air très impressionné. En tant qu'universitaire, me dis-je, il ne doit rien comprendre au monde des affaires.

–Vous dites que votre usine utilise des robots, Alex?

–Dans deux services, oui.

–Ils ont véritablement amélioré la productivité dans votre usine?

–Certainement. Nous avons eu... une amélioration de 36 pour cent dans un secteur, je pense.

–Vraiment, 36 pour cent? Ainsi, les bénéfices de votre entreprise ont augmenté de 36 pour cent grâce à votre usine, simplement en installant quelques robots? Incroyable.

Je ne peux pas retenir un sourire.

–Eh bien... non. Nous aurions bien aimé que ce soit le cas, mais c'est beaucoup plus compliqué que cela. L'amélioration n'a concerné qu'un seul service.

Jonah regarde son cigare, puis l'écrase dans le cendrier.

–Alors, vous n'avez pas véritablement accru la productivité.

Je sens mon sourire qui se fige.

–Je ne comprends pas bien.

Jonah se penche en avant avec des airs de conspirateur.

–Laissez-moi vous poser une question, juste entre nous: est-ce que votre usine a pu expédier ne serait-ce qu'un seul produit de plus par jour à la suite de ce qui s'est passé dans le service lorsque vous avez installé les robots?

–Eh bien... il faudrait que je voie les chiffres...

–Est-ce que vous avez licencié du personnel?

Je le regarde. Mais que veut-il dire par là?

–Vous voulez savoir si nous avons licencié parce que nous avons installé des robots? Non. Nous nous sommes mis d'accord avec notre syndicat pour que personne ne soit mis à pied à cause de la productivité. Nous avons muté des gens. Bien entendu, lorsque les affaires marchent moins bien, nous licencions du personnel.

—Mais les robots eux-mêmes n'ont pas abaissé le coût de la main-d'œuvre dans votre usine.

—Non.

—Alors, dites-moi, est-ce que vos stocks ont baissé?

Je ris.

—Mais où voulez-vous en venir Jonah?

—Répondez-moi. Est-ce que les stocks ont baissé?

—Comme ça, je dirais que non, mais il faudrait que je vérifie les chiffres.

—Vous pouvez vérifier vos chiffres, si vous voulez. Mais si vos stocks n'ont pas baissé... vos frais de main-d'œuvre non plus... et si votre société ne vend pas davantage de produits – ce que de toute évidence elle ne peut pas faire si vous n'en expédiez pas davantage – alors vous ne pouvez pas me dire que ces robots ont amélioré la productivité de votre usine.

En l'entendant, j'ai l'impression de me trouver dans une cabine d'ascenseur dont les câbles viendraient juste de lâcher.

—Oui, je vois ce que vous voulez dire. Mais mes rendements se sont accrus, mes coûts ont diminué...

—Vraiment?

—Mais bien sûr! En fait, le rendement est en moyenne bien au-dessus de 90 pour cent. Et le coût par pièce a considérablement baissé. Vous savez, pour rester compétitif à notre époque, nous devons faire tout ce qui est possible pour être de plus en plus efficaces et réduire les coûts.

Mon verre arrive. La serveuse le pose sur la table devant moi. Je lui tends un billet de cinq dollars et j'attends qu'elle me rende la monnaie.

—Avec des rendements aussi élevés, vous faites sans doute tourner vos robots en permanence?

—Absolument. C'est indispensable. Autrement, nous perdrions l'économie sur le coût par pièce. Et les rendements baisseraient. Cela s'applique non seulement aux robots mais aussi à nos autres ressources. Nous devons fabriquer en permanence pour maintenir le rendement et conserver notre avantage sur le plan des coûts.

–Ah bon?

–Bien sûr. Mais ça ne veut pas dire que nous n'ayons pas de problèmes.

–Je vois, dit Jonah en souriant. Allez! Soyez franc: vous ne savez plus que faire de vos stocks, n'est-ce pas?

Je le regarde. Comment sait-il cela ?

–Si vous voulez parler des en-cours...

–Tous vos stocks.

–Eh bien, cela dépend. Dans certaines usines, oui, ils sont très importants.

–Et tout est toujours en retard, bien sûr? Vous n'arrivez pas à expédier les commandes à temps?

–Je reconnais que nous avons un gros problème pour respecter les dates d'expédition. Cela nous cause pas mal d'ennuis avec les clients ces derniers temps.

Jonah hoche la tête, comme s'il s'attendait à cette réponse.

Il sourit.

–Juste une intuition. Par ailleurs, je vois ces mêmes symptômes dans beaucoup d'usines. Vous n'êtes pas les seuls.

–Mais vous êtes physicien?

–Je suis un scientifique. Et en ce moment je m'occupe beaucoup de la science de l'organisation, particulièrement de l'organisation de la production.

–J'ignorais qu'il existait une science de ce genre.

–Elle existe maintenant.

–Quoi qu'il en soit, vous avez mis le doigt sur deux de mes plus gros problèmes, je dois le reconnaître. Comment se fait-il...

Je m'interromps car Jonah vient de pousser une exclamation en hébreu. Il sort une vieille montre de la poche de son pantalon.

–Désolé, Alex, mais si je ne me dépêche pas, je vais manquer mon avion.

Il se lève et prend sa veste.

–C'est dommage, je suis très intrigué par une ou deux choses que vous avez dites.

–Eh bien, si vous réfléchissez à ce dont nous avons parlé, vous arriverez probablement à sortir votre usine de la mauvaise posture dans laquelle elle se trouve.

–Eh, je vous ai peut-être donné une mauvaise impression. Nous avons quelques problèmes, mais la situation n'est pas si mauvaise que ça.

Il me regarde droit dans les yeux. Je me dis qu'en fait il sait exactement ce qui est en train de se passer.

–Écoutez, Jonah, j'ai un peu de temps devant moi. Est-ce que cela vous ennuierait si je vous accompagnais jusqu'à votre avion?

–Non, pas du tout. Mais il faut que nous nous dépêchions.

Je me lève et saisis mon manteau et mon attaché-case. J'avale rapidement une gorgée de mon verre et l'abandonne sur le comptoir. Jonah est déjà parti vers la porte. Il m'attend pour que je le rattrape, puis nous longeons un couloir plein de gens qui courent dans tous les sens. Jonah marche très vite et je dois faire un effort pour rester à sa hauteur.

–Je serais curieux de savoir ce qui vous a donné l'idée que mon usine pouvait avoir des ennuis.

–C'est vous qui me l'avez dit.

–Non.

–Oui. D'après les indications que vous m'avez données, il est évident pour moi que votre usine n'est pas aussi performante que vous le pensez. En fait, c'est exactement l'inverse. Vous dirigez une usine particulièrement inefficace.

–Ce n'est pas ce que disent les chiffres. Essayez-vous de me dire que mes gens se trompent dans leurs rapports... qu'ils me mentent?

–Non. Il est très improbable qu'ils mentent. Mais vos chiffres, eux, ne disent pas la vérité.

–Bon, d'accord, parfois nous les manipulons un peu, mais tout le monde fait la même chose.

–Vous ne comprenez pas. Vous pensez que vous dirigez une usine efficace... mais votre raisonnement est faux.

–Qu'est-ce qui ne va pas avec mon raisonnement? Il n'est pas différent de celui de la plupart des autres directeurs d'usine.

–Exactement!

–C'est-à-dire?

Je commence à me sentir un peu vexé.

–Alex, vous êtes comme la majorité des gens: vous acceptez

beaucoup de choses sans vous poser de questions et vous ne réfléchissez pas véritablement.

—Jonah, je réfléchis tout le temps. Ça fait partie de mon travail.

Il secoue la tête.

—Alex, dites-moi encore une fois pourquoi vous pensez que vos robots constituent un grand progrès.

—Parce qu'ils ont amélioré la productivité.

—Et qu'est-ce que la productivité?

Je réfléchis une seconde, essayant de me rappeler.

—Selon la définition qu'en donne ma société, je dirais que c'est une formule qui a quelque chose à voir avec la valeur ajoutée par employé et qui est égale...

Jonah secoue la tête de nouveau.

—Quelle que soit la définition qu'en donne votre société, ce n'est pas vraiment cela la productivité. Oubliez un instant toutes les formules et dites-moi simplement, avec vos propres mots, en vous basant sur votre propre expérience, ce que cela signifie que d'être productif.

Nous prenons un autre couloir. Devant nous j'aperçois les détecteurs sous lesquels doivent passer les passagers, et les gardes de sécurité. J'avais l'intention de m'arrêter là et de dire au revoir à Jonah, mais il ne s'arrête pas.

—Dites-moi, qu'est-ce que cela veut dire, être productif? me demande-t-il en franchissant le détecteur. Arrivé de l'autre côté, il continue à me parler. Pour *vous*, personnellement, qu'est-ce que cela veut dire?

Je pose mon attaché-case sur le tapis roulant et je rejoins Jonah. Je me demande quelle réponse il attend de moi.

—Eh bien, à mon avis, cela veut dire que je réalise quelque chose de concret.

—Exactement! Mais vous réalisez quelque chose à quel point de vue?

—Par rapport à mon but.

—Correct!

Il passe la main sous son chandail et tire de la poche de sa chemise un cigare qu'il me tend.

—Mes compliments. Lorsque vous êtes productif, vous accomplissez quelque chose par rapport à votre but, d'accord?

—Exactement, dis-je en récupérant mon attaché-case.

Les portes d'embarquement défilent et je fais un effort pour rester à la hauteur de Jonah.

—Alex, poursuit-il, je suis parvenu à la conclusion que la productivité consiste à rapprocher une entreprise de son but. Toute action qui y contribue est productive; toute action qui n'y contribue pas n'est pas productive. Vous me suivez?

—Oui, mais... Tout cela, c'est du simple bon sens, Jonah.

—Je dirais plutôt que c'est de la logique.

Nous nous arrêtons enfin et il tend son billet à un employé.

—Mais tout cela est trop simplifié, lui dis-je, et ne m'apporte rien. Si je me rapproche de mon but, je suis productif et dans le cas contraire, je ne suis pas productif: et alors?

—Ce que j'essaie de vous dire, c'est que la productivité n'a aucun sens si vous ne savez pas quel est votre but.

Il reprend son billet et se dirige vers la porte d'embarquement.

—D'accord. C'est une façon de voir les choses. L'un des buts de mon entreprise est d'accroître les rendements, en conséquence, chaque fois que j'augmente les rendements dans mon usine, je suis productif. C'est logique.

Jonah s'arrête brusquement et se tourne vers moi.

—Savez-vous quel est votre problème?

—Bien sûr: améliorer les rendements.

—Non, ce n'est pas ça du tout. Votre problème, c'est que vous ignorez quel est le but et, soit dit en passant, je vous signale qu'il n'y en a qu'un seul, quelle que soit l'entreprise.

Je reste sans voix. Jonah repart vers la porte d'embarquement. Tout le monde est monté à bord, il n'y a plus que nous deux dans la salle d'attente. Je le suis.

—Attendez une minute! Vous vous trompez, je sais parfaitement quel est le but.

Nous sommes arrivés à la porte de l'avion. Jonah se tourne vers moi. L'hôtesse nous fait signe de nous dépêcher.

—Vraiment? Dans ce cas, dites-moi quel est le but de votre structure de production?

—Fabriquer des produits avec la plus grande efficacité possible.

–Faux, ce n'est pas ça du tout. Quel est le véritable but?
Je le regarde, déconcerté.
L'hôtesse nous interpelle.
–Avez-vous l'intention d'embarquer, messieurs?
–Juste une seconde, mademoiselle, lui dit Jonah. Puis il se tourne vers moi. Allez, Alex! Vite! Dites-moi quel est le véritable but si vous le connaissez.
–Le pouvoir?
Il a l'air surpris.
–Pas mal, Alex. Mais pour avoir le pouvoir, il ne suffit pas de fabriquer quelque chose.
–Monsieur, si vous n'embarquez pas immédiatement, vous devez retourner au terminal, nous dit l'hôtesse d'un ton glacial.
Jonah l'ignore.
–Alex, vous ne pouvez pas comprendre ce qu'est la productivité si vous ne savez pas quel est le but que vous poursuivez. Tant que vous ne l'aurez pas déterminé, vous jouerez à cache-cache avec des chiffres et des mots.
–Alors, c'est une part du marché. Voilà le but.
–En êtes-vous sûr?
Il monte dans l'avion.
–Hé! Vous ne pouvez pas me dire ce que c'est?
–Pensez-y, Alex. Vous pouvez trouver la réponse tout seul.
Il tend son billet à l'hôtesse, se retourne une dernière fois et me fait au revoir de la main. En levant la main pour lui répondre, je découvre que je tiens toujours le cigare qu'il m'a donné et le mets dans la poche de ma veste. Lorsque je lève de nouveau les yeux, Jonah a disparu et un employé agacé me demande de me pousser pour pouvoir refermer la porte de l'appareil.

1. N.T.: Yarmulke: petite calotte, objet de culte chez les juifs.

CHAPITRE 5

C'est un bon cigare. Un peu sec peut-être pour un connaisseur, car il a passé plusieurs semaines dans la poche de mon costume, mais je le fume avec plaisir pendant la réunion de Peach, tout en me remémorant cette étrange rencontre avec Jonah.

Guère plus bizarre toutefois que cette réunion: Peach nous fait face et tapote le centre d'un diagramme avec une longue règle de bois. Des volutes de fumée traversent le faisceau lumineux du projecteur. En face de moi, quelqu'un pianote fébrilement sur les touches d'une calculatrice. Tout le monde, sauf moi, écoute intensément, prend des notes ou fait des commentaires.

—... paramètres cohérents... essentiel de gagner... matrice d'avantages... récupération extensive prébénéfice... indices d'exploitation... apporter la preuve tangible...

Je ne sais absolument pas de quoi ils parlent. J'ai l'impression d'entendre une langue que je ne comprends pas, pas exactement étrangère, mais une langue que j'ai sue autrefois et dont je n'ai plus que de vagues réminiscences. Les mots me semblent familiers, mais je ne suis pas certain d'en comprendre le sens.

«Vous jouez à cache-cache avec des chiffres et des mots.»

En attendant le départ de mon avion à l'aéroport de Chicago, j'avais essayé de réfléchir à ce que Jonah m'avait dit; ses arguments m'avaient paru solides, mais j'avais l'impression qu'il me parlait d'un monde différent. Puis j'avais mis tout cela de côté pour me concentrer sur mon exposé à propos des robots jusqu'au moment où mon vol pour Houston avait été appelé.

Je me demande maintenant si Jonah n'était pas plus près de la vérité que je ne l'avais cru tout d'abord, car en regardant les visages qui m'entourent, j'ai le sentiment qu'aucun d'entre nous ne comprend véritablement les méthodes qu'il applique et que nous nous livrons à toutes sortes de rites pour exorciser les démons qui nous conduisent à notre perte.

Quel est le véritable but? Personne ici n'a jamais posé cette question fondamentale. Peach parle de coût, de «cible de productivité», etc., et Hilton Smyth dit amen à tout ce que prêche Peach. Est-ce que l'un d'entre nous comprend véritablement ce que nous sommes en train de faire?

À dix heures, Peach annonce une pause café et tout le monde sort dans un brouhaha de voix. Je reste assis à ma place jusqu'à ce que la pièce soit vide. Mais que diable fais-je ici? Je ne vois pas ce que peut m'apporter ma présence dans cette salle de conférences. Cette réunion (qui doit durer pratiquement toute la journée) contribuera-t-elle à rendre mon usine compétitive, à sauver mon poste ou même à aider qui que ce soit?

Je n'en peux plus. Et je ne sais même pas ce qu'est la productivité. Comment cette réunion peut-elle être autre chose qu'une perte de temps? Prenant brusquement une décision, j'enfourne tous mes papiers dans mon attaché-case, le ferme, me lève et quitte la pièce.

La chance semble me sourire; je parviens à l'ascenseur sans rencontrer personne, mais pendant que je l'attends, Hilton Smyth arrive.

–J'espère que vous n'êtes pas en train de nous fausser compagnie, n'est-ce pas, Al?

Je fais comme si je n'avais pas entendu, mais il me vient brusquement à l'idée que Smyth est capable d'aller délibérément me dénoncer à Peach.

–Je ne peux pas faire autrement, la situation à l'usine exige mon retour immédiat.

–Que se passe-t-il? Une urgence?

–En quelque sorte.

J'entre dans l'ascenseur sous le regard ironique de Smyth.

Je pense soudain qu'il y a une forte probabilité que Peach soit furieux que j'aie quitté sa réunion et me renvoie mais, me dis-je en me dirigeant vers ma voiture, cela ne ferait que raccourcir les trois mois d'angoisse qui m'attendent et qui pourraient bien aboutir, je le crains, à l'inévitable.

Je ne retourne pas immédiatement à l'usine mais roule sans but pendant environ deux heures. L'endroit où je me trouve m'importe peu, je veux simplement être dehors. Mais la liberté devient vite ennuyeuse.

Tout en conduisant, j'essaie de ne pas penser à ma situation et de me vider la tête. La journée est superbe, ensoleillée, sans un nuage, avec un ciel uniformément bleu. Bien que l'air soit encore frais en ce début de printemps, c'est une belle journée pour faire l'école buissonnière.

Je regarde ma montre juste avant d'arriver à l'usine et constate qu'il est plus d'une heure. Je m'apprête à franchir le portail lorsque je change brusquement d'avis, sans savoir vraiment pourquoi. Je jette un coup d'œil à l'usine, appuie sur l'accélérateur et continue ma route. J'ai faim et je crois que je vais me mettre en quête de quelque chose à manger.

Mais la vraie raison de mon revirement est que j'ai encore besoin d'un peu de tranquillité. Il faut que je réfléchisse et je n'y arriverai pas si je retourne tout de suite au bureau.

Sur la route, à un kilomètre environ, je trouve une petite pizzeria ouverte. En attendant que l'on me serve, je grignote des croustilles au comptoir et demande au serveur d'ajouter à ma commande quelques sachets de cacahuètes et des bretzels. La crise ne me coupe pas l'appétit.

Mais pour faire descendre tout cela, une bière est indispensable. D'habitude, je ne bois pas dans la journée... mais aujourd'hui... ces boîtes de bière bien fraîches sont trop tentantes, je prends un carton de six.

Je paie 14,62$ à la caisse et reprends ma voiture.

Juste avant d'arriver à l'usine, de l'autre côté de la route, un chemin de terre monte sur la colline. Sans réfléchir, je donne un brusque coup de volant et m'engage sur le chemin en soulevant un nuage de poussière.

Arrivé au sommet de la colline, j'arrête la voiture, déboutonne mon col de chemise, retire ma cravate et ma veste pour éviter de les salir et m'attaque à mon festin.

Tout en bas, de l'autre côté de la route, mon usine se dresse au milieu d'un champ, gros cube d'acier gris sans fenêtres. À l'intérieur, j'imagine les 400 ouvriers de l'équipe de jour, en plein travail. Leurs voitures sont garées dans le parking. J'observe un camion en train de manœuvrer pour se garer entre deux autres au quai de déchargement. Les camions apportent les matières que les machines et les ouvriers utiliseront à l'intérieur du bâtiment pour fabriquer des produits. En face, on charge ces mêmes produits dans d'autres camions. En termes simples, c'est cela la vie d'une usine et je suis censé diriger toute cette activité.

Je décapsule une bière et m'attaque à la pizza.

L'usine semble faire partie du paysage, comme si elle avait toujours été là et ne devait jamais disparaître. Je sais, moi, qu'elle a été construite il y a une quinzaine d'années seulement et qu'elle pourrait bien ne plus être là dans quelques années.

Quel est le but?

Que sommes-nous censés faire dans ce bâtiment?

Qu'est-ce qui fait fonctionner cet endroit, jour après jour?

Jonah a dit qu'il n'y avait qu'un seul but, mais je ne comprends pas comment cela est possible. Nous faisons beaucoup de choses pendant une journée de travail et toutes sont importantes, ou du moins la plupart d'entre elles, sinon nous ne les ferions pas. Chacune pourrait constituer le but.

Prenons, par exemple, les matières premières que nous achetons; nous en avons besoin pour fabriquer les produits et nous devons nous les procurer au meilleur coût; en conséquence, acheter au meilleur coût est très important pour nous.

La pizza est excellente. J'en suis à mon deuxième morceau lorsqu'une petite voix dans ma tête m'interroge: est-ce vraiment cela le but? Est-ce qu'acheter au meilleur coût est la raison d'être de l'usine?

Je ne peux m'empêcher de rire et m'étouffe à moitié.

On pourrait le croire, à voir la façon dont certains brillants crétins des Achats se comportent. Ils passent leur temps à louer des entrepôts pour stocker tout ce qu'ils sont si fiers d'acheter au meilleur coût. Nous devons avoir actuellement une réserve de fil de cuivre suffisante pour nous durer au moins 32 mois, sans parler de stocks de tôles d'acier pour 7 mois. Ce qu'ils ont acheté à des prix formidables représente des millions et des millions de dollars immobilisés.

Non, si on considère les choses sous cet angle, acheter de façon économique n'est pas le but de cette usine.

Que faisons-nous d'autre? Nous employons des gens, plusieurs centaines ici et des dizaines de milliers dans le groupe UniCo. Les hommes sont «l'atout le plus précieux» d'UniCo, comme l'a dit une fois un petit génie des Relations publiques dans le rapport annuel. Superlatifs mis à part, il est vrai que l'entreprise ne pourrait pas fonctionner sans un personnel compétent et diversifié.

Personnellement, je suis heureux que nous fassions travailler des gens car rien ne remplace un salaire qui tombe à la fin de chaque mois. Mais ce n'est sûrement pas la seule raison d'être de l'usine, car nous avons déjà licencié pas mal de monde.

De toute façon, même si UniCo assurait un emploi à vie, comme certaines entreprises japonaises, l'emploi n'est certainement pas le but. Il ne manque pas de gens pour penser et se comporter comme si tel était le cas (les cadres «bâtisseurs d'empires» et les politiciens pour n'en citer que deux), mais je suis persuadé que l'usine n'a pas été construite dans la seule intention de payer des salaires et de faire travailler les gens.

Pourquoi, alors, a-t-elle été construite?

Pour fabriquer des produits. Pourquoi le but ne serait-il pas celui-là?

Après tout, nous sommes des manufacturiers et cela implique que nous fabriquions des choses. Sinon, pourquoi sommes-nous ici?

Des mots me reviennent en mémoire comme un leitmotiv.

La qualité?

Peut-être ça. Si on ne fabrique pas un produit de qualité, tout ce qui reste en fin de compte est un ensemble d'erreurs coûteuses.

Il faut répondre aux besoins de la clientèle avec un produit de bonne qualité, c'est une question de survie. UniCo en a fait l'expérience.

UniCo a retenu la leçon et fait un gros effort pour améliorer la qualité de ses produits. Dans ce cas, pourquoi l'avenir de l'usine est-il menacé? Et si la qualité est véritablement le but, comment se fait-il qu'une entreprise comme Rolls Royce ait frisé la faillite?

La qualité en soi n'est pas le but; c'est important certes, mais pas suffisant.

Pourquoi? À cause des coûts?

S'il est essentiel de produire au plus faible coût, l'efficacité doit être la réponse. Qualité et efficacité vont de pair: moins on fait d'erreurs, moins il y a de pièces à refaire, ce qui permet d'abaisser les coûts. C'est peut-être cela que Jonah voulait dire.

Fabriquer un produit de qualité avec un maximum d'efficacité: c'est sans doute cela le but. En tout cas, ces deux mots «qualité et efficacité» sonnent bien. Un peu comme «maternité et tarte aux pommes».

J'ouvre une deuxième bière. La pizza n'est plus qu'un souvenir et pendant quelques instants je me sens parfaitement bien.

Mais le sentiment de malaise persiste et il n'est pas dû à un déjeuner trop copieux. Fabriquer efficacement des produits de qualité peut sembler un but valable, mais est-il suffisant pour maintenir l'usine en activité?

Certains exemples laissent penser le contraire: si tel est bien le but, comment se fait-il que Volkswagen ne fabrique plus de Coccinelles? C'était un produit de qualité qui pouvait être fabriqué à faible coût. Et comment se fait-il que Douglas ne fabrique plus de DC-3? Pour autant que je puisse en juger, le DC-3 était un bon avion. Je parie que si on en faisait encore, on pourrait les fabriquer bien plus efficacement que les DC-10.

Sortir un produit de qualité avec un maximum d'efficacité n'est pas suffisant. Le but doit donc être quelque chose d'autre.

Mais quoi, bon sang? Tout en buvant ma bière, je contemple distraitement la boîte en aluminium brillant que je tiens. C'est formidable la fabrication en série. Quand on pense que cette boîte, il y a encore très peu de temps, n'était que minerai enfoui dans le sol. Il suffit d'un peu de savoir-faire et de quelques outils pour transformer le minerai en un métal léger, malléable, que l'on peut travailler et retravailler sans cesse. C'est extraordinaire...

Eh, me dis-je, une minute! Eurêka!

La technologie: voilà l'explication. Il faut rester à la pointe de la technologie. C'est essentiel pour la société. Si nous prenons du retard, nous sommes fichus. Voilà le but!

Mais en y réfléchissant bien... ce n'est pas ça non plus. Si la technologie est le véritable but d'une entreprise de production, comment se fait-il que les postes les plus prestigieux ne soient pas ceux de la recherche et du développement? Pourquoi la R & D est-elle toujours placée à part sur tous les organigrammes que j'ai vus? Et même si nous avions les machines les plus modernes, cela suffirait-il à nous sauver? Non. Donc la technologie est importante, mais ce n'est pas le but. Peut-être que le but est un mélange d'efficacité, de qualité et de technologie? Mais alors, on revient à la case de départ: il y a plusieurs buts importants. Et ça ne cadre pas avec ce que Jonah m'a dit.

J'ai le moral en chute libre.

Mes yeux tombent sur le gros cube en acier de l'usine. Devant, un petit bâtiment de verre et de béton abrite les bureaux. Le mien fait le coin, à gauche. En faisant un petit effort, je peux presque voir la pile de messages téléphoniques qui grossit peu à peu. Tant pis. Je bois une grande gorgée de bière et détourne la tête. C'est alors que je les vois. Derrière l'usine, il y a deux bâtiments longs et étroits. Ce sont nos entrepôts. Ils sont pleins à craquer de pièces détachées et de produits invendus dont nous n'avons pas encore pu nous débarrasser. Vingt millions de dollars de stock de produits finis: des produits de qualité manufacturés grâce à la technologie la plus moderne, tous fabriqués avec la plus grande efficacité, et tous là dans leur boîte, enveloppés dans du plastique avec leur carte de garantie toute prête.

C'est ça! De toute évidence, UniCo n'a pas créé cette usine juste pour remplir un entrepôt. Le but, c'est la vente.

Mais dans ce cas, pourquoi Jonah n'a-t-il pas accepté la part de marché comme but? Elle est plus importante encore que la vente. Si vous avez la plus grosse part, c'est vous qui vendez le plus dans votre secteur d'activité. Prenez le marché et c'est gagné. Non?

Peut-être pas. Je me souviens de la vieille rengaine: «Nous perdons de l'argent, mais nous allons nous rattraper sur le volume.» Une société est parfois obligée de vendre à prix coûtant ou avec une marge très faible, comme UniCo l'a fait à plusieurs reprises, simplement pour écouler ses stocks. C'est bien d'avoir une grosse part du marché, mais si vous perdez de l'argent, à quoi cela sert-il?

L'argent. Évidemment... C'est ça qui compte. Peach va fermer l'usine parce qu'elle coûte trop cher au groupe. Il faut donc que je trouve le moyen de réduire les pertes...

Voyons un peu: supposons que je trouve une solution absolument brillante et que je nous ramène au seuil de rentabilité. Est-ce que cela nous sauverait? Pas à long terme, non. L'usine n'a pas été construite simplement pour avoir un bilan équilibré. Ça n'intéresse pas UniCo, dont la raison d'être est de faire de l'argent.

J'ai compris.

Le but, pour une entreprise qui produit, c'est de gagner de l'argent.

Pour quelle autre raison J. Bartholomew Granby aurait-il créé sa société en 1881 et se serait-il lancé sur le marché avec son invention de poêle à charbon? Ce n'était certainement pas pour l'amour des poêles à charbon. Ce n'était certainement pas par générosité non plus, pour apporter chaleur et confort à des millions d'individus. Le vieux Granby l'avait fait pour gagner une fortune, et il y était arrivé, parce que le poêle était vraiment un produit formidable à son époque. Les investisseurs avaient accouru en foule pour lui donner de l'argent et lui permettre d'en gagner lui-même encore plus.

Mais gagner de l'argent est-il le seul but? Et tout le reste alors?

Je prends un bloc de papier et un stylo dans mon attaché-case et j'entreprends de dresser la liste de tout ce que l'on peut estimer être un but: acheter au meilleur coût, employer des gens compétents, utiliser des technologies de pointe, fabriquer des produits, fabriquer des produits de qualité, vendre des produits de qualité, s'emparer d'une part de marché. J'en ajoute même quelques autres, comme la communication et la satisfaction du client.

Tous ces éléments sont essentiels à la réussite d'une entreprise. Mais à quoi servent-ils? Ils permettent de gagner de
l'argent. Mais ce ne sont pas des buts par eux-mêmes; ce sont
simplement les moyens d'atteindre le but.

Mais comment puis-je en être certain?

Je n'en sais absolument rien, mais il me semble que fixer
comme but à une entreprise de gagner de l'argent constitue une
bonne base de départ, ne serait-ce que parce que tout ce qu'il y a
sur ma liste ne vaut rien si la société ne fait pas de bénéfices.

Que se passe-t-il si une entreprise ne gagne pas d'argent? Si
l'entreprise ne gagne pas d'argent en produisant et en vendant ses
produits ou ses services, ou en vendant des éléments d'actif ou
par tout autre moyen, elle meurt. Elle cesse de fonctionner.
L'argent doit être le but. Rien ne peut le remplacer. En tout cas, je
suis bien obligé de le supposer.

Si faire de l'argent est effectivement le but, alors (pour
employer les termes de Jonah) toute action qui va dans ce sens est
productive. Et toute action qui n'en fait pas gagner est non
productive. Depuis un an, l'usine s'éloigne de ce but plus qu'elle
ne s'en rapproche. Donc, pour la sauver, il faut que je la rende
productive, que je m'arrange pour qu'elle fasse gagner de l'argent
à UniCo. C'est un peu simpliste, mais cela revient à ça. Au
moins, c'est un point de départ logique.

Dehors, il fait un grand soleil et beaucoup plus chaud que tout
à l'heure. Je regarde autour de moi, comme si je sortais d'une
longue torpeur. Tout est familier, mais me semble nouveau. Je
finis ma bière. Il faut que j'y aille.

CHAPITRE 6

À ma montre, il est environ quatre heures et demie lorsque je gare la Buick dans le parking. Je me suis bien débrouillé pour fuir le bureau aujourd'hui. Je saisis mon attaché-case et sors de la voiture. La masse vitrée des bureaux se dresse devant moi, silencieuse, presque hostile. Je sais que je suis attendu à l'intérieur. Je décide de les décevoir et de passer d'abord par l'usine. Je veux regarder tout cela avec un œil neuf.

J'entre dans les ateliers par une porte latérale. De mon attaché-case, je sors les lunettes de sécurité que je transporte toujours avec moi. Il y a une étagère avec des casques près des bureaux contre le mur. J'en prends un au hasard, le mets et pénètre à l'intérieur.

En entrant dans l'un des ateliers, je surprends trois gars assis sur un banc près d'un poste de travail, en train de lire et de bavarder. L'un d'entre eux m'aperçoit et donne un coup de coude aux autres. Le journal est aussitôt replié et disparaît, escamoté comme par un tour de passe-passe. Les trois hommes se découvrent brusquement une occupation ailleurs et s'éloignent rapidement dans des directions différentes.

Un autre jour, je n'aurais peut-être rien remarqué, mais aujour-d'hui cela me rend furieux. Bon sang, les ouvriers savent que nous avons des ennuis. Avec tous les licenciements qu'il y a eu, ils ne peuvent pas l'ignorer. On aurait pu croire qu'ils s'effor-ceraient de travailler davantage pour sauver leur place. Et ces trois gars, qui gagnent probablement dix ou douze dollars de l'heure, sont là à ne rien faire. Je pars à la recherche de leur contremaître.

Lorsque je lui signale que trois de ses gars étaient assis à ne rien faire, il me donne comme excuse qu'ils ont fini leurs lots de pièces et attendaient les suivantes.

–Si vous n'avez rien à leur faire faire, je trouverai bien un autre service qui pourra les utiliser. Alors, mettez-les au boulot tout de suite. Vous faites travailler vos gars ou je les envoie ailleurs. Compris?

Arrivé au bout de la travée, je jette un coup d'œil par-dessus mon épaule. Le contremaître fait déplacer des caisses aux trois gars. Je sais que c'est sans doute seulement pour les occuper, mais au moins ils font quelque chose. Si je n'avais rien dit, qui sait combien de temps ils seraient restés là, bras croisés? Soudain, une pensée me frappe: ces trois ouvriers sont en train de faire quelque chose, d'accord, mais est-ce que cela nous aide à gagner de l'argent? Ils travaillent, mais sont-ils productifs?

Pendant un instant, j'envisage de revenir sur mes pas et de dire au contremaître de faire faire quelque chose de vraiment utile à ces trois hommes. Puis je renonce. Il n'y a peut-être vraiment rien à leur donner à faire dans l'immédiat. Et même si je les envoyais ailleurs, là où ils pourraient produire, comment pourrais-je être certain que leur travail nous aiderait à gagner de l'argent?

C'est une idée bizarre.

Puis-je supposer que faire travailler des gens et faire de l'argent sont une seule et même chose? C'est ce que nous avons eu tendance à croire dans le passé. Ces derniers temps, le mot d'ordre était simplement de faire travailler tout le monde en permanence; de faire sortir des produits des chaînes; de trouver autre chose à faire lorsqu'il n'y avait plus de travail; et s'il n'y avait vraiment plus rien à faire, de déplacer les gens. Et enfin, lorsqu'on ne pouvait plus les déplacer, de les licencier.

Je regarde autour de moi et je constate que la plupart des

ouvriers sont effectivement en train de travailler. Les gens inoccupés, ici, sont l'exception. Et pourtant, nous ne gagnons pas
d'argent.

J'aperçois contre l'un des murs un escalier métallique qui
permet d'accéder à l'un des ponts roulants. Je gravis les échelons
et m'arrête à mi-hauteur sur l'un des paliers, d'où j'ai une vue
d'ensemble sur tous les ateliers.

Il se passe toujours quelque chose en bas. Pratiquement tout
ce que je vois est une variable. La complexité des opérations dans
cette usine – et dans n'importe quelle unité de fabrication – a de
quoi faire tourner la tête. Tout bouge constamment, comme dans
une ruche. Comment arriver à contrôler tout ce qui se passe?
Comment diable puis-je savoir si une opération contribue ou ne
contribue pas à faire gagner de l'argent?

La réponse devrait se trouver dans mon attaché-case, dont le
poids se fait sentir au bout de mon bras. Elle est pleine des
rapports, des imprimés d'ordinateur et de tout ce que Lou m'a
donné pour la réunion.

Nous avons une montagne de chiffres qui sont censés nous
dire si nous sommes productifs. Mais en fait ce qu'ils nous
disent, c'est si une personne dans les ateliers a effectivement
«travaillé» pendant les heures où nous l'avons payée pour cela.
Ils nous disent si la cadence horaire répond à la norme que nous
avons fixée pour une opération donnée. Ils nous disent le «coût
des produits», ils nous parlent de «variances directes de main-
d'œuvre», et de ce genre de choses. Mais est-ce que je sais, moi,
si toute cette activité nous rapporte de l'argent ou si nous nous
contentons simplement de manipuler des chiffres? Il doit pourtant
y avoir un lien, mais comment le découvrir?

Je redescends les escaliers.

Peut-être devrais-je écrire une note cinglante à l'intention de
ceux qui lisent leur journal au lieu de travailler. Mais est-ce que
c'est ça qui comblerait notre déficit?

Lorsque je pénètre enfin dans mon bureau, il est plus de cinq
heures et la plupart des gens qui auraient pu m'attendre sont déjà
partis. Fran a probablement été la première à s'en aller, mais elle
m'a laissé tous les messages. Il y en a tellement que le téléphone
est pratiquement submergé. La moitié d'entre eux semble venir de

Bill Peach. Pas de doute, il s'est aperçu de ma disparition.

Sans enthousiasme, je saisis le combiné et compose son numéro. Mais Dieu a pitié de moi, la sonnerie retentit dans le vide. Je pousse un soupir de soulagement et raccroche.

Confortablement assis dans mon fauteuil, baignant dans la lueur dorée de cette fin d'après-midi qui inonde le bureau, je continue à réfléchir aux chiffres, à tous les indicateurs qui nous servent à évaluer les résultats: le taux de respect des programmes de production et des dates de livraison, les rotations des stocks, le total des ventes, le total des dépenses. Y a-t-il une façon simple de savoir si nous gagnons de l'argent?

Quelqu'un frappe doucement à ma porte.

Je me retourne, c'est Lou.

Lou est le comptable de l'usine. C'est un homme bedonnant, d'un certain âge, à qui il reste deux ans à travailler avant la retraite. Dans la meilleure tradition des comptables, il arbore des lunettes à double foyer avec des montures en écaille. Bien qu'il porte des costumes de prix, il a toujours l'air mal fagoté. Il a été envoyé ici par le siège social, il y a presque 20 ans. Ses cheveux sont entièrement blancs. Je crois que sa raison de vivre est d'assister aux congrès d'experts-comptables et de s'y défouler. La plupart du temps, c'est un homme courtois et pondéré, mais si on essaye de lui faire un coup en douce, il devient féroce.

—Bonjour, me dit-il sur le pas de la porte.

Je lui fais signe d'entrer et de s'asseoir.

—Je voulais simplement vous dire que Bill Peach a appelé cet après midi. N'étiez-vous pas en réunion avec lui aujourd'hui?

—Que voulait-il?

—Seulement quelques précisions sur certains chiffres. Il n'a pas eu l'air très content de ne pas vous trouver.

—Lui avez-vous donné ce qu'il demandait?

—Oui, en gros. Je le lui ai envoyé et il l'aura demain matin; à peu de choses près, c'était la même chose que ce que vous aviez emporté avec vous.

—Et le reste?

—Juste quelques détails qu'il faut que je recoupe. J'aurai tout ça demain dans la journée.

—Montrez-le-moi avant de l'envoyer, d'accord? Simplement

pour que je sois au courant.

–Bien sûr.

–Vous avez une minute, Lou?

–Oui.

Il s'attend probablement à ce que je lui explique ce qui se passe entre Peach et moi.

–Asseyez-vous.

Lou prend une chaise. Je réfléchis une seconde car je veux être précis. Lou attend patiemment.

–C'est une question simple et fondamentale.

–Ce sont celles que je préfère, dit Lou en souriant.

–D'après vous, est-ce que le but de cette société est de gagner de l'argent?

Il éclate de rire.

–Vous plaisantez? C'est une question piège?

–Non. Répondez-moi.

–Évidemment!

Je répète.

–Donc, le but de la société, c'est de gagner de l'argent, d'accord?

–Oui. Il faut aussi que nous fabriquions des produits.

–Un instant, Lou. Fabriquer des produits n'est qu'un moyen d'atteindre le but.

Je lui expose les grandes lignes de mon raisonnement. Il écoute attentivement. Lou est un type intelligent à qui il n'est pas nécessaire d'expliquer deux fois les choses. Lorsque je me tais, il est d'accord avec moi.

–Où voulez-vous en venir?

–Comment savons-nous si nous gagnons de l'argent?

–Eh bien, il y a plusieurs moyens.

Lou commence à me parler de chiffres de vente, de parts de marché, de rentabilité, de dividendes versés aux actionnaires, etc. D'un signe de la main, je l'interromps.

–Écoutez, supposons que vous soyez obligé de tout reprendre au départ. Supposons que vous n'ayez pas tous ces éléments et que vous soyez obligé de les inventer au fur et à mesure. Quel serait le nombre minimal d'indicateurs qu'il vous faudrait pour savoir si nous gagnons de l'argent?

Lou se gratte le front et regarde fixement la pointe de ses chaussures pendant un instant.

—Eh bien, il faudrait un indicateur qui constitue une mesure absolue. Quelque chose qui vous dirait, en dollars ou en francs ou en cacahuètes, exactement combien d'argent vous avez gagné.

—Quelque chose du genre bénéfice net. Non?

—Oui. Mais il vous faudrait plus que cela, parce qu'un indicateur en termes absolus ne vous dira pas grand-chose.

—Ah bon? Mais si je sais combien d'argent j'ai gagné, c'est la seule chose qui m'intéresse. Vous me suivez? Si je totalise mes rentrées et que je soustrais mes dépenses, j'obtiens mon bénéfice net et je n'ai pas besoin de savoir autre chose. Disons que j'ai gagné dix millions, ou vingt millions de dollars.

Le regard que me jette Lou me donne l'impression d'être un parfait imbécile.

—Très bien. Disons que vous faites vos calculs et vous aboutissez à un bénéfice net de dix millions... un indicateur absolu. Comme ça, ça a l'air de beaucoup d'argent. Bravo! Mais combien d'argent aviez-vous au départ?

Il s'arrête, savourant l'effet produit.

—Vous voyez ce que je veux dire? Combien avez-vous dû dépenser pour gagner ces dix millions de dollars? Un million de dollars? Alors, le rapport est dix fois supérieur à l'investissement. Dix contre un. C'est pas mal du tout. Mais si vous avez investi un milliard de dollars et que vous n'avez gagné que dix millions de dollars? Pas fameux.

—D'accord, d'accord. Alors, quoi d'autre?

—Il vous faut aussi un indicateur relatif. Quelque chose comme la rentabilité des investissements... une comparaison entre l'argent que vous avez gagné et celui que vous avez investi!

—Très bien, mais avec ces deux chiffres, nous devrions pouvoir dire comment marche la société dans l'ensemble, n'est-ce pas?

Lou s'apprêtait à hocher la tête puis se ravise.

—Eh bien...

Je réfléchis moi aussi à ce que je viens de dire.

—Vous savez, reprend Lou, il est tout à fait possible qu'une société fasse un bénéfice net et ait une bonne rentabilité de ses investissements et qu'elle fasse quand même faillite.

—Parce qu'elle manque de liquidités.

—Exactement. Une trésorerie déficiente est ce qui tue la plupart des sociétés qui ferment leurs portes.

—Donc la trésorerie serait un troisième indicateur?

Il hoche la tête.

—Oui, mais supposez que vous avez assez de liquidités chaque mois pour faire face aux dépenses pendant un an, lui dis-je. Dans ce cas, la trésorerie n'a pas d'importance.

—Peut-être, mais dans le cas contraire, rien d'autre n'a d'importance. C'est une question de survie: gardez la tête hors de l'eau et tout va bien. Laissez-vous submerger et c'est fini.

Nous nous regardons.

—C'est ce qui est en train de nous arriver, n'est-ce pas? demande Lou.

Je hoche la tête. Lou baisse la sienne. Il ne dit rien.

—Je m'en doutais. Ce n'est plus qu'une question de temps.

Il se tait et me regarde.

—Qu'allons-nous devenir? demande-t-il. Est-ce que Peach a dit quelque chose?

—Ils envisagent de fermer l'usine.

—Est-ce qu'il y aura un regroupement?

Ce qu'il me demande, en fait, c'est s'il gardera son emploi.

—Honnêtement, je n'en sais rien, Lou. Je pense que certains seront mutés dans d'autres usines ou dans d'autres divisions, mais nous n'avons pas abordé cette question.

Lou tire un paquet de cigarettes de sa poche et en prend une. Il en tapote longuement l'extrémité sur le bras du fauteuil.

—Et il ne me restait que deux malheureuses années avant de prendre la retraite, murmure-t-il.

—Eh, Lou, dis-je en essayant de lui remonter le moral. Le pire qui pourrait vous arriver, ce serait une retraite anticipée.

—Mais, Bon Dieu, je ne *veux pas* de retraite anticipée!

Nous restons silencieux un long moment. Lou allume sa cigarette. Nous sommes assis là, incapables de dire quoi que ce soit.

—Lou, je n'ai pas encore dit mon dernier mot.

—Al, si Peach dit que nous sommes finis...

–Il n'a pas dit cela. Nous avons encore un peu de temps devant nous.

–Combien?

–Trois mois.

–Laissez tomber, Al, nous n'y arriverons jamais.

–Je n'abandonnerai pas, Lou. Compris?

Il ne répond rien. Il sait très bien que je ne suis pas moi-même tout à fait convaincu de ce que je dis. Tout ce que j'ai réussi à faire jusqu'à présent, c'est d'annoncer qu'il fallait absolument que l'usine gagne de l'argent. O.K., Rogo, et comment allons-nous y arriver? J'entends Lou souffler un gros nuage de fumée et me dire d'une voix résignée:

–D'accord, Al. Je vous aiderai dans toute la mesure de mes moyens. Mais...

Il ne finit pas sa phrase et a un petit geste de la main.

–Je vais en avoir besoin, Lou. Et la première chose que je vous demande, c'est de garder tout cela pour vous pour l'instant. Si la nouvelle se répand, plus personne ne voudra travailler.

–D'accord, mais vous savez, cela ne restera pas longtemps secret.

Je sais qu'il a raison.

–Comment comptez-vous sauver cette usine? me demande-t-il.

–Pour commencer, je vais essayer d'avoir une idée très précise de ce que nous devons faire pour continuer à fonctionner.

–Ah, voilà l'explication de toutes vos questions à propos des indicateurs. Écoutez, Al, ne perdez pas votre temps avec ça. Le système est le système. Vous voulez savoir ce qui ne va pas? Je vais vous dire quel est le problème.

Et il parle pendant près d'une heure. La plupart de ses arguments, je les connais: tout est de la faute des syndicats; si les ouvriers voulaient bien travailler un petit peu plus; tout le monde se moque de la qualité; regardez les Japonais, eux ils savent travailler, nous, nous ne savons plus, etc. Plus moyen de l'arrêter. Mais je sais que Lou est surtout en train de se défouler et c'est pourquoi je le laisse parler.

Tout en l'écoutant, je me pose des questions. Lou est un type intelligent, nous sommes tous intelligents, il y a plein de gens intelligents et bardés de diplômes chez UniCo. Alors, pendant que Lou me sort tout ce qu'il a sur le cœur, je me demande pourquoi nous sommes au bord du gouffre si nous sommes si intelligents que cela.

Le soleil est couché depuis longtemps lorsque Lou décide de rentrer chez lui. Je reste encore un moment. Après son départ, j'écris sur un bloc les trois indicateurs qui nous ont semblé essentiels, à tous deux, pour savoir si une société gagne de l'argent: le bénéfice net, le rendement des investissements et la trésorerie.

J'essaie de déterminer si l'un d'entre eux peut être privilégié par rapport aux deux autres et favoriser ma progression vers le but. Par expérience, je sais que les grands patrons peuvent se livrer à un certain nombre de petits jeux. Ils peuvent faire apparaître dans les états financiers de l'entreprise un bénéfice net supérieur pour une année au détriment du bénéfice net des années à venir (par exemple, en évitant d'affecter des fonds à la R & D). Ils peuvent prendre des décisions qui ne comportent aucun risque et s'arranger pour que l'un de ces indicateurs paraisse mirobolant, en masquant la dégringolade des autres. En outre, les ratios entre les trois peuvent parfois varier, en fonction des besoins de l'entreprise.

Je me laisse aller contre le dossier de mon fauteuil.

Si j'étais J. Bart Granby III, trônant au sommet de la tour de ma compagnie, et si je tenais toutes les rênes bien en main, je ne m'amuserais pas à ces petits jeux. Je ne m'amuserais pas à gonfler un indicateur en laissant les deux autres de côté. Ce que je voudrais voir, par contre, c'est une augmentation simultanée du bénéfice net, du rendement des investissements et des flux d'encaisse. Et je voudrais les voir progresser tous les trois sans cesse. J'en ai le vertige rien que de penser à l'argent que l'on pourrait gagner si ces trois indicateurs montaient simultanément et constamment.

Voilà le but: faire de l'argent en augmentant le bénéfice net, en améliorant simultanément le rendement sur les investissements et en accroissant dans le même temps la trésorerie. J'écris tout cela sur le bloc devant moi.

Je me sens parfaitement bien maintenant. J'ai l'impression

que toutes les pièces du puzzle se mettent en place. J'ai enfin trouvé un but précis. J'ai défini trois indicateurs liés les uns aux autres pour évaluer ma progression, et je suis arrivé à la conclusion que leur amélioration simultanée est ce vers quoi nous devons tendre. Pas mal pour une seule journée de travail. Je crois que Jonah serait fier de moi.

Et maintenant, comment faire pour établir un lien direct entre les trois indicateurs et ce qui se passe dans mon usine? Si j'arrive à trouver un rapport logique entre nos activités quotidiennes et les résultats d'ensemble de la compagnie, j'aurai une base qui me permettra de savoir si quelque chose est productif ou non productif... si je me rapproche du but ou si je m'en éloigne.

Je me lève et m'approche de la fenêtre. Derrière la vitre, il fait nuit noire.

Une demi-heure plus tard, il fait aussi nuit noire dans ma tête où tournent un tas d'idées à propos des marges bénéficiaires, des investissements en biens d'équipement et des coûts directs de main-d'œuvre. Tout cela est très conventionnel. C'est le même raisonnement que tout le monde tient depuis une centaine d'années. Si je le suis, j'arriverai aux mêmes conclusions que n'importe qui et je ne comprendrai pas mieux ce qui se passe que je ne le fais actuellement.

Je suis dans l'impasse.

Je me détourne de la fenêtre. Derrière mon bureau, il y a une bibliothèque. J'en tire un bouquin, que je feuillette puis repose. J'en prends un autre, le feuillette et le repose.

Je crois que j'en ai assez. Il est tard.

Je regarde ma montre et j'ai un choc. Il est plus de dix heures. Brusquement, je me rends compte que je n'ai pas appelé Julie pour la prévenir que je ne rentrerais pas dîner. Elle va réellement être furieuse après moi, comme toujours d'ailleurs lorsque je n'appelle pas.

Je soulève le combiné et je fais le numéro. Elle répond.

—Bonsoir, dis-je timidement. Devine qui a eu une journée épouvantable?

—Ça me change! On ne peut pas dire que la mienne ait été excellente.

—D'accord, alors nous avons eu tous les deux une très

mauvaise journée. Désolé de ne pas avoir appelé avant. J'ai été très pris.

Brusquement me revient en tête notre petite fête d'hier soir qui avait été remise à ce soir.

—Je suis désolé, Julie, vraiment désolé. J'ai complètement oublié.

—J'avais préparé le dîner. Voyant que tu n'arrivais pas, nous avons dîné sans toi. Si tu as faim, j'ai laissé quelque chose dans le four à micro-ondes.

—Merci.

—Tu te souviens de ta fille? La petite fille qui t'aime?

—Il n'est pas indispensable d'être sarcastique.

Elle t'a attendu près de la fenêtre toute la soirée, et puis je l'ai envoyée se coucher.

—Pourquoi?

—Elle a une surprise pour toi.

—Je serai à la maison dans environ une heure.

—Ne te presse pas.

Elle raccroche avant que j'aie le temps de lui dire bonsoir.

Effectivement, au point où j'en suis, ce n'est même pas la peine que je me presse. Je prends mon casque et mes lunettes et je vais faire un tour à l'usine pour voir Eddie, le contremaître de la deuxième équipe.

Lorsque j'arrive, Eddie n'est pas dans son bureau; il est en train de régler quelque chose dans un atelier. Je le fais appeler. Je le vois enfin arriver, venant de l'autre bout de l'usine. Ça lui prend bien cinq minutes.

Il y a quelque chose chez Eddie qui m'a toujours agacé. C'est un contremaître compétent. Pas extraordinaire mais solide. Ce n'est pas son travail qui me tracasse. C'est autre chose.

J'observe sa démarche un peu raide. Chaque pas est très régulier.

Et soudain, je sais ce qui m'irrite chez Eddie: c'est sa façon de marcher. Enfin, c'est un petit peu plus que cela; sa démarche est caractéristique de sa personnalité. Il donne l'impression de suivre une ligne parfaitement droite. Il balance les bras avec une régularité de métronome, un peu comme s'il avait lu dans un livre que c'était comme cela qu'on devait marcher.

Tandis qu'il s'approche, je me demande si Eddie a jamais fait quelque chose qui sorte de l'ordinaire dans toute sa vie. C'est M. Régularité.

Nous parlons des commandes en cours d'exécution. Comme d'habitude, c'est la confusion. Eddie, bien entendu, n'en est pas conscient; pour lui tout est normal, et si c'est normal, c'est que c'est correct.

Il m'explique avec un luxe de détails le travail en cours. Juste pour voir sa réaction, j'ai envie de demander à Eddie de définir ce qu'il est en train de faire ce soir en termes de bénéfice net.

J'ai envie de lui demander:

—Dites-moi, Eddie, qu'est-ce que nous avons fait du point de vue de la rentabilité des investissements au cours de la dernière heure? Qu'a fait votre équipe pour améliorer la trésorerie? Est-ce que nous gagnons de l'argent?

Eddie a déjà entendu ces termes, mais ils ne font pas partie de son monde. Son monde à lui se mesure en pièces par heure, en heures-personnes travaillées, en nombre de commandes exécutées. Son domaine, ce sont les normes de main-d'œuvre, de facteurs de rejet, de cycles de fabrication, de dates d'expédition. Le bénéfice net, la rentabilité des investissements, la trésorerie, pour Eddie, cela relève de la Direction. Il est absurde de penser que je pourrais mesurer le monde d'Eddie avec ces trois éléments. Pour lui, il n'y a qu'un rapport très vague entre ce que fait son équipe et ce que gagne la société. Même si je parvenais à donner une vision plus large à Eddie, il serait encore très difficile d'établir un lien clair entre les valeurs qui ont cours dans les ateliers et celles qui priment au siège social d'UniCo. Elles sont trop différentes.

Au beau milieu d'une phrase, Eddie remarque que je le regarde d'une drôle de façon.

—Quelque chose qui ne va pas? me demande-t-il.

CHAPITRE 7

Lorsque j'arrive chez moi, la maison est plongée dans l'obscurité, à l'exception d'une petite lumière qui brille quelque part. J'essaie de faire le moins de bruit possible. Comme elle l'avait dit, Julie m'a laissé quelque chose à manger dans le four. Lorsque j'ouvre la porte pour voir le festin qui m'attend, j'entends un petit bruit derrière moi. Je me retourne et je vois ma petite fille, Sharon, debout près de la table de la cuisine.

–Mais c'est ma petite poupée! Et comment va ma poupée, ce soir?

Elle sourit.

–Pas mal.

Elle s'avance vers moi et me tend une grande enveloppe. Je m'assieds à la table et la prends sur les genoux.

–C'est mon bulletin de notes, dit-elle.

–C'est vrai?

–Il faut que tu le regardes tout de suite.

Je m'exécute.

–Que des A!

Je la serre très fort contre moi et l'embrasse.

–C'est formidable. C'est très bien, Sharon, je suis très fier de toi. Et je parie que tu as été la seule de la classe à avoir d'aussi bonnes notes.

Elle hoche vigoureusement la tête et commence à tout me raconter. Je la laisse parler, et une demi-heure après, c'est à peine si elle peut garder les yeux ouverts. Je la soulève dans mes bras pour la porter dans son lit.

Je suis tellement fatigué que je n'ai même pas sommeil. Il est plus de minuit maintenant. Je reste assis dans la cuisine, picorant dans mon assiette. Ma fille est la meilleure élève de sa classe, alors que moi je suis en pleine déconfiture.

Je devrais peut-être abandonner tout de suite et essayer de trouver un autre emploi. Si j'en crois ce que Selwin m'a dit, c'est ce que tout le monde est en train de faire au siège social. Pourquoi devrais-je me singulariser?

Pendant un moment, j'essaie de me convaincre qu'il serait beaucoup plus intelligent de présenter ma démission. Mais je ne peux pas. Changer de société signifierait quitter cette ville et, avec un peu de chance, je pourrais peut-être même trouver quelque chose de mieux que ce que j'ai actuellement (mais j'en doute car mes résultats en tant que directeur d'usine ne sont pas particulièrement brillants). Je rejette l'idée de changer d'emploi parce que j'aurais l'impression de déserter. Et cela, je m'y refuse.

Ce n'est pas que je me sente obligé de consacrer ma vie à l'usine, ou à la ville ou à la compagnie, mais je me sens responsable. De plus, j'ai déjà beaucoup investi dans UniCo. Je veux que cela me rapporte quelque chose, et trois mois, c'est mieux que rien pour essayer d'y parvenir.

Ma décision est prise: je vais faire tout ce que je peux pendant ces trois mois.

Tout cela est très bien, mais je me demande ce que je peux bien faire de plus. J'ai déjà donné le meilleur de moi-même, compte tenu de ce que je sais faire.

Malheureusement, je ne dispose pas d'une année pour retourner à l'école et apprendre de nouvelles théories. Je n'ai même pas le temps de lire les revues, les notes et les rapports qui s'empilent sur mon bureau. Je n'ai ni le temps ni l'argent nécessaire pour faire appel à des consultants, faire des études ou d'autres choses de ce genre, et de toute façon, même si j'avais le temps et l'argent, je ne suis pas certain que cela me donnerait une vision plus en profondeur que celle que j'ai actuellement.

J'ai le sentiment de ne pas prendre en considération tous les éléments du problème. Si je veux nous sortir d'affaire, il va falloir que je sois très attentif et que je réfléchisse soigneusement à la situation et à ce qu'il convient de faire, en avançant pas à pas.

Je comprends que les seuls instruments dont je dispose, même s'ils sont limités, ce sont mes yeux, mes oreilles, mes mains et surtout mon cerveau. C'est à peu près tout. Je ne peux compter que sur moi-même. Mais une idée m'obsède: je ne sais pas si c'est suffisant.

Lorsque je me glisse enfin dans le lit, je retrouve Julie telle que je l'avais laissée 21 heures plus tôt. Elle est endormie. Allongé à côté d'elle, toujours incapable de trouver le sommeil, je regarde fixement le plafond.

C'est alors que je décide d'essayer de retrouver Jonah.

CHAPITRE 8

En me levant le lendemain matin, je me sens épuisé, je n'ai vraiment pas envie de bouger. Sous la douche, tous mes soucis m'assaillent à nouveau. Je n'ai que trois mois devant moi et je n'ai donc pas le temps de me sentir fatigué. J'embrasse en coup de vent Julie – qui n'a pas grand-chose à me dire – et les enfants, qui sentent que quelque chose ne va pas, et prends la direction de l'usine.

Je suis obsédé par une pensée: reprendre contact avec Jonah. Pas facile. Avant de lui demander son aide, il faut d'abord que je le trouve.

En arrivant au bureau, je commence par demander à Fran qu'on ne me dérange sous aucun prétexte. À peine suis-je assis qu'elle me passe Bill Peach au téléphone.

–Oui, Bill?

–Ne vous avisez plus jamais de quitter une de mes réunions. C'est compris?

–Oui, Bill.

–Maintenant, à cause de votre absence d'hier, il faut que nous vérifiions plusieurs choses ensemble.

Quelques minutes plus tard, Lou me rejoint pour m'aider à répondre à Bill. Peach a fait venir Ethan Frost dans son bureau et une conversation à quatre s'engage.

Pas de chance, c'était le seul moment où j'aurais pu tenter de retrouver Jonah. Lorsque j'en aurai fini avec Peach, j'attends six personnes pour une réunion qui aurait dû avoir lieu la semaine dernière.

Lorsque j'émerge enfin, le soleil est couché depuis longtemps et je termine ma sixième réunion de la journée. Lorsque tout le monde est parti, j'expédie un peu de travail administratif. Il est plus de sept heures quand je monte dans ma voiture pour rentrer à la maison.

Arrêté à un feu rouge, je repense brusquement à Jonah et je me souviens de mon vieux carnet d'adresses.

Je m'arrête dans une station-service et j'appelle Julie.

–Allô?

–Bonsoir, c'est moi, dis-je. Il faut que je passe chez ma mère. Je ne sais pas combien de temps cela va durer, alors tu pourrais peut-être dîner sans moi.

–La prochaine fois que tu voudras dîner...

–Écoute, Julie, ça va; c'est très important.

Il y a un instant de silence puis elle raccroche.

Cela me fait tout drôle de retourner dans mon ancien quartier, car il est plein de souvenirs que j'avais un peu oubliés. Je passe devant l'endroit où je me suis battu avec Bruno Krebsky, je retrouve la rue où nous jouions au ballon l'été. Je vois la ruelle où Angelina m'a donné mon premier «vrai» baiser. Et là, c'est le poteau où j'ai enfoncé l'aile de la voiture de mon père (ce qui m'avait coûté deux mois de travail non rémunéré dans le magasin pour payer la réparation). À mesure que j'approche de la maison, les souvenirs affluent et je me sens à la fois heureux et vaguement triste.

Julie déteste venir ici. Lorsque nous nous sommes installés à Bearington, nous venions voir ma mère, Danny et sa femme Nicole tous les dimanches, mais nous nous sommes tellement disputés à ce sujet que nous n'y venons pratiquement plus jamais.

Je gare la Buick le long du trottoir devant la maison de ma mère. C'est une maison de brique, étroite, qui ressemble à toutes les autres maisons de la rue. Un peu plus loin, il y a le magasin de mon père, dont mon frère s'occupe aujourd'hui. Toutes les lumières sont éteintes, car Danny ferme à six heures. En sortant de ma voiture, je me sens un peu déplacé avec mon costume et ma cravate.

Ma mère ouvre la porte.

–Oh, mon Dieu! s'exclame-t-elle. Quelqu'un est mort?

–Non, maman, personne n'est mort.

–C'est Julie, n'est-ce pas? Elle t'a quitté?

–Pas encore.

–Voyons..., ce n'est pourtant pas la fête des mères...

–Maman, je suis venu pour chercher quelque chose.

–Chercher quelque chose? Quoi? Entre, entre, tu laisses pénétrer tout le froid. Tu m'as fait peur. Il y a si longtemps que tu n'étais pas venu me voir. Qu'est-ce qui se passe? Tu es devenu trop important pour te souvenir de ta vieille mère?

–Bien sûr que non, maman. J'ai beaucoup de travail à l'usine.

Elle s'éloigne vers la cuisine en grommelant quelque chose que je ne comprends pas.

–Tu as faim?

–Non, merci. Je ne veux pas te déranger.

–Oh, mais ça ne me dérange pas. J'ai de la soupe que je peux faire réchauffer. Tu veux une salade aussi?

–Non, une tasse de café ira très bien. Il faut que je trouve mon vieux carnet d'adresses, celui que j'avais lorsque j'étais au collège. Tu as une idée de l'endroit où il peut se trouver?

Elle insiste pour que je mange un morceau de gâteau avec ma tasse de café.

–Non merci, maman, ça va très bien comme ça. Il est probablement rangé avec mes cahiers et mes livres. Est-ce que tu sais où ils sont?

Elle réfléchit un moment en silence.

–Non, pas vraiment. Mais j'ai tout monté au grenier.

–Bon, je vais aller y voir.

Ma tasse de café à la main, je monte l'escalier qui conduit au grenier.

Mais c'est peut-être bien à la cave, me lance-t-elle.

Trois heures plus tard, après avoir fouillé dans tous les tiroirs, j'ai retrouvé mes carnets de notes, mes modèles réduits, trois ou quatre instruments de musique dont mon frère avait essayé de jouer autrefois lorsqu'il voulait devenir chanteur de rock, quatre malles pleines de vieilles factures de l'épicerie de mon père, de vieilles lettres, de vieilles photos, de vieux journaux, des tas de vieilles choses, mais pas le carnet d'adresses. J'abandonne le grenier pour continuer mes recherches dans la cave.

–Oh, regarde! s'exclame ma mère.

–Tu l'as trouvé?

–Non, mais voilà une photo de ton oncle Paul avant qu'il ne soit arrêté pour escroquerie. Est-ce que je t'ai jamais raconté cette histoire?

Une heure plus tard, je n'ai toujours pas retrouvé le carnet d'adresses mais je sais tout sur l'oncle Paul. Mais où diable peut bien se trouver ce carnet?

–Je n'en sais rien, dit ma mère. Il est peut-être dans ton ancienne chambre.

Je monte dans la chambre que je partageais avec Danny. Dans le coin, il y a le vieux bureau où j'étudiais. J'ouvre le premier tiroir et, bien entendu, y trouve le fameux carnet.

–Est-ce que je peux me servir de ton téléphone, maman?

Le téléphone de ma mère est situé sur le palier, entre le premier et le deuxième étage de la maison. Mon père l'avait fait installer en 1936, après avoir gagné assez d'argent à l'épicerie pour se permettre ce luxe. Je m'assieds sur les marches, un bloc sur les genoux, mon attaché-case posé à mes pieds. Je fais un numéro, le premier d'une longue série.

Il n'est pas loin d'une heure du matin, mais j'appelle en Israël, qui se trouve à l'autre bout du monde. Autrement dit, lorsque c'est la nuit pour nous, c'est le jour pour eux et vice-versa; donc il n'est pas trop tard pour appeler à une heure du matin.

Je tombe d'abord sur un ancien confrère de l'université, qui a suivi de loin la carrière de Jonah. Il me donne un autre numéro de téléphone. À deux heures du matin, la page de mon bloc est couverte de numéros que j'ai notés hâtivement et j'ai enfin trouvé quelqu'un qui travaille avec Jonah. Je le convaincs de me donner le numéro où je peux l'atteindre. À trois heures du matin, c'est fait. Il est à Londres. Après plusieurs minutes d'attente, quelqu'un me dit qu'il me rappellera dès qu'il sera arrivé. Je n'y crois pas vraiment mais je reste quand même à côté du téléphone. Il sonne 45 minutes plus tard.

–Alex?

–Oui, Jonah.

–On m'a dit que vous aviez appelé?

–C'est exact. Vous vous souvenez de notre conversation à l'aéroport de Chicago?

–Bien entendu, et je suppose que vous avez quelque chose à me dire maintenant.

Pendant un instant, je ne comprends plus, puis je me rends compte qu'il se réfère à sa fameuse question à propos du but.

–C'est exact.

–Eh bien?

J'hésite. Ma réponse me semble tellement simple que j'ai brusquement peur de m'être trompé et qu'il se moque de moi. Mais je me lance quand même.

–Le but d'une entreprise de production est de faire de l'argent, et tout le reste n'est qu'un moyen d'atteindre ce but.

Mais Jonah ne se moque pas de moi.

–Très bien, Alex. Très bien.

–Merci. Mais la raison pour laquelle je vous appelle, c'est que je veux vous poser une question qui se rapporte à la conversation que nous avons eue à l'aéroport.

–Quel est le problème?

–Eh bien, pour savoir si mon usine contribue à faire gagner de l'argent à la société, il me faut des indicateurs. D'accord?

–C'est exact.

–Je sais qu'au siège social, ils ont des indicateurs du genre bénéfice net, rendement des investissements et marge brute d'autofinancement, qu'ils appliquent à l'ensemble du groupe pour suivre la progression vers le but.

–Oui, continuez.

–Mais quant à l'usine, ces indicateurs ne signifient pas grandchose, et ceux que j'utilise chez moi... eh bien, je ne suis pas vraiment certain, je ne crois pas qu'ils soient vraiment représentatifs.

—Je vois exactement ce que vous voulez dire.

—Alors comment puis-je savoir si ce que je fais dans mon usine est véritablement productif ou bien non productif?

Il y a un silence au bout de la ligne, puis je l'entends dire à quelqu'un qui se trouve dans son bureau «dites-lui que j'irai le voir dès que j'aurai fini cette conversation».

Puis il reprend à mon intention:

—Alex, vous avez mis le doigt sur quelque chose de très important. Je n'ai que quelques minutes à vous consacrer, mais je peux peut-être vous faire quelques suggestions qui pourraient vous être utiles. Il y a plus d'une façon d'exprimer le but. Vous comprenez? Le but est toujours le même, mais on peut l'exprimer de différentes façons qui ramènent toujours à ces quatre mots: «gagner de l'argent».

—D'accord. En d'autres termes, je peux dire que le but est de faire progresser le bénéfice net, en augmentant simultanément la rentabilité des investissements et la trésorerie, et cela revient à dire que le but est de gagner de l'argent.

—Exactement. C'est la même chose. Mais comme vous vous en êtes aperçu vous-même, les indicateurs conventionnels que vous utilisez pour exprimer le but ne se prêtent pas très bien aux opérations quotidiennes d'une unité de production. En fait, c'est pourquoi j'ai développé un ensemble d'indicateurs différents.

—Lesquels ?

—Ce sont des indicateurs qui expriment très clairement le but de profit, mais qui vous permettent également de formuler des règles de fonctionnement pour gérer votre usine. Il y en a trois: le produit des ventes, les stocks et les dépenses de fonctionnement.

—Ce sont des mots que je connais.

—Sans doute, mais peut-être pas leur définition. Vous devriez même la noter: le produit des ventes est le rythme auquel le système génère de l'argent par les ventes.

Je note scrupuleusement.

—Et la production? Ne serait-il pas plus correct de dire...

—Non, au moyen des ventes, pas de la production. Si vous fabriquez quelque chose mais que vous ne le vendez pas, ce n'est pas le produit des ventes. Compris?

—Oui. Peut-être parce que je dirige une usine, je pensais que je pourrais remplacer...

Jonah m'interrompt.

–Alex, laissez-moi vous dire quelque chose: ces définitions, même si elles ont l'air simples, sont formulées de façon très précise. C'est indispensable: un indicateur qui n'est pas défini clairement est pire qu'inutile. Je vous suggère donc de ne pas les dissocier. Et rappelez-vous que si vous voulez changer l'un d'entre eux, vous devrez aussi modifier au moins l'un des deux autres.

–Très bien.

–Le deuxième indicateur, ce sont les stocks. Les stocks représentent tout l'argent que le système a investi pour acheter des choses qu'il a l'intention de vendre.

Je note la définition, mais je suis surpris car elle est très différente de ce que l'on entend généralement par stocks.

–Et le dernier indicateur?

–Les dépenses de fonctionnement, soit tout l'argent que le système dépense pour transformer les stocks en produit des ventes.

–D'accord. Et la composante main-d'œuvre investie dans les stocks? Vous semblez l'intégrer dans les frais de fonctionnement.

–Reportez-vous aux définitions.

–Mais la valeur ajoutée au produit par la main-d'œuvre directe doit être prise en considération dans les stocks, n'est-ce pas?

–On peut le faire, mais ce n'est pas indispensable.

–Pourquoi dites-vous cela?

–Très simplement, j'ai adopté cette définition parce que je pense qu'il vaut mieux ne pas tenir compte de la valeur ajoutée. On évite ainsi le problème de savoir si un dollar dépensé est un investissement ou une dépense. C'est pourquoi j'ai défini les stocks et les dépenses de fonctionnement de la façon que je vous ai indiquée.

–Jusque-là, parfait. Mais quel est le rapport entre ces indicateurs et mon usine?

–Toutes les opérations de votre usine sont couvertes par ces indicateurs.

–Toutes? Mais pour revenir à notre conversation de Chicago, comment dois-je utiliser ces indicateurs pour évaluer la productivité?

–Évidemment, il faut que vous exprimiez le but sur la base de ces indicateurs. Attendez une seconde, Alex...

Je l'entends qui fait patienter quelqu'un.

–Alors, comment est-ce que j'exprime le but?

–Alex, il faut réellement que je vous quitte maintenant. Je sais que vous êtes assez intelligent pour trouver la solution tout seul; il suffit que vous y réfléchissiez. Rappelez-vous simplement que nous parlons d'une entreprise, dans son ensemble, et pas seulement du service de production ou d'une seule usine, ou d'un seul service à l'intérieur de celle-ci. Les optima locaux ne nous intéressent pas.

–Les optima locaux?

Je l'entends qui soupire.

–Il faudra que je vous explique cela une autre fois.

–Mais, Jonah, ce n'est pas suffisant; même si j'arrive à définir le but avec ces indicateurs, comment puis-je en tirer des règles fonctionnelles pour diriger mon usine?

–Donnez-moi un numéro de téléphone où je peux vous rappeler.

Je lui donne le numéro de mon bureau.

–O.K., Alex, il faut vraiment que je vous quitte maintenant.

–D'accord. Merci pour...

Il a raccroché.

Je reste assis sur les marches pendant un bon moment, les yeux fixés sur les trois définitions. Sans m'en apercevoir, je m'endors et lorsque je rouvre les yeux, des rayons de soleil dansent sur le tapis du salon. Je me traîne jusqu'à mon ancienne chambre et m'écroule sur le lit où je dors pendant tout le reste de la matinée.

Cinq heures plus tard, j'ouvre péniblement un œil.

CHAPITRE 9

Il est 11 heures lorsque je me lève enfin. Je me précipite sur le téléphone pour appeler Fran et lui dire que je ne vais pas tarder à faire ma réapparition.

–Ici le bureau de M. Rogo.

–Bonjour Fran, c'est moi.

–Tiens, un revenant! Nous étions sur le point d'appeler les hôpitaux. Vous ferez un petit tour par chez nous aujourd'hui?

–Oui, bien sûr. J'ai simplement eu un petit problème avec ma mère.

–J'espère que tout va bien.

–Oui, tout est réglé maintenant. Enfin, plus ou moins. Quelles sont les nouvelles?

–Eh bien... voyons: deux des machines d'essais de la travée G sont en panne, et Bob Donovan veut savoir si nous pouvons expédier sans vérification.

–Dites-lui qu'il n'en est absolument pas question.

–Très bien. Quelqu'un de la direction commerciale a appelé à propos d'une commande en retard.

Je lève les yeux au ciel.

–Et il y a eu une bagarre, la nuit dernière, dans la deuxième équipe... Lou veut vous parler à propos des informations que Bill Peach a demandées... Un journaliste a appelé ce matin pour demander quand l'usine allait fermer; je lui ai dit qu'il faudrait qu'il vous parle... Et quelqu'un des affaires publiques a appelé à propos du tournage d'un vidéo ici à l'usine, sur la productivité des robots, avec M. Granby.

–Avec *Granby*?

–C'est ce qu'elle a dit.

–Quel est son nom et son numéro?

Elle me les donne.

–Parfait, merci. À plus tard.

J'appelle le siège social immédiatement. J'ai peine à croire que le président du conseil d'administration ait l'intention de se rendre à l'usine. Il doit y avoir une erreur. Il y a de fortes probabilités que l'usine soit fermée lorsque la limousine de Granby y arrivera.

Mais ma correspondante confirme l'information; ils veulent filmer Granby, à l'usine, le mois prochain.

–Il nous faut un robot, pour illustrer ce que va dire M. Granby.

–Mais pourquoi avez-vous choisi Bearington?

–Le patron a vu une photo de l'un de vos robots et il a aimé la couleur. Il pense que M. Granby sera très bien dans ce décor.

–Oh, je vois. En avez-vous parlé à Bill Peach?

–Non, je n'ai pas pensé que c'était nécessaire. Pourquoi? Il y a un problème?

–Il vaudrait peut-être mieux que vous le mettiez au courant, au cas où il aurait d'autres suggestions. Mais c'est à vous de décider. Faites-le-moi savoir dès que vous aurez une date précise, afin que je puisse avertir le syndicat et faire nettoyer les lieux.

–D'accord. Je vous tiens au courant.

Je raccroche et reste là pendant quelques instants, sans bouger.

–Il aime la couleur... ça, c'est la meilleure!

–De quoi parlais-tu au téléphone tout à l'heure? demande ma mère. Nous sommes assis à la table de la cuisine. Elle m'a obligé à manger quelque chose avant de partir. Je lui raconte l'histoire de la visite de Granby.

–C'est bon pour toi ça, si le grand patron... Comment s'appelle-t-il déjà?

–Granby.

–... se déplace jusqu'à l'usine pour te voir, c'est un honneur.

–D'une certaine façon, mais en vérité, il vient simplement pour se faire photographier devant l'un de mes robots.

Ma mère écarquille les yeux.

–Un robot? Comme dans l'espace?

–Non. Ce sont des robots industriels, ils ne ressemblent pas à ceux que tu vois à la télévision.

–Oh? Est-ce qu'ils ont un visage?

–Non, pas encore. Ils ont surtout des bras... qui leur permettent de faire un certain nombre de choses: souder, empiler des pièces, peindre, etc. Ils sont commandés par ordinateur et tu peux les programmer pour accomplir différentes tâches.

Ma mère hoche la tête, essayant de se représenter ce à quoi peuvent ressembler ces robots.

–Mais pourquoi est-ce que ce Granby veut se faire photographier avec un tas de robots qui n'ont même pas de visage?

–Sans doute parce que c'est la dernière innovation, et qu'il veut dire à tout le monde dans le groupe que nous devrions en utiliser davantage pour...

Je m'arrête brusquement et l'image de Jonah assis, en train de fumer son cigare, me revient en mémoire.

–Pour...? insiste ma mère.

–Euh... Pour pouvoir accroître la productivité.

La question de Jonah m'obsède: ont-ils véritablement accru la productivité dans notre usine? Bien sûr. Nous avons eu une amélioration de 36 pour cent dans un secteur. Je revois Jonah tirant sur son cigare.

–Qu'est-ce qui se passe? demande ma mère.

–Je viens seulement de me souvenir de quelque chose.

–Quelque chose d'ennuyeux?

–Non, une conversation que j'ai eue il y a quelque temps avec l'homme à qui j'ai parlé au téléphone la nuit dernière.

Ma mère pose sa main sur mon épaule.

–Alex, qu'est-ce qui ne va pas? Tu peux me le dire, je sens bien que quelque chose ne va pas: tu sonnes brusquement à ma porte, tu appelles des gens dans le monde entier au beau milieu de la nuit. Qu'est-ce qu'il y a?

–Ça ne marche pas très fort à l'usine, maman... et... eh bien, nous ne gagnons pas d'argent.

Ma mère fronce les sourcils.

–Ton usine ne gagne pas d'argent! Mais tu viens juste de me parler de ce grand directeur, Granby, qui va venir, et de ces robots ou je ne sais quoi. Et avec ça, vous ne gagnez pas d'argent?

–C'est exactement ce que j'ai dit, maman.

–Ces robots, ils ne marchent pas?

–Maman...

–S'ils ne marchent pas, peut-être que le magasin les reprendra?

–Maman, ne t'inquiète pas pour les robots!

–Je disais ça pour t'aider.

Je me penche et lui tapote la main.

–Oui, je sais. Merci, merci vraiment pour tout, mais il faut que je m'en aille maintenant. J'ai beaucoup de travail qui m'attend.

Je me lève et vais chercher mon attaché-case. Ma mère me suit et me demande si j'ai assez mangé, si je ne veux pas emporter un sandwich avec moi au cas où... Au moment où je vais sortir, elle me retient par la manche.

–Écoute-moi, Al. Tu as peut-être des problèmes. Je n'en doute pas, mais courir partout comme tu le fais, ne pas dormir de la nuit, ce n'est pas bon pour toi. Il faut arrêter de te tracasser. Ce n'est pas ça qui va t'aider. Souviens-toi de ce que le souci a fait à ton père. Ça l'a tué.

–Mais, maman, il a été écrasé par un autobus.

–Et alors! S'il n'avait pas été si occupé avec ses soucis, il aurait regardé avant de traverser la rue.

–Bon, d'accord, maman. Si tu veux. Mais c'est plus compliqué que tu ne le crois.

–Je te le dis, Alex! Cesse de te faire du souci! Et si ce Granby te fait des ennuis, tu me le dis. Je l'appellerai et je lui dirai combien tu travailles dur. Et qui mieux qu'une mère peut savoir ça? Ne t'inquiète pas, tu me laisseras faire, je lui dirai son fait.

Je ne peux m'empêcher de sourire et de la prendre dans mes

bras.

–Ça, je n'en doute pas, maman.

Je dis à ma mère de m'appeler dès qu'elle aura reçu la facture du téléphone. Je l'embrasse et me glisse au volant de la Buick. Un instant, j'envisage d'aller directement au bureau, mais un coup d'œil à mon costume froissé et à mon menton hérissé de barbe m'incite à aller d'abord chez moi faire un brin de toilette.

Tout en conduisant, j'entends la voix de Jonah en train de me dire: «Alors, votre société fait 36 pour cent de bénéfice en plus grâce à l'installation des robots? Incroyable.» Et c'est moi qui souriais, moi qui croyais qu'il ne comprenait rien à la production. Maintenant, je me sens idiot.

Oui, le but c'est de gagner de l'argent. J'en suis convaincu maintenant. Eh oui, Jonah, vous aviez raison: la productivité n'a pas progressé de 36 pour cent simplement parce que nous avons installé quelques robots. Je me demande même si elle a augmenté, point. Est-ce que nous gagnons plus d'argent grâce aux robots? À vrai dire, je n'en sais rien.

Mais je me demande comment Jonah pouvait savoir tout cela? On aurait dit qu'il savait que la productivité ne s'était pas amé-liorée. Et toutes ces questions qu'il me posait...

L'une d'entre elles, je me rappelle, était: avions-nous pu vendre davantage de produits grâce aux robots? Une autre chose qu'il voulait savoir était si nous avions réduit les effectifs. Enfin, il m'avait demandé si les stocks avaient baissé. Trois questions fondamentales.

Lorsque j'arrive à la maison, la voiture de Julie n'est pas dans le garage. Elle a dû aller faire des courses, et c'est aussi bien comme cela. Elle est probablement furieuse après moi, et je n'ai pas le temps de lui donner des explications maintenant.

À l'intérieur de la maison, j'ouvre mon attaché-case pour no-ter ces questions et je tombe sur la liste d'indicateurs que Jonah m'a donnée la nuit dernière. Je les relis, et tout se met en place. Les questions et les indicateurs concordent parfaitement.

Voilà d'où Jonah tirait ses certitudes: il utilisait les indicateurs sous la forme de questions simples, pour voir si sa supposition à propos des robots était correcte: avons-nous vendu plus de produits (notre produit des ventes a-t-il augmenté?); avons-nous licencié du personnel (nos dépenses de fonctionnement ont-elles baissé?); et enfin, selon ses propres termes, nos stocks ont-ils diminué?

Il ne me faut pas longtemps pour voir comment exprimer le but avec les indicateurs de Jonah. Je suis encore un peu déconcerté par la façon dont il a formulé les définitions, mais en dehors de cela, il est évident que toute société souhaite voir augmenter son produit des ventes. N'importe quelle société aimerait également réduire les deux autres indicateurs, stocks et dépenses de fonctionnement, dans toute la mesure du possible. Et l'idéal, ce serait que tout cela intervienne simultanément, exactement comme avec le trio que Lou et moi avions déterminé.

C'est donc cela la façon d'exprimer le but?

Augmenter le produit des ventes tout en abaissant simultanément les stocks et les dépenses de fonctionnement.

En d'autres termes, si les robots ont fait grimper le produit des ventes et abaisser les deux autres, ils ont fait gagner de l'argent au système. Mais est-ce vraiment ce qui s'est passé depuis qu'ils ont été mis en service?

J'ignore l'incidence qu'ils ont eue sur le produit des ventes, mais de mémoire, je dirais qu'en général les stocks ont augmenté au cours des six ou sept derniers mois, sans affirmer pour autant que les robots en soient responsables. Ils ont augmenté nos amortissements, parce qu'ils sont neufs, mais ils n'ont pas entraîné directement de suppressions de postes à l'usine; nous nous sommes contentés de muter les gens. Ce qui veut dire que les robots ont alourdi les dépenses de fonctionnement.

D'accord, mais les rendements se sont améliorés grâce à eux. C'est peut-être là que se trouve notre salut. Lorsque l'efficience augmente, le coût unitaire baisse nécessairement.

Mais est-ce vraiment le cas? Comment est-ce que le coût par pièce pourrait baisser si les dépenses de fonctionnement ont augmenté?

Lorsque j'arrive à l'usine, il est une heure et je n'ai toujours pas trouvé de réponse satisfaisante. Je réfléchis encore à cela en franchissant les portes du bureau. Je m'arrête tout d'abord chez Lou.

–Vous avez deux minutes, Lou?

–Vous rigolez? Je vous cherche partout depuis ce matin.

Il prend une pile de papiers sur le coin de son bureau. Je sais que c'est le rapport qu'il doit envoyer à la division.

–Non, je ne veux pas parler de ça tout de suite, j'ai quelque chose de plus important à vous dire.

Il ne peut cacher sa surprise.

–Plus important que ce rapport pour Peach?

–Infiniment plus important que ça.

Lou se laisse aller contre le dossier de son fauteuil, secoue la tête et me fait signe de m'asseoir.

–Qu'est-ce que je peux faire pour vous?

–Une fois que nos robots ont été installés sur les chaînes, et après que nous ayons éliminé tous les petits ennuis de démarrage, quelle a été la répercussion sur nos ventes?

Lou se penche en avant et me jette un regard étonné par-dessus ses verres. Il est complètement désarçonné.

–Qu'est-ce que c'est que cette question?

–Je pense qu'elle n'est pas si bête que ça. Il faut que je sache si les robots ont eu un effet quelconque sur nos ventes. Ont-elles augmenté après leur mise en service?

–Augmenté? Toutes nos ventes sont restées stables ou ont baissé depuis l'année dernière.

Je suis un peu agacé.

–Est-ce que cela vous ennuierait de vérifier? Il fait un geste de soumission.

–Non, pas du tout. J'ai tout mon temps.

Lou ouvre un tiroir de son bureau et, après avoir feuilleté quelques dossiers, sort une pile de rapports, de tableaux et de diagrammes dans lesquels nous nous plongeons. Mais nous constatons que, chaque fois qu'un robot a été installé sur une chaîne, il n'y a eu aucune amélioration des ventes de produits pour lesquels il fabriquait des pièces, pas le moindre frémissement vers le haut. Pour faire bonne mesure, nous vérifions également les expéditions effectuées par l'usine, mais ne trouvons aucune trace d'augmentation. En fait, la seule amélioration concerne les retards dans les expéditions, qui se sont multipliés au cours des derniers mois.

Lou lève les yeux des tableaux et me regarde fixement.

–Al, je ne sais pas ce que vous essayez de prouver, mais si vous avez l'intention d'annoncer, à grand renfort de roulements de tambour, que les robots vont sauver l'usine en faisant grimper les ventes, vous ne pourrez avancer aucune preuve. En fait, les chiffres disent pratiquement l'inverse.

–C'est exactement ce que je craignais.

–Que voulez-vous dire?

–Je vais vous l'expliquer dans un instant. Voyons un peu les stocks. Je veux vérifier la situation de nos en-cours pour les pièces fabriquées par les robots.

–Pour ça, je ne peux pas vous aider. Je n'ai rien sur les stocks par numéro de référence des pièces.

–Ça ne fait rien, Stacey va s'en occuper.

Stacey Potazenik s'occupe du contrôle des stocks à l'usine. Lou l'appelle et elle quitte une réunion pour venir nous voir.

Stacey a une quarantaine d'années. Elle est grande, mince, avec des manières un peu brusques. Ses cheveux sont grisonnants et elle porte de grosses lunettes rondes. Elle est toujours vêtue de tailleurs stricts; je ne l'ai jamais vue porter de la dentelle ou autre fanfreluche. Je ne sais pratiquement rien de sa vie privée. Elle porte une alliance, mais n'a jamais parlé d'un mari. Elle parle rarement de ce qu'elle fait en dehors de l'usine, mais c'est une travailleuse acharnée.

Lorsqu'elle entre, je lui pose la question à propos des en-cours sur les pièces qui passent entre les mains des robots.

–Vous voulez des chiffres exacts?

–Non, je veux juste connaître les tendances.

–Dans ce cas, je peux vous dire tout de suite que les stocks de ces pièces ont augmenté.

–Récemment?

–Non, depuis la fin de l'été dernier, vers la fin du troisième trimestre. Et vous ne pouvez pas me blâmer pour ça – bien que tout le monde le fasse – parce que je me suis battue contre cela.

–Que voulez-vous dire?

–Vous ne vous souvenez pas? Ou peut-être n'étiez-vous pas encore là. Mais lorsque les rapports sont arrivés, nous avons remarqué que les robots de soudage ne fonctionnaient qu'à 30 pour cent de leur capacité, et les autres n'étaient guère meilleurs.

Nous ne pouvions pas accepter cela.

Je jette un coup d'œil à Lou.

–Il fallait faire quelque chose, dit-il. Frost m'aurait renvoyé si je n'avais rien dit. Ces engins étaient neufs et très chers. Ils ne se seraient pas payés dans les délais fixés s'ils avaient continué à tourner à 30 pour cent.

–Qu'avez-vous fait alors, Stacey ?

–Que pouvais-je faire? J'ai dû envoyer de plus en plus de matières premières à tous les postes de l'atelier qui approvisionnent les robots, pour qu'ils puissent produire davantage et améliorer leur rendement. Et depuis lors, chaque mois, nous avons un excédent de ces pièces.

–Mais l'important, c'était que les rendements augmentent, dit Lou en essayant d'arranger les choses. Personne ne peut nous reprocher cela.

–Je n'en suis plus aussi sûr. Stacey, pourquoi accumulons-nous cet excédent? Comment se fait-il que nous ne consommions pas ces pièces?

–Eh bien, pour beaucoup d'entre elles, nous n'avons pas actuellement de commandes qui nous permettraient de les écouler, et lorsque nous avons des commandes, il semble que nous n'arrivions jamais à avoir les autres composants en quantité suffisante.

–Comment est-ce possible?

–Il faut demander à Bob Donovan.

–Lou, voudriez-vous faire appeler Bob?

Bob entre dans le bureau, une grosse tache de graisse sur sa chemise blanche, juste au-dessus de son ventre. Il commence à nous expliquer ce qu'il est en train de faire pour réparer la panne des machines automatiques de contrôle.

–Bob, oubliez ça pour l'instant.

–Encore une autre catastrophe?

–Oui. Nous venons d'avoir une petite conversation à propos de nos vedettes locales: les robots.

Bob nous regarde tour à tour, en se demandant sans doute ce que nous avons bien pu dire.

–Qu'est-ce qui vous préoccupe à leur sujet? Ils marchent bien maintenant.

—Nous n'en sommes pas si certains que cela. Stacey me dit que nous avons des excédents de pièces fabriquées par les robots, mais que, dans certains cas, nous n'avons pas assez d'autres pièces pour assembler et livrer nos commandes.

—Ce n'est pas que nous n'avons pas assez de pièces, c'est plutôt que nous n'arrivons pas à les avoir lorsque nous en avons besoin. C'est vrai aussi pour beaucoup des pièces que fabriquent les robots. Par exemple, il nous arrive d'avoir un tas de CD-50 qui attendent pendant des mois les boîtiers de contrôle. Quand ils arrivent, il nous manque autre chose. Cette autre chose arrive, alors nous assemblons la commande et nous l'expédions. Mais le lendemain, vous cherchez une CD-50 et vous n'en trouvez nulle part. Il y a des tonnes de CD-45 et de CD-80, mais aucune CD-50. Alors on attend. Et lorsqu'on reçoit les nouvelles CD-50, il n'y a plus de boîtiers de contrôle.

—Etc., glisse Stacey.

—Mais, Stacey, vous avez dit que les robots produisaient un tas de pièces pour lesquelles nous n'avons pas de commandes de produits. Autrement dit, nous fabriquons des pièces dont nous n'avons pas besoin.

—On se dit qu'on finira bien par les utiliser. Écoutez, tout le monde fait la même chose. Lorsque les rendements baissent, tout le monde devance les prévisions pour continuer à travailler. Nous accumulons des stocks, et si la consommation ne correspond pas aux prévisions, c'est la catastrophe. Eh bien, c'est exactement ce qui est en train de se passer. Pendant une bonne partie de l'année, nous avons accumulé des stocks, mais le marché n'est pas très bon.

—Je sais, Stacey, je sais. Je ne vous reproche rien, ni à vous, ni à personne. J'essaie simplement de faire le point de la situation.

Incapable de tenir en place, je me lève et je commence à faire les cent pas.

—Résumons-nous: pour donner davantage de travail aux robots, nous consommons davantage de matières premières.

—Ce qui contribue à gonfler les stocks, dit Stacey.

—Et donc à augmenter nos coûts.

—Mais le prix de revient de ces pièces a baissé, intervient Lou.

—En êtes-vous sûr? Que faites-vous du coût de possession des stocks? Ça rentre dans les dépenses de fonctionnement. Et si ces dernières augmentent, comment le prix de revient des pièces peut-il baisser?

–Cela dépend du volume.

–Exact... Du volume des *ventes*... Voilà ce qui est important. Lorsque nous avons des pièces qui ne peuvent pas être assemblées pour faire un produit vendable, parce qu'il nous manque d'autres pièces, ou que nous n'avons pas de commande, nos coûts grimpent.

–Al, intervient Bob, êtes-vous en train d'essayer de nous dire que notre problème ce sont les robots?

Je me rassieds.

–Nous n'avons pas géré en fonction du but.

Manifestement, Lou ne comprend pas.

–Le but? Vous voulez dire nos prévisions pour le mois?

–Je crois qu'il faut que je vous explique une ou deux choses.

CHAPITRE 10

Une heure et demie plus tard, j'ai terminé mon exposé. Nous sommes dans la salle de conférences, où j'ai entraîné tout le monde parce qu'il y a un tableau. Sur ce tableau, j'ai tracé un diagramme du but. Je viens de finir d'inscrire les définitions des trois indicateurs.

Tous sont silencieux. Enfin, Lou prend la parole:

–Mais où diable avez-vous trouvé ces définitions?

–C'est mon ancien professeur de physique qui me les a données.

–Qui? demande Bob.

–Votre ancien professeur de physique?

Lou ne comprend pas.

–Exactement. Qu'est-ce qu'il y a de bizarre à ça? dis-je, sur la défensive.

–Et quel est son nom? demande Bob.

–Il s'appelle Jonah, et il est israélien.

Bob continue.

–Moi, ce que je voudrais savoir, c'est ce que le produit des ventes vient faire dans tout cela. Nous fabriquons. Nous n'avons rien à voir avec les ventes; les ventes, c'est l'affaire du Marketing.

Je hausse les épaules. J'ai posé la même question à Jonah au téléphone. Il a dit que les définitions étaient précises, mais je ne sais que répondre à Bob. Je me tourne vers la fenêtre. Je sais ce que je vais lui dire.

–Venez ici, Bob.

Il me rejoint. Je pose ma main sur son épaule et lui montre quelque chose par la fenêtre.

–Ces bâtiments, qu'est-ce que c'est?

–Des entrepôts.

–À quoi servent-ils?

–À stocker les produits finis.

–Pensez-vous que la société survivrait longtemps si nous nous contentions de fabriquer des produits pour remplir ces entrepôts?

–D'accord, dit Bob, un peu embarrassé, comprenant ce que je veux dire. Il faut que nous vendions ces produits pour gagner de l'argent.

Lou a toujours les yeux fixés sur le tableau.

–Chacune de ces définitions contient le mot *argent*, dit-il d'un air songeur. Les produits de la vente représentent l'argent qui rentre. Les stocks, l'argent qui se trouve dans le système. Et les dépenses de fonctionnement, celui que nous devons débourser pour qu'il y ait des produits à vendre. Il y a donc un indicateur pour l'argent qui rentre, un indicateur pour l'argent immobilisé et un indicateur pour l'argent qui sort.

–Si vous pensez à l'investissement que représente tout ce qui se trouve dans les ateliers, il ne fait pas de doute que les stocks représentent de l'argent, intervient Stacey. Mais ce qui me tracasse, c'est que je ne vois pas comment il tient compte de la valeur ajoutée aux matières premières par la main-d'œuvre directe.

–Je me suis posé la même question, et je ne peux que vous répéter ce qu'il m'a dit: il estime qu'il vaut mieux ne pas tenir compte de la valeur ajoutée. D'après lui, cela permet d'éliminer la «confusion» à propos de ce qui constitue un investissement et de ce qui est une dépense.

Le silence s'installe pendant que nous réfléchissons à cela. Puis Stacey reprend.

—Jonah estime peut-être que la main-d'œuvre directe ne devrait pas faire partie des stocks parce que ce que nous vendons, ce n'est pas le temps des employés. Dans un sens, nous «achetons» le temps de nos employés, mais nous ne vendons pas ce temps à un client, puisque nous ne sommes pas une société de services.

Bob n'est pas d'accord.

—Eh, un instant: si nous vendons le produit, est-ce que nous ne vendons pas aussi le temps investi dans ce produit?

—D'accord, mais que faites-vous du temps improductif?

Lou intervient pour lui répondre.

—Si j'ai bien compris, tout cela est une façon différente de comptabiliser. Tout le temps de main-d'œuvre, qu'il soit direct ou indirect, productif ou non, représente une dépense de fonctionnement, d'après Jonah. Il est toujours comptabilisé, mais la méthode de Jonah est plus simple et évite pas mal de combines.

Bob est piqué au vif.

—Des combines? Nous autres, à la fabrication, nous travaillons dur, et nous n'avons pas de temps pour des combines.

—Ça c'est vrai, vous êtes trop occupés à transformer des périodes d'inactivité en temps productif d'un simple trait de plume, rétorque Lou.

—Ou à transformer le temps productif en piles de stocks, ajoute Stacey.

Je les laisse se disputer pendant un instant, tout en songeant qu'il y a peut-être quelque chose de plus, derrière tout ça, qu'une simplification. Jonah a parlé de *confusion* entre investissement et dépense; à cause de cette confusion, sommes-nous actuellement en train de faire quelque chose que nous ne devrions pas? Soudain, une phrase de Stacey me fait tendre l'oreille.

—Mais comment connaissons-nous la valeur de nos produits finis? demande-t-elle.

—D'abord, c'est le marché qui détermine la valeur du produit, lui répond Lou. Et pour qu'une société gagne de l'argent, la valeur du produit et le prix auquel nous le vendons doivent être supérieurs au montant total de l'investissement dans les stocks et des dépenses de fonctionnement par unité que nous vendons.

Je vois à l'expression de Bob qu'il est très sceptique. Je lui demande ce qui le tracasse.

–C'est complètement dingue, grommelle-t-il.

–Pourquoi? demande Lou.

–Ça ne peut pas marcher! Comment pouvez-vous tenir compte de tout ce qui rentre dans ce sacré système, avec seulement trois indicateurs?

–Mon vieux, dit Lou en montrant le tableau, citez-moi quelque chose qui n'entre pas dans l'une de ces trois définitions.

–Les outillages, les machines... ce bâtiment, l'usine tout entière!

–Mais ils sont là-dedans.

–Où?

–Regardez, tout ce que vous venez de citer entre en partie dans la première définition et en partie dans la deuxième, dit Lou. Prenez une machine: son amortissement entre dans les dépenses de fonctionnement. Sa valeur résiduelle après amortissement, c'est-à-dire le prix de la machine si celle-ci était vendue, fait partie des stocks.

–Des stocks? Je pensais que les stocks, c'étaient les produits, les pièces, enfin, tout ce que nous allons vendre.

Lou sourit.

–Bob, l'usine tout entière est un investissement qui peut être vendu, si le prix et les circonstances s'y prêtent.

Et plus vite que nous ne le pensons, me dis-je.

–Donc l'investissement, c'est la même chose que les stocks? demande Stacey.

–Et les lubrifiants pour les machines? s'entête Bob.

J'interviens.

–Ça fait également partie des dépenses de fonctionnement. Nous n'allons pas vendre ces lubrifiants à un client.

–Et les pièces qui vont au rebut?

–Ça fait également partie des dépenses de fonctionnement.

–Ah oui? Et ce que nous vendons au ferrailleur?

–C'est la même chose qu'une machine, glisse Lou. Tout l'argent que nous perdons entre dans les dépenses de fonction-nement, et tout investissement que nous pouvons vendre entre dans les stocks.

–Alors, les coûts de possession, ce sont également des frais de fonctionnement, n'est-ce pas? demande Stacey.

Lou et moi hochons la tête.

Je songe à tous les éléments «intangibles» qui entrent en jeu dans notre activité: le savoir, par exemple, celui qui vient des consultants, ou celui acquis par notre propre recherche. J'en parle aux autres, pour voir comment, à leur avis, ces éléments devraient être classifiés.

Associer argent et savoir nous pose quelques problèmes pendant un certain temps, puis nous décidons que tout dépend, en fin de compte, de l'utilisation qui est faite du savoir. En supposant, par exemple, que ce savoir nous apporte un nouveau procédé de fabrication, quelque chose qui contribue à transformer des stocks en produit des ventes, dans ce cas, le savoir entre dans les dépenses de fonctionnement. Mais si le savoir se rapporte à un produit qu'UniCo fabriquera elle-même, c'est comme une machine, un investissement générateur de bénéfice, qui perdra de sa valeur avec le temps. Là encore, l'investissement qui peut être vendu entre dans les stocks; l'amortissement est une dépense de fonctionnement.

Bob a un claquement de doigts triomphant.

—J'ai trouvé quelque chose qui ne rentre dans aucune de ces définitions: le chauffeur de Granby.

—Quoi?

—Vous savez, le vieux machin en costume noir qui conduit la voiture de J. Bart Granby !

—Dépense de fonctionnement, répond Lou.

—Tu parles! Alors expliquez-moi comment le chauffeur de Granby transforme les stocks en produit des ventes! Je parie qu'il ne sait même pas ce que c'est que les stocks et le produit des ventes.

—Malheureusement, certaines de nos secrétaires ne le savent pas non plus, glisse Stacey.

—Vous n'avez pas besoin de toucher physiquement le produit, Bob, pour transformer les stocks en produit des ventes, dis-je. Vous-même y contribuez tous les jours, mais vous donnez sans doute aux ouvriers des chaînes l'impression que tout ce que vous faites, c'est de vous promener toute la journée et de rendre la vie difficile à tout le monde.

–Ouais, personne ne m'apprécie à ma juste valeur. Mais vous ne m'avez toujours pas dit comment le chauffeur entrait dans le tableau.

–Peut-être qu'il permet à Granby d'avoir davantage de temps pour réfléchir, traiter avec les clients, etc., pendant qu'il le conduit d'un endroit à un autre.

–Bob, pourquoi ne posez-vous pas la question à M. Granby la prochaine fois que vous déjeunerez ensemble? suggère Stacey.

–Ce n'est pas aussi improbable que vous le croyez, lui dis-je. J'ai appris ce matin que Granby nous rendrait peut-être visite pour tourner un film vidéo sur les robots.

–Granby vient ici? demande Bob, incrédule.

–Dans ce cas, vous pouvez être certain que Bill Peach et tous les autres suivront, murmure Stacey.

–Il ne nous manquait plus que ça, grommelle Lou.

Stacey se tourne vers Bob.

–Vous comprenez maintenant pourquoi Al posait des questions à propos des robots? Il faut que nous fassions bonne figure devant Granby.

–Mais c'est le cas, dit Lou. Leurs rendements sont tout à fait acceptables; Granby n'aura pas à rougir d'être filmé avec nos robots.

–Bon Dieu, dis-je, je me moque éperdument de Granby et de son film. En fait, je parierais qu'il ne sera pas tourné ici, mais là n'est pas la question. Le problème, c'est que tout le monde, moi y compris jusqu'à aujourd'hui, a cru que ces robots avaient fait progresser sensiblement la productivité. Or nous venons de nous apercevoir qu'ils ne sont pas productifs, du point de vue de notre but, et même, de la façon dont nous les avons utilisés, qu'ils sont contre-productifs.

Personne ne dit mot.

–Très bien. Alors nous devons les rendre productifs pour atteindre notre but, reprend Stacey courageusement.

–Il faut faire beaucoup plus que cela.

Je me tourne vers Bob et Stacey.

–Écoutez, j'en ai déjà parlé à Lou et comme, de toute façon, vous finirez par l'apprendre, autant que je vous le dise tout de suite: Peach nous a posé un ultimatum, nous avons trois mois pour redresser la situation de l'usine ou il la ferme définitivement.

Ils restent sans voix pendant un instant puis commencent à me poser des questions tous en même temps. Je leur dis tout ce que je sais, en passant toutefois sous silence ce qui concerne la division. Je ne veux pas qu'ils paniquent.

–Je sais, trois mois ce n'est pas beaucoup. Mais jusqu'à ce qu'on me jette à la porte, je n'abandonnerai pas. Vous ferez ce que vous voudrez, mais si vous préférez partir, il vaut mieux le faire tout de suite, parce que pendant les trois prochains mois, je vais avoir besoin de toute votre aide. Si nous arrivons à améliorer les choses, même légèrement, je ferai tout mon possible auprès de Peach pour qu'il nous laisse un peu plus de temps.

–Pensez-vous vraiment que nous puissions faire quelque chose dans ce délai? demande Lou.

–Honnêtement, je n'en sais rien. Mais maintenant, nous avons au moins une idée de ce qui ne va pas.

–Et que pouvons-nous faire d'autre? demande Bob.

–Pourquoi n'essayons-nous pas de ralentir la cadence des robots pour réduire les stocks? suggère Stacey.

–Je suis tout à fait d'accord pour réduire les stocks, dit Bob, mais si nous ne produisons pas, nos rendements baissent et nous nous retrouvons au même point.

–Peach ne nous donnera pas une deuxième chance s'il voit que nos rendements tombent, dit Lou. Il veut plutôt les voir augmenter.

Je me passe la main dans les cheveux.

–Peut-être pourriez-vous essayer de rappeler ce Jonah, dit Stacey. Il a l'air de bien connaître son affaire.

–Nous pourrions au moins lui demander ce qu'il en pense, suggère Lou.

–J'ai parlé avec lui la nuit dernière et il m'a donné tout cela, dis-je en montrant les définitions inscrites sur le tableau. Il avait dit qu'il me rappellerait...

Je les regarde.

–Bon, d'accord, je vais essayer de le joindre.

Je fouille dans mon attaché-case pour retrouver le numéro que Jonah m'a donné à Londres.

Je fais le numéro sous l'œil attentif des trois autres. On me dit que Jonah n'est plus là, mais on me passe une secrétaire.

–Ah oui, M. Rogo, me dit-elle. Jonah a essayé de vous appeler, mais votre secrétaire lui a dit que vous étiez en réunion. Il voulait vous parler avant de quitter Londres aujourd'hui, mais vous l'avez manqué.

–Où est-il allé?

–Il a pris le Concorde pour New York. Peut-être pourriez-vous le joindre à son hôtel?

Je note le nom de l'hôtel, remercie la secrétaire et raccroche. Puis je demande le numéro aux renseignements et j'essaie d'appeler. À ma grande surprise, le standard me passe Jonah immédiatement.

–Allô? dit une voix endormie.

–Jonah? Ici Alex Rogo. Je vous ai réveillé?

–Un peu, oui.

–Je suis désolé. J'essaierai d'être très bref. Mais il faut vraiment que je vous parle un peu plus longuement de ce que nous avons évoqué hier soir.

–Hier soir? demande-t-il. Ah oui, c'est vrai! Je suppose que c'était «hier soir» à votre heure.

–Peut-être pourrais-je vous envoyer un billet d'avion pour que vous veniez à mon usine discuter avec mes adjoints et moi-même?

–Alex, le problème c'est que je suis pris pendant les trois semaines à venir, et ensuite je retourne en Israël.

–Jonah, nous ne pouvons pas attendre aussi longtemps. J'ai de gros problèmes à résoudre et très peu de temps devant moi. J'ai compris ce que vous vouliez dire à propos des robots et de la productivité, mais nous ne savons pas ce qu'il faut faire à partir de là et... eh bien, peut-être que si je vous expliquais certaines choses...

–Alex, j'aimerais bien vous aider, mais il faut aussi que je dorme un peu. Je suis épuisé. Mais si votre programme vous le permet, pourquoi ne nous rencontrerions-nous pas ici demain matin à sept heures, pour le petit déjeuner à mon hôtel?

–Demain?

–Oui. J'aurai une heure à vous consacrer et nous pourrons bavarder. Sinon...

Je jette un coup d'œil aux autres, qui me regardent anxieusement. Je demande à Jonah de ne pas quitter un instant.

—Il veut que j'aille le voir à New York demain. Voyez-vous une raison pour que je n'y aille pas?

—Vous plaisantez? s'exclame Stacey.

—Allez-y, dit Bob.

—Qu'est-ce que vous avez à perdre? demande Lou.

—D'accord, Jonah, j'y serai.

—Parfait! s'écrie Jonah, manifestement soulagé. Et maintenant, bonne nuit!

Lorsque j'entre dans mon bureau, Fran lève les yeux de sa machine à écrire, surprise.

—Ah, vous êtes là! Ce monsieur vous a appelé deux fois de Londres. Il n'a pas voulu dire si c'était important ou non.

—J'ai un travail pour vous, Fran: débrouillez-vous comme vous voulez, mais trouvez-moi une place sur le vol de ce soir à destination de New York.

CHAPITRE 11

Julie ne fait aucun effort pour comprendre.

–Merci de m'avoir prévenue à l'avance, me dit-elle.

–Si je l'avais su plus tôt, je te l'aurais dit.

–Depuis quelque temps, tu es le roi de l'imprévu.

–Est-ce que je ne te préviens pas toujours lorsque je sais d'avance que je dois partir?

Elle est debout près de la porte de la chambre. Je suis en train de mettre quelques affaires dans un sac de voyage, ouvert sur le lit. Nous sommes seuls. Sharon est chez une amie et Davey répète avec son orchestre.

–Quand tout cela va-t-il finir ? me demande-t-elle.

Je m'arrête, la main sur la poignée d'un tiroir que je m'apprêtais à ouvrir. Ses questions commencent à m'énerver parce que je lui ai déjà tout expliqué il y a cinq minutes. Pourquoi ne peut-elle pas comprendre?

–Julie, je n'en sais rien. J'ai un tas de problèmes à résoudre.

Elle a un geste d'agacement. Elle n'apprécie pas. Brusquement, je me dis qu'elle ne me croit pas.

–Je t'appellerai dès que j'arriverai à New York. D'accord?

Elle se détourne, comme si elle s'apprêtait à sortir de la pièce.

–Si tu veux, appelle-moi, mais je ne serai peut-être pas à la maison.

–Qu'est-ce que tu veux dire par là?

–Je serai peut-être sortie.

–Eh bien, ça ne fait rien, je tenterai le coup.

–Oh, ça, je n'en doute pas.

Elle sort en claquant la porte, furieuse.

Je prends une chemise de rechange que je fourre dans mon sac avant de le fermer. Puis je descends retrouver Julie dans le salon. Elle est appuyée contre le mur, près de la fenêtre, et se mordille le pouce. Je lui prends la main et dépose un baiser sur le doigt. Puis j'essaie de la prendre dans mes bras.

–Écoute, Julie, je sais qu'il était difficile de compter sur moi ces derniers temps. Mais ce voyage est important, c'est pour l'usine...

Elle secoue la tête et se dégage. Je la suis dans la cuisine. Elle me tourne le dos.

–Ton travail passe avant tout. Tu ne penses qu'à ça. Je ne peux même pas compter sur toi pour le dîner, et les enfants me demandent pourquoi tu es comme ça.

Une larme se forme au coin de sa paupière. Je veux la cueillir du bout des doigts, mais elle écarte brusquement ma main.

–Non! Va prendre ton avion et laisse-moi tranquille.

–Julie...

Elle s'éloigne.

–Julie, ce n'est pas juste!

Elle se retourne d'un bloc.

–C'est exact: *tu* n'es pas juste, ni pour moi, ni pour tes enfants.

Elle monte les escaliers quatre à quatre, sans se retourner. Je n'ai pas le temps d'arranger les choses, je suis déjà en retard pour prendre mon avion. Je prends mon sac et mon attaché-case dans l'entrée, et je sors.

À sept heures dix, le lendemain matin, j'attends Jonah à la réception de l'hôtel. Il a quelques minutes de retard, mais ce n'est pas à ça que je pense en faisant les cent pas. Je pense à Julie. Je me fais du souci à son sujet... à notre sujet. Lorsque je suis arrivé dans ma chambre hier soir, j'ai essayé d'appeler à la maison. Pas de réponse. Je pensais que l'un des enfants répondrait, mais rien. J'ai tourné en rond dans ma chambre pendant une demi-heure, puis j'ai rappelé. Toujours pas de réponse. J'ai recommencé tous les quarts d'heure jusqu'à deux heures du matin, sans résultat. À un moment, j'ai même appelé la compagnie aérienne pour voir s'il y avait un avion pour Bearington, mais il n'y avait plus aucun vol à cette heure. J'ai fini par m'endormir. Mon réveil m'a tiré du lit à six heures. J'ai encore essayé deux fois d'appeler à la maison avant de quitter ma chambre, en laissant sonner longuement. Rien.

—Alex!

Je me retourne. Jonah s'avance vers moi. Il porte une chemise blanche, pas de cravate, pas de veste, et des pantalons foncés.

—Bonjour, Jonah, dis-je en lui serrant la main.

Je remarque qu'il a les yeux gonflés, comme quelqu'un qui n'a pas beaucoup dormi; je n'ai sans doute pas meilleure mine.

—Excusez-moi d'être en retard, dit-il. J'ai dîné hier soir avec quelques collègues et nous nous sommes lancés dans une discussion qui s'est terminée à trois heures du matin. Allons prendre notre petit déjeuner.

Nous entrons dans le restaurant et le maître d'hôtel nous guide jusqu'à une table couverte d'une nappe blanche.

Je m'efforce de me concentrer et lui expose comment j'ai formulé le but avec ses indicateurs. Jonah a l'air très satisfait.

—Excellent! Vous avez bien travaillé.

—Merci, mais je crains qu'il me faille plus qu'un but et quelques indicateurs pour sauver mon usine.

—Sauver votre usine?

—Eh bien... Oui, c'est pourquoi je suis ici. Je ne vous ai pas appelé simplement pour parler de théorie.

—Non, je me doutais bien que vous n'aviez pas fait tout cela purement pour l'amour de la vérité. Allez-y, Alex, dites-moi ce qui vous arrive.

—Ce que je vais vous dire est confidentiel.

Je commence alors à lui expliquer la situation de l'usine et lui parle des trois mois que l'on m'a donnés avant qu'elle ne soit fermée. Jonah écoute attentivement. Lorsque j'ai fini, il se laisse aller contre le dossier de sa chaise.

—Qu'attendez-vous de moi?

—Je ne sais pas s'il en existe une, mais j'aimerais que vous m'aidiez à trouver la réponse qui me permettra de maintenir mon usine en vie et de conserver leur travail à mes employés.

Jonah détourne le regard pendant un instant.

—Je vais vous dire quel est mon problème: j'ai un emploi du temps extraordinairement chargé, et c'est d'ailleurs pourquoi je vous ai fixé rendez-vous à cette heure indue. Avec tous les engagements que j'ai déjà, je ne dispose pas du temps nécessaire pour faire tout ce que vous attendez probablement d'un consultant.

Je soupire, très déçu.

—D'accord, Jonah, si vous êtes trop occupé...

—Attendez, laissez-moi terminer. Ça ne veut pas dire que vous ne pouvez pas sauver votre usine. Je n'ai pas le temps de résoudre vos problèmes pour vous et de toute façon, ce n'est pas cela qu'il vous faut...

—Que voulez-vous dire?

Jonah lève la main pour me faire taire.

—Laissez-moi finir! D'après ce que vous m'avez dit, je pense que vous pouvez résoudre vos problèmes tout seul. Mais je vais vous donner quelques règles de base que vous appliquerez. Si vous et votre personnel les suivez intelligemment, je pense que vous tirerez votre usine d'affaire. Est-ce que cela vous convient?

—Mais, Jonah, nous n'avons que trois mois devant nous.

Il secoue la tête avec impatience.

—Je sais, je sais. Trois mois sont largement suffisants pour améliorer les choses... Si vous mettez le paquet, bien sûr. Sinon, rien de ce que je vais vous dire ne pourra vous sauver.

—Pour ça, vous pouvez compter sur nous.

—Dans ce cas, essayons.

—Franchement, je ne vois pas ce que je pourrais faire d'autre. Il vaudrait mieux que je commence par vous demander combien cela va me coûter. Est-ce que vous avez un tarif forfaitaire, ou des honoraires?

—Non. Mais je vais passer un accord avec vous: vous me paierez en fonction de la valeur que vous attribuerez à ce que je vais vous apprendre.

—Mais comment pourrais-je la déterminer?

—Vous devriez en avoir une idée bien précise, lorsque nous aurons terminé. Si votre usine ferme, ce que vous aurez appris n'aura évidemment pas beaucoup de valeur, et vous ne me devrez rien. En revanche, si vous en apprenez suffisamment de moi pour gagner des milliards, alors vous me paierez en conséquence.

Je ris. Qu'est-ce que j'ai à perdre?

—D'accord, c'est équitable.

Nous nous serrons la main par-dessus la table.

Un serveur s'approche pour demander si nous voulons commander. Nous n'avons pas regardé la carte, mais Jonah et moi ne voulons que du café. Notre serveur nous informe qu'à la salle à manger, il faut consommer au moins pour cinq dollars. Jonah lui demande alors de nous apporter à chacun un grand pot de café et un litre de lait. Il nous lance un regard mauvais et disparaît.

—Bien, dit Jonah. Par où allons-nous commencer...

—J'avais pensé que nous pourrions d'abord examiner la question des robots.

Jonah secoue la tête.

—Alex, oubliez les robots pour l'instant. Ils ne sont que des jouets industriels tout nouveaux, dont tout le monde est toqué. Il faut vous occuper de choses beaucoup plus fondamentales.

—Mais vous ne tenez pas compte de l'importance qu'ils ont pour nous. C'est le matériel le plus cher que nous ayons. Il faut absolument qu'il reste productif.

—Productif en fonction de quoi?

—D'accord, d'accord... Il faut qu'il reste productif en fonction du but. Mais pour rentabiliser les robots, il faut qu'ils aient des rendements élevés et ça, ce n'est possible que s'ils fabriquent des pièces.

Jonah secoue la tête une nouvelle fois.

—Alex, vous m'avez dit, lorsque nous nous sommes rencontrés la première fois, que votre usine avait dans l'ensemble d'excellents rendements. S'ils sont si bons que cela, pourquoi votre usine est-elle en mauvaise posture?

Il tire un cigare de la poche de sa chemise et en tranche l'extrémité d'un coup de dents.

—Jonah, je suis bien obligé de me préoccuper des rendements, ne serait-ce que parce que ma Direction y attache de l'importance.

—Qu'est-ce qui est le plus important pour votre Direction, Alex: les rendements ou l'argent?

—L'argent, bien entendu, mais des rendements élevés ne sont-ils pas essentiels pour en gagner?

—La plupart du temps, vos efforts pour atteindre des rendements importants vous entraînent dans la direction opposée à votre but.

—Je ne comprends pas. Et même si je comprenais, ma Direction, elle, ne comprendrait pas.

Jonah allume son cigare et continue, entre deux bouffées.

—D'accord. Voyons si je peux vous aider à comprendre, en vous posant quelques questions simples auxquelles vous répondrez. Dites-moi d'abord ceci: lorsque vous voyez l'un de vos ouvriers inoccupé, sans travail, est-ce que cela est bon ou mauvais pour la société?

—Mauvais, bien entendu.

—Toujours?

J'ai l'impression qu'il est en train d'essayer de me piéger.

—Eh bien, il faut entretenir les machines...

—Non, non, non. Je parle d'un ouvrier de la chaîne, qui est oisif parce qu'il n'a pas de produits sur lesquels travailler.

—Dans ce cas, c'est toujours mauvais.

—Pourquoi?

—Mais c'est évident! Parce que c'est une perte d'argent! Nous ne sommes pas censés payer les gens à ne rien faire. Nous n'avons pas les moyens d'avoir des ouvriers inoccupés, nos coûts sont trop élevés pour nous le permettre. C'est de l'inefficacité, de l'improductivité, quel que soit l'indicateur que vous appliquiez à cela.

Il se penche vers moi comme s'il voulait me révéler un grand secret.

—Laissez-moi vous dire quelque chose, Alex. Une usine dans laquelle tout le monde est occupé en permanence est très inefficace.

—Je vous demande pardon?

—Vous m'avez parfaitement entendu.

–Mais comment pouvez-vous prouver cela?

–Vous l'avez déjà démontré dans votre propre usine. Vous avez la preuve sous les yeux, mais vous ne la voyez pas.

Incrédule, je secoue la tête.

–Jonah, je crois que nous ne nous comprenons pas. Dans mon usine, je n'ai pas un seul employé de trop. La seule façon pour nous de sortir des produits, c'est de faire travailler tout le monde constamment.

–Dites-moi, Alex, avez-vous des excédents de stocks dans votre usine?

–Oui.

–Est-ce que vous avez beaucoup d'excédents de stocks?

–Eh bien... Oui.

–Avez-vous *beaucoup*, beaucoup d'excédents de stocks?

–Oui, nous en avons vraiment beaucoup, mais où voulez-vous en venir?

–Est-ce que vous vous rendez compte que la seule raison pour laquelle vous avez trop de stocks, c'est parce que vous avez trop de main-d'œuvre?

Après avoir réfléchi une minute, je dois reconnaître qu'il a raison; les machines ne se règlent pas et ne tournent pas toutes seules. Ce sont donc les hommes qui ont généré l'excédent de stocks.

–Que me suggérez-vous de faire? Licencier une partie du personnel qui me reste? Je fonctionne pratiquement avec un squelette actuellement.

–Non, je ne suis pas en train de suggérer que vous fassiez d'autres mises à pied, mais je vous suggère par contre de vous interroger sur la façon dont vous gérez la capacité de votre usine. Et je peux déjà vous dire que ce n'est pas en accord avec le but.

Le serveur dépose devant nous deux superbes cafetières en argent. Il y ajoute un pichet de crème et commence à nous servir. En attendant qu'il ait fini, je regarde distraitement par la fenêtre, jusqu'à ce que Jonah attire de nouveau mon attention en me tapotant le bras.

–Voilà comment les choses se passent: à l'extérieur, il y a une certaine demande pour les produits que vous fabriquez, quels qu'ils soient. Et dans votre usine, vous disposez d'un certain nombre de ressources, dont chacune a une capacité déterminée, pour répondre à cette demande. Maintenant, avant que je poursuive, savez-vous ce que signifie une «usine équilibrée»?

–Vous voulez dire équilibrer une chaîne de production?

–Une usine équilibrée est, en fait, ce que tout responsable de production dans le monde occidental se bat pour réaliser. C'est une usine où la capacité de chaque ressource est exactement adaptée à la demande du marché. Savez-vous pourquoi les responsables essaient de faire cela?

–Parce que si nous n'avons pas une capacité suffisante, nous nous privons de produits des ventes potentiels, et si nous avons un excédent de capacité, nous gaspillons de l'argent, nous manquons une occasion de réduire les dépenses de fonctionnement.

–C'est exactement ce que tout le monde croit, et la plupart des directeurs ont tendance à réduire la capacité chaque fois qu'ils le peuvent, afin qu'aucune ressource ne reste inemployée, et que tout le monde ait quelque chose à faire.

–Je vois ce que vous voulez dire. C'est ce que nous faisons à l'usine, c'est ce qui se fait dans toutes les usines que j'ai connues.

–Est-ce que vous dirigez une usine équilibrée?

–Elle est aussi équilibrée que nous le pouvons; bien entendu, certaines de nos machines sont inemployées, mais généralement, c'est parce qu'elles sont dépassées. En ce qui concerne la main-d'œuvre, nous avons pressé le citron autant qu'il était possible de le faire. Mais une usine parfaitement équilibrée, ça n'existe pas.

–C'est bizarre, je n'en connais pas moi non plus. Pourquoi croyez-vous que personne, en dépit de tous les efforts et du temps consacré à cette question, n'ait jamais réussi à avoir une usine équilibrée?

–Je peux vous citer plusieurs raisons. La première c'est que les conditions évoluent sans cesse.

–Non, en fait, ce n'est pas la première raison.

–Je ne suis pas d'accord avec vous! Regardez tout ce à quoi je me heurte; mes vendeurs, par exemple. Juste au moment où nous sommes en train d'exécuter une commande urgente, nous nous apercevons que le fournisseur nous a envoyé un mauvais lot de pièces. Et que faites-vous de toutes les variables associées au personnel: l'absentéisme, ceux qui se moquent de la qualité, le roulement des employés, et tout le reste? Et puis, il y a le marché lui-même, qui change constamment. Il n'est donc pas surprenant que nous ayons trop de capacités dans un secteur et pas assez dans un autre.

–Alex, la véritable raison pour laquelle vous ne pouvez pas équilibrer votre usine est beaucoup plus importante que tous les facteurs que vous venez de citer. Ceux-là sont relativement mineurs.

–Mineurs?

–La vraie raison, c'est que plus vous vous rapprochez d'une usine équilibrée, plus vous vous rapprochez de la faillite.

–Voyons, Jonah, vous vous moquez de moi.

–Examinez cette obsession d'abaisser la capacité par rapport au but. Lorsque vous licenciez des gens, est-ce que vous accroissez les ventes?

–Non, bien sûr que non.

–Est-ce que vous réduisez vos stocks?

–Non, pas en licenciant les gens. Par contre, cela nous permet de réduire nos dépenses.

–Exactement. Vous améliorez seulement un indicateur, les dépenses de fonctionnement.

–Est-ce que ce n'est pas suffisant?

–Alex, le but n'est pas seulement de réduire les dépenses de fonctionnement. Le but n'est pas de faire progresser un indicateur de façon isolée. Le but c'est de réduire les dépenses de fonctionnement et les stocks, tout en améliorant simultanément le produit des ventes.

–Parfait. Je suis d'accord là-dessus mais, si nous réduisons les dépenses et les stocks et que le produit des ventes reste le même, c'est bien, non?

–Oui, *si* vous n'augmentez pas les stocks ou ne réduisez pas le produit des ventes, ou les deux.

–D'accord. Mais équilibrer la capacité n'a d'incidence ni sur l'un ni sur l'autre.

–Ah bon? Vraiment? Et qu'est-ce qui vous fait dire cela?

–Nous venons de dire...

–Je n'ai rien dit de tel. Je vous ai posé la question, et vous avez *supposé* qu'en réduisant la capacité pour l'adapter à la demande du marché, cela n'aurait pas de conséquences sur le produit des ventes ou les stocks. Mais, en réalité, cette hypothèse, presque universellement reconnue dans les entreprises occidentales, est totalement fausse.

–Comment savez-vous qu'elle est fausse?

–Tout d'abord, il y a une preuve mathématique qui pourrait montrer clairement que lorsque la capacité est adaptée exactement à la demande du marché, qu'elle n'est ni supérieure ni inférieure, le produit des ventes baisse, alors que les stocks grimpent de façon vertigineuse. Et, par voie de conséquence, leur *coût de possession* augmente aussi. Il est donc douteux que vous puissiez réduire comme prévu vos dépenses de fonctionnement, l'indicateur qui aurait dû progresser.

–Comment est-ce possible?

–À cause de la combinaison de deux phénomènes que l'on trouve dans toutes les usines. L'un d'entre eux s'appelle les «événements dépendants». Savez-vous ce que je veux dire par là? Je veux dire qu'un événement, ou une série d'événements, doit se produire avant qu'un autre puisse commencer... Les événements qui surviennent après *dépendent* de ceux qui les ont précédés. Vous comprenez?

–Oui, bien sûr. Mais pourquoi est-ce si important?

–C'est important lorsque des événements dépendants sont combinés à un autre phénomène que l'on appelle les «fluctuations statistiques, ou mieux, aléatoires». Savez-vous ce que c'est?

Je hausse les épaules.

–Des fluctuations dans les statistiques, non?

–Laissez-moi vous expliquer cela à ma façon: vous savez que certaines sortes d'informations peuvent être déterminées avec précision. Par exemple, si nous devons savoir combien de personnes ce restaurant peut contenir, nous pouvons le déterminer avec précision en comptant le nombre de chaises à chaque table. Mais il y a d'autres informations qui ne peuvent être établies aussi précisément. Par exemple, combien de temps va-t-il falloir au serveur pour nous apporter notre addition? Ou combien de temps va-t-il falloir au chef pour préparer une omelette? Ou combien d'œufs la cuisine va-t-elle utiliser aujourd'hui? Ce genre d'informations varie d'un cas à l'autre. Elles sont soumises à des fluctuations aléatoires.

–Peut-être, mais en général vous pouvez avoir une idée assez précise de tout cela en vous appuyant sur l'expérience.

–Oui, mais dans certaines limites seulement. La dernière fois, le serveur a apporté l'addition en cinq minutes et quarante-deux secondes. La fois précédente, il ne lui avait fallu que deux minutes. Et aujourd'hui? Qui sait? Ce pourrait être trois, quatre heures. D'ailleurs, où diable est-il celui-là?

–D'accord, mais si le chef prépare un banquet en sachant le nombre exact de convives et que tous vont prendre une omelette, il sait exactement combien d'œufs il lui faut.

–Exactement? Supposez qu'il en fasse tomber un et le casse.

–D'accord, alors il en prévoit quelques-uns de plus.

–La plupart des facteurs qui sont essentiels pour bien gérer votre usine ne peuvent pas être déterminés précisément à l'avance.

Le serveur dépose l'addition entre nous sur la table et je la tire vers moi.

–Bon, je suis d'accord. Mais dans le cas d'un ouvrier qui fait le même travail tous les jours, ces fluctuations s'annulent au bout d'un certain temps. Franchement, je ne vois pas ce que l'un ou l'autre de ces deux phénomènes a à voir avec ce qui nous préoccupe.

Jonah se lève, prêt à partir.

–Je ne parle pas de l'un ou de l'autre, mais de l'effet qu'ils ont lorsqu'ils sont réunis. Et il va falloir que vous y réfléchissiez seul d'ailleurs, car je dois vous laisser.

–Vous partez?

–Je suis obligé.

–Jonah, vous ne pouvez pas me laisser tomber comme ça!

–J'ai des clients qui m'attendent.

–Jonah, je n'ai pas le temps de jouer aux devinettes. Il me faut des réponses.

Il pose sa main sur mon bras.

–Alex, si je vous disais ce que vous devez faire, vous échoueriez. Si vous voulez que ça marche, il faut que vous compreniez par vous-même.

Il me serre la main.

–À bientôt, Alex. Appelez-moi lorsque vous aurez trouvé ce que la combinaison des deux phénomènes signifie pour votre usine.

Sur ce, il s'éloigne. Furieux, j'appelle le serveur et lui tends l'addition avec quelques billets de banque. Sans attendre la monnaie, je me lance à la poursuite de Jonah.

Je reprends mon sac de voyage à la réception, où je l'avais laissé. En me retournant, j'aperçois Jonah, toujours sans veste ni cravate, en train de bavarder avec un homme vêtu d'un impeccable costume bleu tout en se dirigeant vers les portes qui mènent à la rue. Je les suis à quelques pas. L'homme guide Jonah vers une limousine noire qui attend le long du trottoir. Un chauffeur en jaillit pour ouvrir la portière arrière.

J'entends le monsieur en costume bleu dire à Jonah, en montant dans la voiture: «Après la visite des installations, nous avons une réunion avec le président et plusieurs membres du conseil d'administration...» À l'intérieur de la limousine, un homme à la chevelure argentée serre la main de Jonah. Le chauffeur referme la porte et se glisse derrière le volant. Je n'aperçois plus que de vagues silhouettes derrière les vitres fumées de la voiture qui s'éloigne sans bruit, avalée par la circulation.

J'appelle un taxi.

–Où allons-nous, patron? me demande le chauffeur.

CHAPITRE 12

J'ai entendu parler de quelqu'un d'UniCo qui, en rentrant chez lui un soir, avait trouvé toutes les pièces de sa maison complètement vides. Sa femme avait tout pris, tout emporté: les enfants, le chien, le poisson rouge, les meubles, les tapis, les appareils ménagers, les rideaux, les tableaux, le dentifrice, absolument tout. Enfin, presque tout. Elle lui avait laissé deux choses: ses vêtements roulés en boule sur le sol de la chambre, car elle avait même pris les cintres, et une note griffonnée au rouge à lèvres sur la glace de la salle de bains qui disait: «Adieu, salaud!»

En approchant de la maison, cette histoire me revient en mémoire. Avant de tourner dans l'allée, je jette un coup d'œil à la pelouse pour voir si un éventuel camion de déménagement n'y aurait pas laissé de traces, mais elle est impeccable.

Je gare la Buick devant le garage. Avant d'entrer dans la maison, je vérifie: la voiture de Julie est toujours là; je lève les yeux au ciel et je lui adresse un remerciement silencieux.

Elle est assise à la table de la cuisine, me tournant le dos. Elle sursaute en m'entendant. Elle se lève brusquement et se retourne.

Nous nous regardons pendant un instant. Je vois qu'elle a les yeux rouges.

–Bonsoir, lui dis-je.

–Qu'est-ce que tu fais à la maison?

J'ai un petit rire exaspéré.

–Ce que je fais à la maison? Je te cherche!

–Eh bien, je suis là, comme tu peux le voir.

–Je le vois effectivement, mais ce que j'aimerais savoir, c'est où tu étais la nuit dernière.

–J'étais sortie.

–Toute la nuit?

Elle attendait cette question.

–Je suis surprise que tu te sois aperçu de mon absence!

–Arrête de persifler, Julie. J'ai appelé au moins 100 fois la nuit dernière. J'étais terriblement inquiet à ton sujet. J'ai de nouveau essayé ce matin et personne n'a répondu. Donc je sais très bien que tu étais dehors toute la nuit. Et où étaient les enfants?

–Ils ont dormi chez des amis.

–Alors qu'ils allaient en classe ce matin? Et toi? Est-ce que tu as aussi dormi chez un ami?

Elle pose les mains sur ses hanches.

–Exactement.

–Homme ou femme?

Elle me jette un regard dur et fait un pas vers moi.

–Tu ne te soucies pas de savoir si je passe mes soirées à la maison avec les enfants, d'habitude. Mais si je sors un soir, brusquement tu veux savoir où j'étais et ce que j'ai fait.

–Je crois que tu me dois une explication.

–Combien de fois as-tu été en retard, ou en voyage, ou absent pour une raison ou une autre?

–Mais c'est pour mon travail, et je te dis toujours où je suis allé si tu me le demandes. Et maintenant, je te pose la question.

–Il se trouve simplement que je suis sortie avec Jane.

–Jane? Il me faut un instant pour me rappeler. Tu veux dire notre ancienne voisine? Tu as fait tout ce chemin pour la voir?

–J'avais envie de parler à quelqu'un. Lorsque j'ai eu fini de lui raconter ma vie, j'avais trop bu pour rentrer à la maison en voiture. De toute façon, j'étais tranquille pour les enfants et je suis donc restée dormir chez Jane.

—Très bien, mais pourquoi? Ça t'a pris comme ça, brutalement?

—Ça m'a pris comme ça? Brusquement? Alex, cela fait des nuits et des nuits que tu ne rentres pratiquement pas. Il n'est pas étonnant que je me sente seule. Ça ne m'a pas pris brusquement. Depuis que tu as pris ce poste, ta carrière passe avant tout et ta famille n'a plus que des miettes.

—Julie, j'essaie de vous faire une vie agréable, à toi et aux enfants.

—Ah bon? Alors pourquoi continues-tu à accepter les promotions?

—Qu'est-ce que je devrais faire: les refuser?

Elle ne répond pas.

—Écoute, je travaille beaucoup parce qu'il le faut, pas parce que je le veux.

Elle ne dit toujours rien.

—D'accord, Julie: je te promets d'essayer de vous consacrer un peu plus de temps aux enfants et à toi. J'essaierai d'être davantage présent.

—Al, ça ne marchera pas. Même lorsque tu es avec nous, ton esprit est au bureau. Parfois, les enfants doivent te dire deux ou trois fois la même chose avant que tu les entendes.

—Tout changera lorsque j'aurai réglé les problèmes dans lesquels je me débats actuellement.

—Crois-tu que cela va changer? Tu as déjà dit cela avant, Al. Sais-tu combien de fois nous avons eu ce genre de conversation?

—C'est vrai, tu as raison. Nous en avons parlé très souvent. Mais, pour le moment, je ne peux rien faire d'autre.

Elle lève les yeux au ciel d'un air excédé et poursuit:

—Tu dis toujours que ton poste est menacé. Toujours. Mais si tu es si mauvais que cela, pourquoi continue-t-on à te donner des promotions et des augmentations?

—Comment te faire comprendre? Cette fois-ci, il ne s'agit pas de promotion ou d'augmentation. C'est différent. Julie, tu n'as aucune idée des problèmes que j'ai à l'usine.

—Et tu n'as aucune idée de l'atmosphère qu'il y a ici, à la maison.

–J'aimerais bien être plus souvent à la maison, Julie, mais le problème c'est de trouver le temps.

–Je n'ai pas besoin de tout ton temps, mais au moins d'un petit peu, et les enfants aussi.

–Je le sais, mais pour sauver l'usine, je vais devoir lui consacrer tous les instants dont je peux disposer dans les deux mois à venir.

–Ne pourrais-tu pas au moins être là de temps en temps pour le dîner? C'est le moment où tu nous manques le plus. La maison semble vide sans toi, même lorsque les enfants sont là.

–Je suis content de savoir que ma présence vous manque. Mais parfois, j'ai aussi besoin des soirées. Je n'ai tout simplement pas assez de temps dans la journée pour faire certaines choses, comme la paperasse.

–Mais pourquoi ne l'apportes-tu pas à la maison? Tu pourrais la faire ici. Au moins, nous pourrions te voir et je pourrais peut-être même t'aider un peu.

–Je ne sais pas si j'arriverais à me concentrer mais... d'accord, on va essayer.

–Tu es vraiment sérieux?

–Absolument. Et si ça ne marche pas, nous verrons ce que nous pouvons faire. Marché conclu?

–Marché conclu!

–Conclu avec une poignée de main ou un baiser?

Elle fait le tour de la table, vient s'asseoir sur mes genoux et m'embrasse.

–Tu sais, tu m'as manqué la nuit dernière, lui dis-je.

–Vraiment? Tu m'as manqué aussi. Je ne pensais pas que les bars à drague puissent être aussi déprimants.

–Les bars à *drague*?

–C'est Jane qui a eu l'idée, je te le jure.

–Je ne veux pas en entendre davantage.

–Mais Jane m'a montré quelques nouvelles danses et peut-être que ce week-end...

Je la serre contre moi.

–Si tu veux faire quelque chose ce week-end, chérie, je suis tout à toi.

–Formidable, murmure-t-elle dans mon oreille. Tu sais, c'est vendredi. Alors... On pourrait peut-être s'y mettre tout de suite?

Elle m'embrasse de nouveau.

–Julie, je voudrais bien, mais...

–Mais?

–Il faut vraiment que j'aille faire un tour à l'usine.

–D'accord, dit-elle en se levant. Mais promets-moi que tu rentreras tôt à la maison ce soir.

– C'est promis. Ce sera un super-week-end.

CHAPITRE 13

En ouvrant les yeux, le samedi matin, la première chose que je vois est une masse vert olive, qui se révèle être mon fils, Dave, vêtu de son uniforme scout. Il me secoue énergiquement par le bras.

—Davey, mais qu'est-ce que tu fais ici?

—Papa, il est sept heures!

—Sept heures? J'essaie de dormir. Tu devrais être en train de regarder la télévision, non?

—Nous allons être en retard.

—*Nous* allons être en retard? Pour quoi faire?

—Pour l'excursion! Tu te souviens? Tu m'avais promis que tu nous accompagnerais pour aider le scoutmestre.

Je grommelle quelque chose qui n'est pas destiné aux oreilles d'un scout. Mais Dave ne se décourage pas.

—Allez, papa. Va prendre ta douche. J'ai préparé ton sac hier soir, et tout est déjà chargé dans la voiture. Il faut être là-bas à huit heures.

Je jette un dernier regard à Julie, toujours endormie, et à mon oreiller, pendant que Davey me tire vers la salle de bains.

Une heure et dix minutes plus tard, mon fils et moi arrivons en bordure d'une forêt, où nous attend toute une troupe: quinze garçonnets en uniformes semblables, avec casquette, foulard, badges, enfin la tenue complète.

Avant que j'aie eu le temps de demander où se trouvait le moniteur, les quelques parents qui restaient encore avec les garçons se précipitent dans leurs voitures et disparaissent. Regardant autour de moi, je m'aperçois que je suis le seul adulte en vue.

–Le scoutmestre n'a pas pu venir, dit l'un des garçons.

–Pourquoi?

–Il est malade, dit un autre gamin.

–Ouais, il a une crise d'hémorroïdes, ajoute le premier. Alors, c'est vous qui êtes responsable maintenant.

–Qu'allons-nous faire, M. Rogo? demandent-ils en chœur.

Pour commencer, je suis plutôt furieux qu'on m'ait laissé tout cela sur les bras. Mais l'idée de diriger et d'organiser un groupe de gamins ne me fait pas peur... Après tout, c'est ce que je fais tous les jours à l'usine. Je commence donc par rassembler tout le monde. Puis, nous repérons sur une carte nos objectifs pour cette expédition dans la contrée sauvage qui s'étend devant nous.

D'après les garçons, il était prévu que la troupe s'enfonce dans la forêt en suivant une piste balisée jusqu'à un endroit appelé «le Ravin du Diable». C'est là que nous camperons pour la nuit. Au matin, nous lèverons le camp et nous reviendrons à notre point de départ, où papa et maman attendront sagement Freddy, Johnny et compagnie pour rentrer à la maison.

Tout d'abord, il faut que nous arrivions au Ravin du Diable, qui se trouve à environ 15 kilomètres. Je leur demande de se mettre en file indienne. Tous portent un sac à dos. Carte en main, je prends la tête de la colonne pour ouvrir le chemin, et nous voilà partis.

Le temps est extraordinaire. Le soleil brille à travers les arbres, et le ciel est uniformément bleu. Il y a une légère brise et il fait un peu frais, mais dès que nous sommes à l'abri des arbres, la température devient idéale pour la marche à pied.

La piste est facile à suivre car il y a des flèches jaunes peintes sur les arbres environ tous les 10 mètres. De chaque côté, le sous-bois est touffu. Nous devons avancer sur une seule file.

Je suppose que nous faisons environ trois kilomètres à l'heure, ce qui est la vitesse moyenne d'une personne normale. À ce rythme, me dis-je, il nous faudra environ 5 heures pour faire les 15 kilomètres. Ma montre m'indique qu'il est presque huit heures trente. En prévoyant une heure et demie pour les pauses et pour le déjeuner, nous devrions arriver au Ravin du Diable vers trois heures, sans nous presser. Au bout d'un moment, je me retourne pour voir ce que fait ma troupe. La colonne de scouts s'est beaucoup étirée par rapport à ce qu'elle était lorsque nous sommes partis. Elle ressemble à un accordéon, avec des espaces irréguliers entre les garçons. Je continue à marcher.

Mais lorsque je me retourne de nouveau, quelques centaines de mètres plus loin, je vois que la colonne peine et qu'il y a même quelques retardataires. Je peux à peine apercevoir le dernier garçon de la file.

Je décide qu'il vaudrait mieux que je marche en queue de la colonne plutôt qu'en tête. De cette façon, je l'aurai tout entière sous les yeux et je pourrai m'assurer que personne n'est semé. J'attends donc que le premier garçon me rattrape et lui demande son nom.

–Je m'appelle Ron.

–Ron, j'aimerais que tu prennes la tête de la colonne, lui dis-je en lui tendant la carte. Continue à suivre la piste et ne va pas trop vite. D'accord?

–D'accord, M. Rogo.

Et il démarre, à une allure qui me semble raisonnable.

–Tout le monde reste derrière Ron! Personne ne le double, parce que c'est lui qui a la carte. C'est compris?

Tous les gosses hochent vigoureusement la tête.

J'attends en bordure de la piste que toute la troupe soit passée. Mon fils, Davey, passe devant moi sans un regard, en pleine conversation avec un copain qui marche derrière lui. Maintenant qu'il est avec ses copains, Davey ne me connaît plus. C'est de bonne guerre. Cinq ou six garçons passent encore, en suivant aisément le train. Puis il y a un trou, avant que passent deux autres scouts. Puis encore un trou, plus important que le premier, et je guette l'apparition des derniers garçons. C'est alors que je vois un gros gamin, déjà tout essoufflé. Derrière lui, le reste de la troupe apparaît.

–Quel est ton nom?

–Herbie, me répond le gros gamin.

–Ça va, Herbie?

–Oh oui, très bien M. Rogo. Mais il fait chaud aujourd'hui, n'est-ce pas?

Herbie s'éloigne sur la piste, suivi des autres. Certains aimeraient bien marcher plus vite qu'Herbie, mais ils ne peuvent le doubler. J'emboîte le pas au dernier garçon. La colonne s'étire devant moi, et la plupart du temps, sauf lorsque nous franchissons une colline ou que la piste tourne brutalement, je vois tout le monde. La troupe s'installe peu à peu dans un rythme confortable.

Ce n'est pas que le paysage soit ennuyeux, mais au bout d'un moment, je commence à penser à autre chose. À Julie, par exemple. Je voulais vraiment passer le week-end avec elle, mais j'avais complètement oublié cette sortie avec Dave. «C'est bien toi!» a-t-elle dû penser. Je ne sais pas où je vais trouver du temps à lui consacrer. La seule bonne chose à propos de cette sortie de scouts, c'est qu'elle devrait comprendre que je sois avec Dave.

Je repense aussi à la conversation que j'ai eue avec Jonah à New York. Je n'ai pas eu le temps d'y réfléchir. Je serais curieux de savoir ce qu'un professeur de physique fait à se promener dans des limousines avec des grands dirigeants d'entreprise. Je ne comprends pas non plus très bien ce qu'il voulait dire avec ses «événements dépendants» et «fluctuations aléatoires». Ces deux termes n'ont rien d'extraordinaire!

Il est évident que nous avons des événements dépendants dans la production. Cela signifie simplement qu'une opération doit être achevée avant qu'une autre puisse commencer. Les pièces sont fabriquées par étapes successives. La machine A doit terminer l'étape un avant que l'ouvrier B puisse passer à l'étape deux. Toutes les pièces doivent être terminées avant que nous puissions assembler le produit, le produit doit être monté avant que nous puissions l'expédier, etc.

Mais il y a des événements dépendants dans n'importe quel processus, pas simplement dans une usine. Conduire une voiture implique une suite d'événements dépendants. Notre randonnée d'aujourd'hui aussi. Pour arriver au Ravin du Diable, il faut que nous suivions une piste. En tête de la colonne, Ron doit ouvrir la voie, avant que Davey puisse le suivre, puis Herbie, puis tous les autres. Pour que je puisse moi-même emprunter la piste, le garçon qui me précède doit être passé avant. Voilà un exemple simple d'événements dépendants.

Et les fluctuations aléatoires?

Je lève les yeux et remarque que le garçon qui marche devant moi m'a légèrement distancé. Il a quelques pas d'avance. J'accélère donc légèrement pour le rattraper. Mais pendant un instant, je le suis de trop près et je ralentis pour rétablir l'écart.

Et voilà: si j'avais mesuré mes pas, j'aurais enregistré des fluctuations aléatoires. Et puis après?

Si je dis que je marche à la vitesse de «trois kilomètres à l'heure», cela ne veut pas dire que ma vitesse est toujours constante. Je marcherai parfois à quatre kilomètres à l'heure et parfois à un kilomètre à l'heure seulement. La vitesse variera en fonction de la longueur et de la rapidité de chacun de mes pas. Mais sur la durée et la distance, je ferai *en moyenne* environ trois kilomètres à l'heure.

La même chose se passe dans l'usine. Combien de temps faut-il pour souder les fils sur un transformateur? Si on chronomètre l'opération un certain nombre de fois, on s'apercevra qu'elle prend en moyenne, disons, 4,5 minutes. Mais le temps réel, dans chaque cas, peut varier entre 2,1 minutes à 6,4 minutes. Et personne ne peut dire d'avance: «Cette opération prendra 2 minutes et 10 secondes... celle-ci prendra 5 minutes et 8 secondes.» Personne ne peut prévoir cela.

Et alors? De toute façon, on n'a pas le choix. Que peut-on utiliser à la place d'une «moyenne» ou d'une «estimation»?

Je bute presque contre le garçon qui marche devant moi. Nous avons quelque peu ralenti car nous sommes en train d'escalader une colline assez haute et escarpée. Nous nous retrouvons tous derrière Herbie.

—Allez, vas-y, Herpès! crie l'un des garçons.

—Oui, Herpès, bouge-toi un peu, crie un autre.

—Ça suffit, les garçons.

Herbie atteint le sommet et se retourne. Son visage est conges-
tionné.

–Bravo, Herbie! lui dis-je pour l'encourager. Continue.

Herbie disparaît de l'autre côté. Les autres continuent de
grimper et nous atteignons tous ensemble le sommet. M'arrêtant
un instant, j'inspecte la piste.

Bon sang! Où est Ron? Il a au moins 500 mètres d'avance sur
nous. J'aperçois deux garçons devant Herbie, et tous les autres
sont très loin. Je mets mes mains en porte-voix et hurle.

–HÉ! DÉPÊCHEZ-VOUS! RESSERREZ LES RANGS!

Herbie se met à trotter lourdement. Les gamins qui le suivent
partent en courant. Je me lance à leur poursuite au petit trot. Les
sacs à dos, les bidons et les sacs de couchage brinquebalent à
chaque pas. Je ne sais pas ce que transporte Herbie dans son sac à
dos, mais on pourrait croire que c'est une batterie de casseroles
tant il fait de bruit en courant. Deux cents mètres plus loin, nous
n'avons toujours pas rattrapé le reste de la colonne. Herbie
ralentit. Les garçons lui crient de se dépêcher. Enfin, j'aperçois
Ron, loin devant.

–HÉ! RON! ARRÊTE-TOI!

L'ordre est relayé tout le long de la piste par les autres garçons. Ron, qui m'avait probablement entendu la première fois, se
retourne et s'arrête. Herbie ralentit, et nous en faisons autant.
Nous rejoignons les autres.

–Ron, je croyais t'avoir dit de ne pas aller trop vite.

–Mais je n'ai pas été trop vite! proteste-t-il.

–Bon, eh bien, essayons de rester groupés à partir de maintenant.

–M. Rogo, est-ce que nous ne pourrions pas nous arrêter cinq
minutes? demande Herbie.

–D'accord, faisons une pause.

Herbie se laisse tomber sur le côté de la piste, tout essoufflé.
Tous les garçons prennent leur gourde. Je repère le tronc le plus
confortable et je m'assois. Quelques minutes plus tard, Davey me
rejoint et s'assoit à mes côtés.

–Tu t'en tires très bien, papa.

–Merci. À ton avis, combien de kilomètres avons-nous par-
courus?

–Environ trois.

–C'est tout? J'ai l'impression que nous devrions être presque arrivés. Nous avons dû faire plus de trois kilomètres.

–Pas d'après la carte de Ron.

–Ah bon! Dans ce cas, il vaudrait mieux que nous repartions.

Les garçons se sont déjà remis en file indienne.

–Parfait, allons-y, leur dis-je.

Nous nous remettons en route. La piste à cet endroit est rectiligne, de sorte que je peux voir tout mon petit monde. Nous n'avons pas fait 100 mètres que la colonne se défait à nouveau. Les écarts entre les garçons s'élargissent. Bon sang, me dis-je, nous n'allons pas arrêter de piquer des sprints et de nous reposer toute la journée si cela continue comme c'est parti. Si nous ne restons pas groupés, je vais perdre la moitié de ma troupe.

Il faut que je trouve une solution.

Je commence par vérifier l'allure de Ron, mais il marche en effet à un rythme régulier, que personne ne devrait avoir de mal à suivre. D'un coup d'œil, je m'assure que tous les autres garçons suivent le train de Ron. Et Herbie? Ce n'est plus un problème. Peut-être s'est-il senti responsable du retard que nous avions pris, car il semble faire un effort particulier pour rester à la hauteur des autres. Il marche sur les talons du garçon qui le précède.

Si nous marchons tous du même pas, pourquoi la distance entre Ron, en tête de la colonne, et moi, qui me trouve en bout de ligne, augmente-t-elle?

Fluctuations aléatoires?

Non, ce n'est pas possible. Les fluctuations devraient s'équilibrer les unes les autres. Nous avançons tous à peu près à la même vitesse, de telle sorte que même si la distance entre certains d'entre nous varie à un certain moment, elle devrait s'équilibrer en fin de compte. La distance entre Ron et moi devrait également s'accroître et diminuer dans une certaine proportion, mais devrait rester à peu près la même pendant toute la marche.

Mais ce n'est pas le cas. Alors que chacun de nous conserve un pas normal, régulier, comme celui de Ron, la longueur de la colonne ne cesse d'augmenter, et les écarts entre nous se creusent de plus en plus.

Sauf entre Herbie et le garçon qui le précède.

Mais comment fait-il? Je l'observe. Chaque fois qu'Herbie a une longueur de retard, il accélère pour rétablir l'écart. Ce qui signifie qu'il dépense plus d'énergie que Ron ou les autres garçons qui se trouvent en tête de la colonne pour conserver la même vitesse moyenne. Je me demande combien de temps il pourra tenir à ce petit jeu.

Comment se fait-il que nous ne puissions pas tous marcher au même rythme que Ron et rester groupés?

Je regarde la colonne, lorsque quelque chose attire mon attention en tête. Je vois Davey qui ralentit pendant quelques secondes pour remettre en place les bretelles de son sac à dos. Devant lui, Ron continue sans se rendre compte de rien. Un écart de cinq... six... sept mètres se creuse. La longueur de la colonne a donc augmenté de sept mètres.

C'est alors que je commence à comprendre ce qui se passe.

Ron donne l'allure: chaque fois que quelqu'un va moins vite que lui, la colonne s'allonge. Il n'est même pas nécessaire que quelqu'un ralentisse autant que Dave l'a fait. Si l'un des garçons fait un pas un tout petit peu moins long que celui de Ron, toute la longueur de la colonne peut en être affectée.

Mais que se passe-t-il lorsque quelqu'un avance plus vite que Ron?

Les pas plus longs ou plus rapides ne sont-ils pas supposés compenser l'écart? Les différences ne s'équilibrent-elles pas d'elles-mêmes?

Supposons que j'accélère l'allure. Est-ce que je peux raccourcir la longueur de la colonne? Entre le garçon qui me précède et moi, l'écart est d'environ un mètre cinquante. S'il continue à marcher à la même allure, et si j'accélère, je peux réduire l'écart et, peut-être, la longueur totale de la colonne, en fonction de ce qui se passe devant nous. Mais si je fais cela, je bute contre le sac à dos du gamin (et si je fais cela, il le dira sûrement à sa mère). Je dois donc adapter ma vitesse à la sienne.

Même si je comble l'écart entre nous, je ne peux pas aller plus vite que lui, et il ne peut pas aller plus vite que le garçon qui le précède. La même chose s'applique pour toute la colonne, jusqu'à Ron. Ceci signifie qu'à l'exception de Ron, la vitesse de chacun de nous dépend de celle du marcheur qui nous précède dans la colonne.

La lumière se fait peu à peu. Notre balade est un ensemble d'événements dépendants... et de fluctuations aléatoires. Chacun de nous fluctue en vitesse, selon que nous allons plus vite ou plus lentement. Mais la capacité d'accélérer par rapport à la moyenne est restreinte. Elle dépend de tous ceux qui sont devant moi. Ainsi, même si je pouvais marcher à huit kilomètres à l'heure, cela me serait impossible si le garçon qui me précède ne peut, lui, marcher qu'à trois kilomètres à l'heure. Et même s'il pouvait marcher aussi vite que moi, nous ne pourrions ni l'un ni l'autre atteindre cette vitesse si tous les garçons dans la colonne ne pouvaient pas marcher en même temps à huit kilomètres à l'heure.

Notre vitesse maximale à tous est donc limitée. Toutefois, ma capacité de ralentir n'est pas limitée. Celle des autres non plus. Chacun d'entre nous peut même s'arrêter et, dans ce cas, la colonne s'étendrait à l'infini.

Ce qui se passe n'est donc pas un équilibrage des fluctuations de nos différentes vitesses, mais une *accumulation* des fluctuations. Et surtout une accumulation de lenteur, *car la dépendance limite les possibilités de fluctuations à la hausse.* C'est pour cela que la colonne s'étire. Nous ne pouvons en réduire la longueur que si tous ceux qui se trouvent derrière marchent beaucoup plus vite que Ron sur une certaine distance.

En regardant vers l'avant de la colonne, je peux voir que la distance que chacun d'entre nous doit combler dépend de la place que nous occupons dans la file. L'écart entre Davey et Ron n'est que de six à sept mètres. Mais pour qu'Herbie empêche la longueur de la colonne de s'accroître, il faudrait qu'il comble ses propres fluctuations, plus celles de tous les garçons qui le précèdent. Quant à moi, puisque je me trouve en dernière position dans la file, pour réduire la longueur de la colonne, il faudrait que je marche plus vite que la moyenne sur une distance égale à tous les écarts qui séparent l'ensemble des garçons. Il faut que je rattrape l'accumulation de toutes leurs lenteurs additionnées.

Je me demande alors comment je pourrais appliquer ce que je viens de découvrir à mon travail. À l'usine, nous avons à la fois des événements dépendants et des fluctuations aléatoires, exactement comme sur la piste. Cette troupe de scouts est similaire à un système de fabrication... une sorte de modèle. En fait, la troupe produit quelque chose: «une piste franchie à pied». La première opération, c'est Ron qui l'a faite en ouvrant la piste vierge devant lui, qui correspond aux matières premières, ce qui revient à la transformer en marchant, puis Davey la transforme à nouveau en marchant derrière Ron, etc., jusqu'à Herbie et moi-même.

Chacun de nous est comme une opération qui doit être effectuée pour manufacturer un produit dans l'usine; chacun de nous fait partie d'un ensemble d'événements dépendants. L'ordre dans lequel nous intervenons est-il important? Eh bien, il faut bien que quelqu'un marche en tête et que quelqu'un d'autre marche en dernier. En conséquence, nous avons des événements dépendants même si nous intervertissons l'ordre des garçons.

Je suis la dernière opération. C'est après moi seulement que le produit est «vendu». Notre produit des ventes, c'est cela: non pas l'allure à laquelle Ron marche sur la piste, mais celle à laquelle je chemine.

La longueur de la piste qui nous sépare, Ron et moi? Ce sont les stocks. Ron consomme des matières premières, donc la piste que nous parcourons derrière lui représente des stocks, jusque derrière moi.

Et les dépenses de fonctionnement? C'est tout ce qui nous permet de transformer les stocks en produit des ventes, ce qui dans notre cas serait l'énergie que dépensent les garçons pour marcher. Je ne peux pas quantifier cela avec précision pour mon modèle, sauf en prenant conscience de ma fatigue.

Si la distance entre Ron et moi s'accroît, cela signifie que les stocks augmentent. Le produit des ventes est la vitesse à laquelle je marche, laquelle est influencée par les taux de fluctuation des autres. D'accord. À mesure que les fluctuations inférieures à la moyenne s'accumulent, elles se rapprochent de moi, et je dois ralentir. Donc, par rapport à l'accroissement des stocks, le produit des ventes pour l'ensemble du système baisse.

En ce qui concerne les dépenses de fonctionnement d'UniCo, je n'ai pas la même certitude. Chaque fois que les stocks augmentent, leur coût d'entretien augmente aussi. Ces coûts font partie des dépenses de fonctionnement, de telle sorte que cet indicateur doit également augmenter. Si j'en reviens à notre marche, les dépenses de fonctionnement s'élèvent chaque fois que nous nous dépêchons pour rattraper les autres, car nous dépensons plus d'énergie que nous le devrions.

Les stocks s'accroissent, le produit des ventes baisse, et les dépenses de fonctionnement augmentent probablement.

Est-ce que c'est ce qui se passe dans mon usine?

Je crois bien que oui.

À cet instant, je lève les yeux et je m'aperçois que j'étais sur le point de buter contre le garçon qui marche vers moi.

Ah! Voilà la preuve que j'ai dû négliger quelque chose dans mon analogie. La colonne devant moi a plutôt tendance à se resserrer qu'à s'étirer. Donc, les choses doivent être en train de s'équilibrer. Je me déporte légèrement sur le côté pour voir si Ron continue toujours au même train.

Mais Ron s'est arrêté et attend sur le bord de la piste.

–Pourquoi t'es-tu arrêté?

–Il est l'heure de déjeuner, M. Rogo.

CHAPITRE 14

–Mais nous ne devions pas déjeuner ici, dit un des garçons, nous devions manger un peu plus loin, lorsque nous aurions atteint la rivière.

–D'après le plan de route que le scoutmestre nous a donné, nous devions déjeuner à midi, dit Ron.

–Et il est midi juste, intervient Herbie en tapotant sa montre. Donc nous devons déjeuner.

–Mais à cette heure-ci, nous étions censés être arrivés à la rivière, et nous n'y sommes pas.

–Qu'est-ce que ça peut faire? demande Ron. On sera bien ici pour déjeuner.

Ron a raison, la piste serpente dans un parc naturel, et nous nous trouvons dans une zone de pique-nique. Il y a des tables, un point d'eau, des poubelles, des barbecues, tout ce qu'il faut.

–D'accord, dis-je. Nous allons voter pour savoir qui veut déjeuner maintenant. Tous ceux qui ont faim, levez la main.

Quinze mains se lèvent. Décision prise à l'unanimité: nous nous arrêtons pour déjeuner.

Je m'assieds à l'une des tables et me plonge dans mes pensées tout en mâchant un sandwich. Ce qui me tracasse, c'est qu'il n'y a pas véritablement moyen de diriger une usine de fabrication sans événements dépendants ni fluctuations statistiques. Je ne peux pas y échapper. Mais il doit y avoir un moyen d'en surmonter les effets. Il est évident que nous ferions tous faillite si les stocks augmentaient sans cesse et que le produit des ventes baissait constamment.

Et si nous avions une usine équilibrée, le rêve impossible de tout responsable dont Jonah parlait, une usine où la capacité de chaque ressource serait exactement égale à la demande du marché? Est-ce que cela ne serait pas la solution au problème? Si je parvenais à équilibrer exactement la capacité avec la demande, est-ce que mes excédents de stocks disparaîtraient? Est-ce que les pénuries de certaines pièces disparaîtraient? Mais comment Jonah pourrait-il avoir raison contre tout le monde? Les directeurs d'usine ont toujours rogné sur la capacité pour réduire les coûts et augmenter les bénéfices; c'est une règle d'or.

Je me demande si le modèle que j'ai bâti en me servant de cette randonnée ne m'a pas égaré. Certes, il m'a montré l'effet de la combinaison des fluctuations aléatoires et des événements dépendants, mais est-ce un système équilibré? Disons, par exemple, que la demande à laquelle nous devons faire face est de parcourir trois kilomètres en une heure, ni plus ni moins. Pourrais-je ajuster la capacité de chaque garçon pour qu'il soit capable de marcher à trois kilomètres à l'heure et pas plus vite? Si j'y parvenais, je ferais en sorte que tout le monde se déplace constamment à l'allure déterminée, en criant, en menaçant, avec de l'argent, par n'importe quel moyen, et tout serait parfaitement équilibré.

Mais le problème est de savoir si je peux véritablement régler la capacité de 15 gamins! Je pourrais peut-être leur entraver les chevilles avec une corde de façon à ce que chacun fasse toujours un pas de même longueur. Mais c'est un peu excessif. Ou alors, je pourrais faire 15 clones de ma petite personne pour avoir une troupe d'Alex Rogo avec exactement la même capacité de marche. Mais ça, ce n'est guère faisable tant que la technologie des clones ne sera pas plus avancée. Ou encore, je pourrais imaginer un autre modèle, plus facile à contrôler, qui illustrerait de façon irréfutable ce qui se passe.

Je suis en train de réfléchir à tout cela lorsque je remarque un des garçons assis à une autre table qui fait rouler une paire de dés. Il doit s'entraîner pour son prochain voyage à Las Vegas. Je n'y attache guère d'importance, mais les dés me donnent une idée. Je me lève et me dirige vers lui.

–Dis-moi, est-ce que je peux t'emprunter ces dés pour un instant?

Le gamin hausse les épaules et me les donne.

Je retourne m'asseoir à ma table et fais rouler l'un des dés deux fois. Voilà des fluctuations statistiques. Chaque fois que je lance le dé, j'obtiens un numéro au hasard, prévisible uniquement dans une certaine fourchette, en l'occurrence les chiffres un à six sur chaque dé. Ce qu'il me faut maintenant pour le modèle est un ensemble d'événements dépendants.

Après avoir fourragé autour de moi pendant un instant, je découvre une boîte d'allumettes et quelques gobelets en aluminium. J'aligne les gobelets sur la table et pose les allumettes à un bout. Voilà un modèle de système parfaitement équilibré.

Pendant que je suis en train de faire cela et de me demander comment faire fonctionner le modèle, Dave s'approche avec un de ses copains. Debout à côté de la table, ils me regardent faire rouler le dé et déplacer les allumettes.

–Qu'est-ce que tu fais? me demande Dave.

–Je suis en train d'inventer un jeu.

–Un jeu? dit son copain. Est-ce que nous pouvons jouer, M. Rogo?

Pourquoi pas?

–Bien sûr, lui dis-je.

Dave est brusquent très intéressé.

–Est-ce que je peux jouer aussi, papa?

–Certainement. En fait, vous devriez appeler deux autrs garçons pour qu'ils nous aident.

Pendant qu'ils vont chercher les autres, je mets au point les détails. Le systèmeque j'ai mis en place est destiné à «transformer» les allumettes, en retirant une certaine quantité d'allumettes de la boîte et en les faisant passer successivement dans chacun des gobelets. Le dé détermine combien d'allumettes peuvent être transférées d'un gobelet au suivant. Le dé représente la capacité de chaque ressource, c'est-à-dire de chaque gobelet; l'ensemble des gobelets représente mes événements dépendants, les différentes étapes de la production. Chacun a exactement la même capacité mais son rendement réel fluctue.

Toutefois, pour que ces fluctuations restent minimales, je décide de n'utiliser qu'un seul dé. Ainsi, les fluctuations varieront de un à six. Je peux passer du premier gobelet dans le deuxième une quantité d'allumettes qui ira d'un minimum de un à un maximum de six.

Dans ce système, le produit des ventes est la vitesse à laquelle les allumettes sortent du dernier gobelet. Les stocks sont représentés par le nombre total d'allumettes qui se trouvent dans l'ensemble des gobelets à un moment donné. Je vais supposer que la demande du marché est exactement égale au nombre moyen d'allumettes que le système peut traiter. La capacité de production de chaque ressource et la demande du marché sont parfaitement équilibrées. Ainsi, je dispose maintenant d'un modèle d'usine parfaitement équilibrée.

Cinq garçons décident de jouer. Outre Dave, il y a Andy, Ben, Chuck et Evan. Chacun est assis devant un gobelet. Je prends une feuille de papier et un stylo pour noter le déroulement des opérations. Ensuite, je leur explique ce qu'ils doivent faire.

—Le principe est de faire passer autant d'allumettes que vous le pouvez, de votre gobelet dans celui qui se trouve à votre gauche. Lorsque ce sera votre tour de jouer, vous lancerez le dé et le chiffre qu'il vous indiquera sera le nombre d'allumettes que vous pouvez déplacer. Compris?

Tous acquiescent.

—Mais vous ne pouvez pas transférer plus d'allumettes que vous n'en avez dans votre gobelet. Donc, si le chiffre sur le dé est un cinq et que vous n'avez que deux allumettes dans votre gobelet, vous ne pourrez transférer que cette quantité. Et si vous n'en avez plus du tout lorsque c'est votre tour de jouer, vous ne pouvez bien sûr rien transférer.

Ils hochent la tête de nouveau pour indiquer qu'ils ont compris.

—Combien croyez-vous que nous pouvons déplacer d'allumettes sur toute la rangée, chaque fois que nous faisons un tour complet?

La perplexité se peint sur leur visage.

–Écoutez, si vous pouvez déplacer un maximum de six allumettes et un minimum d'une allumette lorsque c'est votre tour de jouer, quel est le nombre moyen que vous devez déplacer?

–Trois, dit Andy.

–Non, ce n'est pas trois. La moyenne entre un et six, ce n'est pas trois. J'inscris quelques chiffres sur mon papier et les leur montre:

$$1\ 2\ 3\ 4\ 5\ 6$$

Je leur explique que la moyenne de ces six chiffres, c'est 3,5.

–Maintenant, à votre avis, combien croyez-vous que vous aurez déplacé d'allumettes lorsque nous aurons fait un certain nombre de tours?

–Trois et demi par tour, dit Andy.

–Et après dix tours?

–Trente-cinq, dit Chuck.

–Et après vingt tours?

–Soixante-dix, dit Ben.

–D'accord, voyons si nous arrivons à cela.

Evan, assis à l'autre bout de la table, pousse un long soupir et me regarde.

–Ça vous ennuierait si je ne jouais pas à votre jeu, M. Rogo? me demande-t-il.

–Pourquoi?

–Parce que je crois que ça ne va pas être très amusant.

–Oui, il a raison, dit Chuck. Faire passer des allumettes d'un gobelet dans un autre, ce n'est pas très intéressant.

–Je crois que je vais plutôt aller couper des branches avec mon canif, dit Evan.

–Écoutez, les garçons, pour que le jeu soit plus intéressant, nous allons fixer une récompense. Disons que chacun a un quota de 3,5 allumettes par tour. Tous ceux qui déplaceront plus de 3,5 allumettes par tour seront dispensés de la corvée de vaisselle ce soir. Mais tous ceux qui en déplacent moins auront donc un supplément de vaisselle à faire.

–D'accord! s'exclame Evan.

—Ça marche! approuve Dave.

Ils sont tout excités et s'entraînent à lancer le dé, pendant que je trace une grille sur une feuille de papier. Je pourrai ainsi noter dans quelle proportion chacun diverge de la moyenne. Ils commencent tous à zéro. Si le dé tombe sur le 4, le 5 ou le 6, j'inscrirai respectivement un gain de 0,5, 1,5 ou 2,5. Et si le dé tombe sur le 1, le 2 ou le 3, j'inscrirai une perte de -0,5, -1,5 ou -2,5, respectivement. Bien sûr, les écarts doivent être cumulés; si l'un d'entre eux a une avance de 2,5, par exemple, il partira au tour suivant avec 2,5 et non pas 0. C'est comme cela que ça devrait se passer à l'usine.

—Bon, tout le monde est prêt?

—Oui.

Je donne le dé à Andy.

Il sort un deux, prend donc deux allumettes dans la boîte et les place dans le gobelet de Ben. Avec un deux, Andy est en retard de 1,5 par rapport à son quota de 3,5 et j'inscris l'écart sur la grille.

C'est au tour de Ben qui sort un quatre.

—Eh, Andy, dit-il, il me faut deux autres allumettes.

—Non, non, non, non, lui dis-je. Le jeu ne fonctionne pas comme ça. Tu ne peux transférer que les allumettes qui se trouvent dans ton gobelet.

—Mais je n'en ai que deux, dit Ben.

—Alors, tu ne peux en déplacer que deux.

—Oh, dit Ben déçu.

Il passe ses deux allumettes à Chuck et je note un écart de -1,5 pour lui aussi.

Chuck sort un cinq mais lui aussi n'a que deux allumettes à déplacer.

—Mais ce n'est pas juste! s'exclame-t-il.

—Mais si, c'est juste. Le jeu consiste à déplacer des allumettes. Si Andy et Ben avaient sorti un cinq, tu aurais eu cinq allumettes à déplacer. Mais ils n'ont pas sorti un cinq et donc tu ne peux en déplacer que deux.

Chuck jette un regard furieux à Andy.

—La prochaine fois, tu t'arrangeras pour sortir un plus gros chiffre, lui dit-il.

—Ce n'est pas ma faute!

–T'en fais pas, dit Ben. Nous nous rattraperons.

Chuck passe ses deux allumettes à Dave et je note un écart de -1,5 pour lui. Nous regardons Dave qui lance le dé. Il ne sort qu'un un. Il transmet donc une allumette dans le gobelet de Evan, qui sort également un un. Il prélève une allumette dans son gobelet et la place au bout de la table. Pour Dave et Evan, je note un écart de -2,5.

–Voyons si nous faisons mieux cette fois, dis-je. Andy secoue le dé dans sa main pendant une éternité. Les autres lui crient de le lancer. Le dé roule longuement et s'arrête sur la table. C'est un six.

–Bravo!

Il prend six allumettes dans la boîte et les donne à Ben. Je note un gain de +2,5 pour lui, ce qui porte son score à 1 sur la grille.

Ben prend le dé et sort également un six. Cri de joie des autres. Il donne six allumettes à Chuck. Je lui mets le même score qu'à Andy.

Mais Chuck sort un trois. Après avoir donné trois allumettes à Dave, il lui en reste trois dans son gobelet. Je note une perte de -0,5 sur la grille.

C'est au.tour de Dave qui sort lui aussi un six. Mais il n'a que quatre allumettes à passer, les trois que Chuck vient de lui donner et une du tour précédent. Il les donne à Evan. J'inscris un gain de +0,5 pour lui.

Evan sort un trois. Trois autres allumettes viennent rejoindre celles qui se trouvaient déjà au bout de la table, et je note une perte de -0,5 pour Evan.

Après deux tours, la grille est la suivante:

Tour :	ANDY 1234567890	BEN 1234567890	CHUCK 1234567890	DAVE 1234567890	EVAN 1234567890
N° tiré	- - - 26	46	43	16	13
* Alumettes déplacées	- 26	26	23	14	13
Stock :		00	03	10	01

Variation +/-	ANDY	BEN	CHUCK	DAVE	EVAN
+ 2					
+ 1.5					
+ 1	•	•			
+ 0.5					
0 ----	----	----	----	----	----
- 1					
- 1.5	•	•	•		
- 2				•	
- 2.5				•	•
- 3					
- 3.5					•

Nous continuons. Le dé roule sur la table et passe de main en main. Des allumettes sortent de la boîte et passent de gobelet en gobelet. Les résultats d'Andy sont très réguliers, sans extrême ni d'un côté ni de l'autre. Il remplit le quota et le dépasse légèrement. À l'autre bout de la table, la situation est toute différente.

–Hé, passe-moi des allumettes.

–Oui, on en a besoin par ici.

–Continue à sortir des six, Andy.

–Ce n'est pas Andy, c'est Chuck. Regarde, il a sorti un cinq.

Après quatre tours, je dois ajouter d'autres chiffres négatifs au bas de la grille. Non pas pour Andy, Ben ou Chuck, mais pour Dave et Evan. Pour ces deux-là, il semble qu'il n'y ait pas assez de chiffres négatifs.

Après cinq tours, la grille ressemble à peu près à ceci:

Tour :	ANDY 1234567890	BEN 1234567890	CHUCK 1234567890	DAVE 1234567890	EVAN 1234567890
N° tiré	– – – 26425	46152	43225	16351	13641
* Alumettes déplacées	– 26425	26152	23225	14221	13321
Stock :		00303	03252	10004	01000

```
Variation + /–
+ 2.5
+ 2
+ 1.5        * *
+ 1       *      *
+ 0.5
   0 ---------*------*---------------------------------
- 0.5              *
- 1
- 1.5      *    * *      *
- 2              *       *
- 2.5                 *      *
- 3                          *
- 3.5           * *     *
- 4                        *
- 4.5
- 5          *       *
- 5.5                     *
- 6
- 6.5
- 7
- 7.5            *
- 8                    *
- 8.5
```

–Où en suis-je, M. Rogo? me demande Evan.

–Eh bien, mon vieux... tu as entendu parler du Titanic?

Il a l'air tout triste.

—Mais il te reste cinq autres tours, lui dis-je. Tu peux peut-être te rattraper.

—Ouais, souviens-toi de la loi des moyennes, l'encourage Chuck.

—Si je suis obligé de faire la vaisselle parce que vous ne m'avez pas donné suffisamment d'allumettes... dit Evan, d'un air vaguement menaçant.

—Moi, je fais ce que je peux, dit Andy.

—C'est vrai ça, dit Ben, qu'est-ce qui se passe avec vous autres là-bas?

—Mais c'est parce que je n'en ai pas assez à passer, dit Dave. Je n'en ai presque jamais eu.

En effet, une partie des stocks qui étaient accumulés dans les trois premiers gobelets de la file est enfin parvenue jusqu'à Dave, mais il n'arrive pas à s'en débarrasser. Les deux gros chiffres qu'il a tirés dans les cinq premiers tours pèsent lourd dans la balance, car il ne sort plus que des petits chiffres alors qu'il a des stocks à passer.

—Allez, Dave, donne-moi des allumettes, dit Evan.

Dave sort un un.

—Oh, Dave! Une seule!

—Andy, tu sais ce qu'on a à dîner ce soir? demande Ben.

—Des spaghettis, je crois.

—Aïe, aïe, aïe, ça va être dur la vaisselle!

—Ouais, je suis content que nous n'ayons pas à la faire, insiste Andy.

—Attendez un peu, attendez que Dave tire de bons chiffres pour changer.

Mais les choses ne s'améliorent pas.

—Où en sommes-nous maintenant, M. Rogo? demande Evan.

—Je crois que j'aperçois une éponge avec ton nom inscrit dessus.

—Super! Pas de vaisselle ce soir! crie Andy.

Dix tours plus tard, je regarde la grille et je n'en crois pas mes yeux. C'était un système parfaitement équilibré au départ et pourtant le produit des ventes a baissé, alors que les stocks grimpaient. Et les dépenses de fonctionnement? S'il y avait eu des coûts de possession sur les allumettes, ils auraient également augmenté. Que se serait-il passé si cela avait été une véritable usine, avec de vrais clients? Combien d'unités sommes-nous parvenus à expédier? Au départ, cela devait être 35. Mais quel a été le produit de nos ventes réel? Il a été de 20 seulement. La moitié environ de ce qu'il nous fallait, et très loin du potentiel maximal de chaque poste. Si nous avions été dans une usine, la moitié de nos commandes au moins auraient pris du retard. Nous n'aurions jamais pu donner des dates de livraison spécifiques, et si nous l'avions fait, notre crédibilité auprès des clients en aurait pris un coup.

Air connu, n'est-ce pas?

−Hé, on peut pas s'arrêter maintenant! crie Evan.

−Oui, continuons à jouer, dit Dave.

−D'accord, dit Andy. Qu'est-ce qu'on parie cette fois?

−La cuisine! Parions sur qui va faire la cuisine, dit Ben.

−D'accord, dit Dave.

−Je prends le pari, dit Evan.

Ils font une vingtaine de tours, mais à la fin je n'ai plus assez de papier pour noter les résultats de Dave et d'Evan. Que pouvais-je espérer? Ma grille initiale allait de +6 à -6. Je m'attendais à avoir des hauts et des bas à intervalles réguliers, une courbe normale. Mais au lieu de cela, ma grille ressemble à une vue en coupe du Grand Canyon. Les stocks évoluent dans le système non pas en flux contrôlable, mais par vagues. La pile d'allumettes dans le gobelet de Dave passe dans celui d'Evan et enfin sur la table, seulement pour être remplacée par une autre vague. Et le système prend de plus en plus de retard par rapport au calendrier.

−On continue? demande Andy.

−Oui, mais cette fois, je prends ta place, dit Evan.

−Pas question, répond Andy catégorique.

Chuck est au milieu. Il secoue la tête, déjà résigné à la défaite. De toute façon, il faut nous remettre en route.

−Quel drôle de jeu, murmure Evan.

Je suis entièrement d'accord avec lui...

Tour :	ANDY 1234567890	BEN 1234567890	CHUCK 1234567890	DAVE 1234567890	EVAN 1234567890
N° tiré – – –	2642536452	4615254633	4322561565	1635122132	1364145342
* Alumettes déplacées –	2642536452	2615254633	2322561565	1422122132	1332122132
Stock :		0030313132	0325214510	1000487###	0100000000

Variation + / −

```
+ 5.5          *
+ 5
+ 4.5                *
+ 4          *   *        *
+ 3.5        *          *
+ 3
+ 2.5
+ 2                *          *
+ 1.5    *  *       *
+ 1      *   *           *
+ 0.5                *
  0 ─────────*───────*──────────────────────────────
− 0.5                *
− 1
− 1.5    *       *  *        *
− 2                       *   *    *
− 2.5                        *          *
− 3                                        *
− 3.5          *  *  *        *
− 4                                        *
− 4.5
− 5                *          *
− 5.5                                    *
− 6
− 6.5
− 7
− 7.5                        *
− 8                                    *
− 8.5
− 9                     *
− 9.5                                     *
− 10
− 10.5                  *
− 11
− 11.5                                   *
− 12
− 12.5
− 13                 *
− 13.5             *                    *
− 14                                    *
− 14.5            *
− 15
− 15.5                                       *
```

Le stock de Dave pour les tours n° 8, 9 et 10 a 2 chiffres, et s'établit respectivement à 11, 14 et 17 allumettes.

CHAPITRE 15

J'observe longuement la colonne devant moi. Comme d'habitude, les écarts s'élargissent. Je secoue la tête: si je n'arrive même pas à résoudre ce problème dans une simple randonnée, comment vais-je y arriver à l'usine? Qu'est-ce qui n'a pas marché dans mon jeu? Pourquoi le modèle équilibré n'a-t-il pas fonctionné? Tout en marchant, je continue à y réfléchir. Je dois arrêter deux fois la colonne pour que les retardataires puissent nous rattraper. Après la deuxième pause, je pense que j'ai trouvé la solution.

Il n'y avait pas de réserve. Lorsque les garçons qui se trouvaient en aval dans le modèle équilibré ont pris du retard, ils ne disposaient pas d'une réserve de capacité pour compenser la perte, et les déviations négatives se sont accumulées, faisant prendre de plus en plus de retard aux garçons.

Puis un vague souvenir de mes cours de mathématiques me revient en mémoire. Le professeur nous avait parlé d'une chose appelée une covariance, l'effet d'une variable sur d'autres variables d'un même groupe. Un principe mathématique dit que dans une dépendance linéaire de deux variables ou plus, les fluctuations des variables en bout de ligne évolueront autour de l'écart maximal établi par toute variable qui les précède. Ceci explique ce qui s'est passé dans le modèle équilibré.

Parfait, mais que dois-je faire en partant de ce principe?

Sur la piste, lorsque je m'aperçois du retard que nous avons pris, je peux dire aux garçons de se dépêcher, ou bien demander à Ron de ralentir ou même de s'arrêter. Puis nous resserrons les rangs. Dans une usine, lorsque les services prennent du retard et que les stocks d'en-cours commencent à s'accumuler, on déplace des gens, on leur fait faire des heures supplémentaires, les responsables resserrent la discipline, les produits sont expédiés et les stocks baissent peu à peu. En fait, c'est exactement cela: nous nous dépêchons pour rattraper. (Nous nous dépêchons, mais nous ne nous arrêtons jamais. L'autre solution, c'est-à-dire laisser inactifs certains ouvriers, est tabou.) Dans ce cas, pourquoi n'arrivons-nous pas à rattraper le retard dans mon usine? J'ai l'impression que nous sommes toujours en train de courir, et si vite que nous sommes essoufflés en permanence.

Je regarde de nouveau la colonne. Non seulement les écarts sont toujours là, mais ils se creusent encore plus vite! Puis je remarque quelque chose de bizarre. Aucun des garçons dans la colonne ne colle aux talons de celui qui le précède, à l'exception de moi, qui suis coincé derrière Herbie.

Herbie? Mais qu'est-ce qu'il fait à la traîne?

Je me déporte légèrement pour avoir une meilleure vue sur la troupe. Ron n'est plus en tête, il est en troisième position, et Davey est passé devant lui. Je ne sais pas qui mène le train car je ne peux pas voir aussi loin. Ça alors! Ces sales gamins ont modifié l'ordre de marche que je leur avais donné.

–Herbie, comment se fait-il que tu sois le dernier de la file?

–J'ai pensé qu'il valait mieux que je reste en arrière avec vous, M. Rogo. Comme ça, je ne retarderai personne.

Tout en me parlant, il marche à reculons.

–Ça, c'est très gentil de ta part. Attention!

Herbie trébuche sur une racine et s'étale de tout son long. Je l'aide à se relever.

–Ça va?

–Oui. Il vaudrait mieux que je marche dans le bon sens, non? Mais ça ne facilite pas la conversation.

–Ça ne fait rien, Herbie. Il faut que je réfléchisse à certaines choses.

En effet, Herbie vient peut-être de me donner une idée. À moins qu'il ne fasse un gros effort, j'ai l'impression qu'il est le plus lent de la troupe. Il est très gentil, il fait visiblement de son mieux, mais il est plus lent que tous les autres. Donc, lorsque Herbie marche à ce que j'appellerai son rythme «optimal», un pas qui est confortable pour lui, il se déplace plus lentement que celui qui le suit, en l'occurrence moi.

Pour le moment, Herbie ne ralentit la progression de personne, en dehors de la mienne. En fait, tous les garçons se sont placés d'eux-mêmes (délibérément ou par hasard, je l'ignore) dans un ordre qui permet à chacun d'entre eux de marcher sans restriction. En regardant la colonne, je ne vois plus de garçon ralenti par un autre. L'ordre dans lequel ils se sont mis a placé le garçon le plus rapide en tête de la colonne et le plus lent en queue. Chacun d'entre eux, comme Herbie, a trouvé son rythme optimal. Si cette colonne était mon usine, il y aurait un apport constant de travail, sans temps mort.

Et pourtant, la longueur de la colonne s'allonge de plus en plus. Les écarts entre les garçons s'élargissent. Plus on se rapproche de la tête de la file, plus les écarts sont nets et plus vite ils se creusent.

On peut aussi considérer les choses d'une autre façon: Herbie avance à sa propre vitesse, qui se trouve inférieure à ma vitesse potentielle. Mais à cause de la dépendance, ma vitesse maximale est le rythme auquel marche Herbie. Mon rythme, c'est le produit des ventes. Celui d'Herbie gouverne le mien. Donc Herbie détermine le produit des ventes maximal.

J'ai l'impression que ma tête va éclater.

L'important, ce n'est pas véritablement la vitesse à laquelle n'importe lequel d'entre nous peut marcher ou marche. Celui qui est en tête de la colonne, quel qu'il soit, va plus vite que la moyenne, disons, par exemple, à quatre kilomètres à l'heure. Est-ce que sa vitesse aide l'ensemble de la troupe à aller vite, à accroître le produit des ventes? Certainement pas. Chaque garçon marche un petit peu plus vite que celui qui est derrière lui. Aide-t-il la colonne à avancer plus vite? Absolument pas. C'est Herbie, avec sa vitesse plus faible, qui détermine le produit des ventes pour l'ensemble de la troupe.

En fait, celui qui avance le moins vite dans le groupe est celui qui déterminera le produit des ventes. Et ce ne sera pas toujours Herbie, puisque avant le déjeuner il cheminait plus vite. Il n'était pas évident de savoir qui était le plus lent du groupe. Donc, le rôle d'Herbie – qui pèse le plus sur le produit des ventes – se répercutait sur toute la troupe; celle-ci était dépendante de celui qui se déplaçait le plus lentement à un moment donné, mais dans l'ensemble, Herbie est celui qui a la plus faible capacité. Son rythme détermine en fin de compte celui de la troupe. Ce qui veut dire...

–Hé, regardez, M. Rogo, s'exclame Herbie.

Il me montre une grosse pierre en bordure de la piste. Je regarde. Mais... c'est une borne! Une vraie borne! J'en ai souvent entendu parler, mais je n'en avais encore jamais vu. Celle-ci indique:

<--- 7,5 --->

Cela doit vouloir dire qu'il y a 7,5 kilomètres à faire dans les deux sens. Nous sommes donc arrivés à la moitié du parcours, et il reste 7,5 kilomètres à faire.

Quelle heure est-il?

Je regarde ma montre. Il est déjà deux heures et demie. Et nous sommes partis à huit heures trente. Donc, en déduisant l'heure pendant laquelle nous nous sommes arrêtés pour déjeuner, nous avons couvert huit kilomètres... en cinq heures?

Nous n'avançons pas à trois kilomètres à l'heure mais à un kilomètre et demi à l'heure. Donc, s'il nous reste encore cinq heures à marcher...

Il fera nuit lorsque nous arriverons au bivouac.

Herbie s'est arrêté à côté de moi, retardant le produit des ventes de toute la troupe.

–Allez, repartons! Repartons! lui dis-je.

–D'accord! D'accord!

Mais qu'est-ce que je vais faire?

Rogo, me dis-je, tu es vraiment nul! Tu n'arrives même pas à gérer une troupe de scouts! Devant, il y a un gamin qui a l'intention de battre un record de vitesse, et toi tu es coincé à l'arrière avec le gros Herbie, le plus lent de la troupe. Dans une heure, le garçon placé en tête de la file – s'il marche vraiment à quatre kilomètres à l'heure – va avoir trois kilomètres d'avance. Autrement dit, il va falloir que je coure pendant trois kilomètres pour le rattraper.

Si nous étions dans mon usine, Peach ne me donnerait même pas trois mois. Je serais déjà au chômage à l'heure actuelle. Notre but était de parcourir 15 kilomètres en 5 heures et nous n'en avons fait que la moitié. Les stocks prennent une ampleur vertigineuse. Les coûts de possession correspondants ne cessent de monter et nous amenons peu à peu la société à la ruine.

Mais je ne peux pas faire grand-chose à propos d'Herbie. Je pourrais peut-être le mettre ailleurs dans la file, mais ce n'est pas cela qui le fera avancer plus vite, donc cela ne ferait aucune différence.

En suis-je bien sûr?

–HÉ! DITES AU GARÇON QUI SE TROUVE EN TÊTE DE S'ARRÊTER IMMÉDIATEMENT!

Les garçons font passer l'ordre jusqu'à la tête de la colonne.

–TOUT LE MONDE RESTE DANS LA FILE JUSQU'À CE QUE NOUS VOUS AYONS RATTRAPÉS! GARDEZ VOTRE PLACE!

Un quart d'heure plus tard, toute la troupe s'est reformée en rang serré.

Je découvre que c'est Andy qui avait pris la tête de la file. Je leur rappelle qu'ils doivent garder exactement la position qu'ils ont maintenant.

–Très bien, maintenant tout le monde se donne la main.

Ils se regardent, interloqués.

–Allez, faites ce que je vous dis! Et ne vous lâchez pas.

Puis je prends Herbie par la main et, comme si je traînais une chaîne, je remonte la file jusqu'à la tête. Main dans la main, le reste de la troupe suit. Je dépasse Andy et je continue à marcher. Lorsque j'ai parcouru une distance équivalente à deux fois la longueur de la colonne, je m'arrête. Je viens de retourner toute la troupe, de telle sorte que les garçons se trouvent maintenant dans l'ordre exactement inverse à celui qu'ils occupaient.

–Maintenant, écoutez-moi: vous allez rester dans cet ordre

jusqu'à ce que nous arrivions à notre destination. Compris? Vous ne dépassez pas celui qui marche devant vous, vous vous contentez de le suivre de près. C'est Herbie qui marchera en tête.

–Moi? demande Herbie, complètement éberlué.

Les autres sont tout aussi surpris.

–Vous voulez que ce soit *lui* qui mène? demande Andy.

–Mais c'est le plus lent d'entre nous! s'exclame un autre.

–Le but de cette randonnée n'est pas de savoir qui peut arriver le premier. L'idée, c'est d'y arriver ensemble. Nous formons une équipe, et l'équipe doit arriver groupée au camp.

Nous nous remettons en route. Mon idée fonctionne impeccablement. Tout le monde a emboîté le pas à Herbie et je me place en queue de la colonne pour voir si des écarts vont se creuser. Rien. Au milieu de la file, je vois l'un des garçons faire une pause pour ajuster son sac à dos. Mais dès qu'il repart, nous pressons légèrement le pas et nous rattrapons les autres. Personne n'est essoufflé. Quelle différence!

Bien entendu, il ne faut pas longtemps avant que les bons marcheurs qui se trouvent en queue de la colonne commencent à rouspéter.

–Hé, Herbie! dit l'un d'entre eux, je vais m'endormir. Est-ce que tu ne peux pas marcher un peu plus vite!

–Il fait ce qu'il peut, dit le garçon qui suit Herbie, fiche-lui la paix!

–M. Rogo, est-ce qu'on ne peut pas mettre quelqu'un de plus rapide devant? demande un des garçons qui marche à quelques pas devant moi.

–Mon vieux, si tu veux aller plus vite, il faut que tu trouves un moyen de faire accélérer Herbie.

Ils cheminent en silence pendant un moment, puis l'un des garçons interpelle Herbie.

–Hé, Herbie, qu'est-ce que tu as dans ton sac à dos?

–Ça ne te regarde pas! lui répond Herbie.

–Arrêtez-vous un instant, dis-je.

Herbie s'arrête et se retourne. Je lui demande de me rejoindre en queue de la colonne et de poser son sac. Je veux le soulever, mais je le laisse presque tomber.

–Herbie, ce sac pèse une tonne. Qu'est-ce que tu as là-dedans?

–Pas grand-chose, me répond-il.

J'ouvre le sac et en sors six petites bouteilles de Coca, des boîtes de spaghettis, un paquet de bonbons, un pot de cornichons et deux grosses boîtes de thon. Sous un imperméable, des bottes en caoutchouc et un paquet de piquets de tente, je découvre une grosse poêle en fer. Pour compléter le tout, une pelle pliante est accrochée sur le côté.

–Herbie, mais pourquoi donc as-tu emporté tout cela?

–On nous avait dit d'être prêts à tout, me dit-il, un peu honteux.

–Nous allons répartir tout cela entre tous les garçons.

–Mais je peux le porter! insiste Herbie.

–Écoute, Herbie, tu as fait un gros effort pour porter tout cela jusqu'à présent. Mais il faut que tu puisses marcher plus vite. Donc, si nous te déchargeons un peu, nous pourrons tous accélérer.

Herbie semble avoir compris. Andy prend la poêle en fer et je donne quelques bricoles à porter aux autres garçons. Je me réserve le plus lourd, puisque je suis le plus costaud. Herbie reprend sa place en tête de la colonne.

Nous nous remettons en route, mais cette fois-ci, Herbie va vraiment plus vite. Soulagé du plus gros du poids qu'il transportait dans son sac à dos, il vole littéralement. Nous allons maintenant deux fois plus vite qu'auparavant et nous restons groupés. Les stocks sont en baisse, le produit des ventes en hausse.

Le Ravin du Diable est superbe dans la lumière de cette fin d'après-midi. Au fond de la gorge, la rivière tourbillonne et dévale à toute allure. Des rayons de soleil dorés filtrent au travers des arbres. Les oiseaux gazouillent, et tout au loin on entend le bourdonnement discret de la circulation automobile.

–Regardez! crie Andy, grimpé au sommet du promontoire. Il y a un centre commercial en bas!

–Est-ce qu'il y a un Burger King? demande Herbie.

–Hé, mais ce n'est pas la nature sauvage, ça, se plaint Dave. Ce n'est plus ce que c'était.

–Écoute, lui dis-je, nous nous contenterons de ce que nous avons. Dressons le camp.

Il est maintenant cinq heures. Ainsi, après avoir soulagé Herbie du poids qu'il transportait, nous avons parcouru environ six kilomètres en deux heures. Herbie était l'élément clé pour régulariser toute la troupe.

Nous montons les tentes. Dave et Evan préparent des spaghettis. Me sentant un peu coupable, car c'est moi qui ai établi les règles qui leur imposent cette corvée, je leur donne un coup de main pour faire la vaisselle.

Dave et moi partageons la même tente. Fatigués tous les deux, nous sommes contents d'être enfin allongés. Dave est silencieux pendant un moment puis il me dit:

–Tu sais, papa, j'ai été très fier de toi aujourd'hui.

–Ah bon! Pourquoi?

–Oh, la façon dont tu as trouvé ce qui n'allait pas et aussi ton idée de mettre Herbie en tête; si tu ne l'avais pas fait, nous serions encore probablement sur la piste. Les parents des autres ne se sont occupés de rien, mais toi oui.

–Merci, Dave. En fait, j'ai appris beaucoup de choses aujourd'hui.

–Ah bon?

–Oui, des choses qui vont m'aider à résoudre certains problèmes à l'usine.

–Vraiment? Quoi par exemple?

–Tu veux vraiment que je te le dise?

–Bien sûr!

Je lui explique donc mon raisonnement. Il le suit et me pose même des questions. Lorsque j'ai fini, on n'entend plus que quelques ronflements provenant des autres tentes, quelques criquets... et le crissement des pneus d'un imbécile qui prend l'autoroute pour un circuit automobile.

CHAPITRE 16

Davey et moi arrivons à la maison vers quatre heures et demie le dimanche après-midi. Nous sommes tous les deux fatigués mais en pleine forme en dépit de nos jambes douloureuses. Dès que je suis garé dans l'allée, Dave saute de la voiture pour ouvrir la porte du garage. Je rentre la Buick et sors toutes nos affaires du coffre.

–Je me demande où est maman, dit Dave.

Je m'aperçois alors que sa voiture n'est pas là.

–Elle a dû aller faire des courses.

Nous entrons dans la maison. Pendant que Dave range les affaires de camping, je monte dans notre chambre pour me changer. Une douche chaude me fera le plus grand bien. Après cette expédition mémorable, me dis-je, je pourrai peut-être emmener toute la famille dîner dehors pour célébrer le retour triomphant du père et du fils.

La porte du placard de la chambre est ouverte. En m'approchant pour la fermer, je constate que presque tous les vêtements de Julie sont disparus. Je regarde bêtement pendant un instant l'armoire presque vide. Dave entre dans la chambre.

–Papa?

Je me retourne.

–C'était sur la table de la cuisine. C'est maman qui a dû la laisser.

Il me tend une enveloppe fermée.

–Merci, Dave.

J'attends qu'il soit sorti pour l'ouvrir. À l'intérieur, il y a simplement un petit mot écrit à la main, qui dit:

Al,

Je ne peux plus supporter de toujours passer en dernier.

J'ai besoin que tu me consacres plus de temps et il est clair maintenant que tu ne changeras pas. Je pars pendant un moment, j'ai besoin de réfléchir. Je regrette de te faire ça car je sais que tu es très occupé.

Julie.

PS. J'ai laissé Sharon chez ta mère.

Lorsque je reprends mes esprits, je glisse la note dans ma poche et descends trouver Davey pour lui dire que je dois aller chercher Sharon et qu'il m'attende ici.

Je lui recommande, si sa mère appelle, de lui demander d'où elle téléphone ainsi que le numéro où je peux la rappeler. Il veut savoir ce qui se passe. Je le rassure et lui promets de tout lui expliquer dès que je serai de retour.

Je bats tous mes records pour atteindre la maison de ma mère. Lorsqu'elle ouvre la porte, avant même que je puisse lui dire bonjour, elle se met à me parler de Julie.

–Alex, ta femme a fait quelque chose de très bizarre. J'étais en train de préparer le déjeuner hier, lorsqu'on a sonné à la porte. Lorsque j'ai ouvert, j'ai trouvé Sharon sur les marches, avec sa petite valise. Ta femme était dans la voiture, garée devant, mais elle n'a pas voulu descendre, et lorsque je me suis avancée vers elle pour lui parler, elle est partie.

J'entre dans la maison. Sharon se précipite pour m'accueillir depuis le salon où elle regardait la télévision. Je la soulève et elle s'accroche à mon cou. Ma mère continue à parler.

–Mais qu'est-ce qui lui a pris? demande ma mère.

–Nous en discuterons plus tard.

–Je ne comprends vraiment pas ce...

–*Plus tard*, d'accord?

Je regarde Sharon. Son visage est fermé et elle a les yeux écarquillés. Elle est terrorisée.

–Alors... Tu t'es bien amusée chez grand-mère?

Elle hoche la tête sans un mot.

–Et si nous rentrions à la maison maintenant?

Elle baisse les yeux.

–Tu ne veux pas rentrer à la maison?

Elle hausse les épaules.

–Cela t'a plu de rester ici avec moi? interroge ma mère en souriant.

Sharon se met à pleurer.

J'installe ma fille et sa valise dans la voiture et nous prenons la direction de la maison. Je la regarde à la dérobée, elle fixe obstinément le tableau de bord, de ses yeux gonflés de larmes. À un feu rouge, je tends le bras et l'attire contre moi.

Elle reste ainsi pendant un moment, puis lève les yeux vers moi et me demande d'une toute petite voix:

–Est-ce que maman est encore en colère après moi?

–En colère après toi? Ce n'est pas contre toi qu'elle en a.

–Oh, oui. Elle ne voulait plus me parler.

–Non, Sharon, tu te trompes. Ta mère n'est pas en colère après toi, tu n'as rien fait de mal.

–Alors, pourquoi? insiste-t-elle.

–Attends que nous soyons arrivés à la maison et je vous expliquerai tout, à ton frère et à toi.

Il m'est plus facile de donner une explication qu'à eux de l'accepter. J'ai toujours été assez habile à donner l'impression que je maîtrisais la situation, même dans le pire chaos. Je leur dis que Julie s'est simplement absentée pour un petit moment, peut-être un jour ou deux. Elle reviendra. Elle voulait simplement réfléchir à certaines choses qui la contrariaient. Je leur débite les phrases rassurantes de rigueur: votre mère vous aime, moi aussi, vous ne pouviez rien faire et tout va s'arranger. Ils m'écoutent tous les deux en silence, sans réaction.

Je les emmène manger une pizza pour dîner, ce qui normalement les aurait amusés. Mais ce soir, nous avalons méca-niquement notre pizza, sans un mot.

Une fois rentrés à la maison, je les aide à faire leurs devoirs, puis les envoie au lit. Après avoir longuement hésité, je décide d'appeler une ou deux personnes.

Julie n'a pas d'amis à Bearington, tout au moins à ma con-naissance. Il serait donc inutile d'appeler les voisins. Ils ne sau-raient rien et ils s'empresseraient de colporter partout que nous avons des problèmes.

J'essaie donc d'appeler Jane, l'amie qu'avait Julie dans la ville où nous vivions auparavant, celle avec qui Julie a prétendu avoir passé la nuit de jeudi dernier. Ça ne répond pas.

J'essaie ensuite les parents de Julie. C'est son père qui ré-pond. Nous échangeons quelques mots sur le temps et les en-fants, mais je m'aperçois très vite qu'il n'est au courant de rien. Avant que je puisse mettre un terme à la conversation sans lui donner d'explication, il me demande:

–Est-ce que nous pouvons parler à Julie?

–Eh bien... En fait, c'est pour cela que j'appelais.

–Ah bon? Rien de grave, j'espère.

–Je crains que si. Elle est partie hier pendant que je faisais une sortie de scouts avec Dave. Je me demandais si vous aviez eu de ses nouvelles.

Il sonne immédiatement l'alarme auprès de ma belle-mère, qui prend le téléphone.

–Pourquoi est-elle partie? me demande-t-elle.

–Je ne sais pas.

–Je connais ma fille, c'est moi qui l'ai élevée et elle ne serait pas partie si elle n'avait pas eu une excellente raison.

–Elle m'a simplement laissé un mot disant qu'elle voulait s'éloigner pendant quelque temps.

–*Qu'est-ce que vous lui avez fait*? hurle ma belle-mère.

–Rien!

J'essaie d'être convaincant, mais je n'ai pas la conscience tranquille.

Puis son père reprend le téléphone et me demande si j'ai appelé la police.

Il suggère qu'elle a peut-être été kidnappée, mais je lui

réponds que c'est tout à fait improbable, parce que ma mère l'a vue s'éloigner dans sa voiture et que personne ne pointait un revolver sur sa tempe.

Si elle vous appelle, lui dis-je, voudriez-vous lui demander de me téléphoner? Je me fais beaucoup de souci à son sujet.

Une heure plus tard, j'appelle la police. Mais comme je m'y attendais, ils ne peuvent rien faire puisque rien n'indique qu'elle n'est pas partie de sa propre volonté. J'abandonne et monte dire bonsoir aux enfants.

Peu après minuit, les yeux grands ouverts dans le noir, j'entends une voiture qui tourne dans l'allée. Je bondis hors du lit et me précipite à la fenêtre mais lorsque j'y arrive, les phares sont en train de faire demi-tour dans la rue. La voiture s'éloigne.

CHAPITRE 17

Le lundi matin est catastrophique.

Cela commence par Davey qui tente de préparer le petit déjeuner pour lui-même, sa sœur et moi. L'intention était bonne, mais le résultat est désastreux. Pendant que je me prépare, il se lance dans la confection de crêpes. J'ai presque fini de me raser lorsque j'entends le bruit d'une dispute dans la cuisine. Je me précipite et trouve Dave et Sharon en train de se battre. Sur le sol, gisent deux crêpes brûlées d'un côté et crues de l'autre, un gros morceau de beurre et une flaque de pâte à crêpes.

–Eh! Que se passe-t-il?

–C'est de sa faute! hurle Dave en pointant un doigt accusateur sur sa sœur.

–Tu étais en train de les laisser brûler!

–Ce n'est pas vrai!

Un peu de pâte renversée est en train de brûler sur la cuisinière. Je m'approche pour l'éteindre.

Sharon m'appelle à son secours:

–J'essayais simplement de l'aider, mais il n'a pas voulu me laisser faire. Même moi je sais faire des crêpes, dit-elle d'un air méprisant à son frère.

–Écoutez, puisque vous voulez tellement faire quelque chose, vous pouvez commencer par nettoyer, leur dis-je.

Lorsqu'ils ont remis un semblant d'ordre, je leur sers des céréales que nous mangeons en silence.

Avec tout ça, Sharon a manqué son autobus scolaire. Je fais partir Davey, puis vais chercher Sharon pour l'emmener en classe. Je la trouve étendue sur son lit.

–Je suis à votre disposition, mademoiselle Rogo.

–Je ne peux pas aller à l'école, me dit-elle.

–Et pourquoi?

–Je suis malade.

–Sharon, il faut que tu ailles à l'école.

–Mais je suis malade! insiste-t-elle.

Je vais m'asseoir sur le bord de son lit.

–Sharon, je sais que tu as du chagrin. Moi aussi. Mais la situation est la suivante: je dois aller travailler, je ne peux pas rester à la maison avec toi et je ne veux pas te laisser toute seule ici. Tu peux passer la journée avec ta grand-mère ou aller à l'école, au choix.

Elle s'assoit sur son lit. Je la prends dans mes bras et nous restons ainsi pendant un petit moment.

–Je crois que je vais aller à l'école, papa, me dit-elle enfin.

–Bravo, poupée! Je savais que tu serais raisonnable.

Lorsque j'arrive enfin à l'usine, il est plus de neuf heures. Dès que je franchis la porte, Fran me tend un message. C'est de Hilton Smyth, avec la mention «urgent» soulignée deux fois.

Je l'appelle immédiatement.

–Ah, enfin! Cela fait une heure que j'essaie de vous joindre.

Je lève les yeux au ciel.

–Quel est votre problème, Hilton?

–Vos gars ont bloqué 100 sous-ensembles dont j'ai besoin.

–Hilton, nous ne bloquons rien du tout.

–Alors, pourquoi ne sont-ils pas encore chez moi? J'ai une commande que je ne peux pas expédier parce que vos gars n'ont pas fait leur travail!

–Donnez-moi les détails et je demanderai à quelqu'un de vérifier.

Il me donne quelques numéros de références que je note.

—On vous rappellera très bientôt.

—Vous avez intérêt à faire mieux que ça, mon vieux. Vous feriez bien de vous débrouiller pour que nous ayons ces sous-ensembles à la fin de la journée, et la totalité, pas seulement 87 ou 99 mais la totalité, parce que je ne vais pas demander à mes ouvriers de faire deux réglages pour le montage final à cause de votre retard.

—Nous ferons de notre mieux, mais je ne vous promets rien.

—Ah bon? Alors, écoutez bien: si nous ne recevons pas ces 100 sous-ensembles aujourd'hui, je m'adresserai à Peach, et d'après ce que je crois savoir, vous avez déjà suffisamment d'ennuis avec lui comme cela.

—Écoutez, bonhomme, ma situation avec Bill Peach ne vous regarde absolument pas. Qu'est-ce qui vous fait croire que vous pouvez me menacer?

Long silence à l'autre bout du fil. Je me demande s'il ne va pas me raccrocher au nez.

—Vous devriez lire votre courrier, reprend-il enfin.

—Que voulez-vous dire?

J'imagine son sourire satisfait.

—Débrouillez-vous pour me faire parvenir les sous-ensembles avant la fin de la journée, dit-il d'un ton mielleux. Salut.

Je raccroche. Tout cela me paraît bien étrange.

Je demande à Fran d'appeler Bob Donovan pour moi et d'avertir les autres qu'il y aura une réunion à dix heures. Dès que Donovan arrive, je le prie d'envoyer quelqu'un voir ce qui bloque les pièces destinées à l'usine de Smyth et de tout mettre en œuvre pour que les sous-ensembles partent aujourd'hui même. Après son départ, j'essaie de ne plus penser à la conversation avec Smyth mais je n'y parviens pas. Je finis par demander à Fran si elle a vu passer quelque chose concernant Hilton Smyth. Elle réfléchit une minute puis prend un dossier.

—Cette note est arrivée vendredi. Il semble que M. Smyth a eu une promotion.

Je prends la note qu'elle me tend. Elle est signée de Bill Peach et c'est l'annonce de la nomination de Smyth à un poste nouvellement créé, celui de responsable de la productivité pour la division. La nomination prend effet dès la fin de cette semaine. La description du poste indique que tous les directeurs d'usine relèveront fonctionnellement de Smyth, qui s'occupera plus spécialement «de l'amélioration de la productivité dans la fabrication, en vue d'abaisser les coûts».

Il ne me manquait plus que ça! Je sens que la journée va être rude...

Si je m'attendais à soulever l'enthousiasme de mes adjoints avec mes découvertes du week-end... Je suis déçu. Je m'étais imaginé qu'il me suffisait de leur exposer clairement mon raisonnement pour qu'ils soient instantanément convertis, mais manifestement, cela ne marche pas. Lou, Bob, Stacey, Ralph Nakamura – responsable de l'informatique dans l'usine – et moi-même sommes réunis dans la salle de conférences. Je suis debout devant un chevalet sur lequel est accroché un grand bloc de papier dont plusieurs feuilles sont couvertes des petits diagrammes que j'ai dessinés pendant que je leur donnais mes explications. Celles-ci ont duré près de deux heures. Il est maintenant midi et ils n'ont pas l'air plus impressionnés qu'au début.

À l'expression de leurs visages, je peux constater qu'ils ne voient pas du tout où je veux en venir. Seule Stacey me donne l'impression d'avoir vaguement saisi quelques notions. Bob Donovan, par intuition, a suivi les grandes lignes. Ralph n'est pas sûr d'avoir compris et Lou me regarde en fronçant les sourcils. Un sympathisant, un indécis, un désorienté et un sceptique.

Je leur demande ce qui les gêne. Ils se regardent.

–J'ai l'impression que je viens de vous prouver que deux et deux font quatre et que vous ne me croyez pas! Je braque mon regard sur Lou. Quel est le problème, Lou?

–Je ne sais pas, Al, dit-il en secouant la tête. C'était simplement que... vous avez dit que vous aviez découvert tout cela en regardant une troupe de scouts pendant une randonnée en forêt.

–Quel mal y a-t-il à cela?

–Rien, mais comment pouvez-vous être sûr que les choses se déroulent vraiment de cette façon à l'usine?

Je tourne les pages du bloc jusqu'à ce que je trouve celle où sont inscrits les noms des deux phénomènes signalés par Jonah.

–Regardez: est-ce que nous avons des fluctuations aléatoires dans nos opérations?

–Oui, certainement.

–Et est-ce que nous avons des événements dépendants dans notre usine?

–Oui, dit-il de nouveau.

–Alors, ce que je viens de vous dire est exact.

–Un instant, intervient Bob. Les robots n'ont pas de fluctuations aléatoires. Ils travaillent toujours à la même cadence. C'est l'une des raisons pour lesquelles nous les avons achetés: la régularité, et je croyais que la principale raison pour laquelle vous aviez été voir Jonah était de savoir ce qu'il fallait faire à propos des robots.

–On peut dire en effet que les fluctuations, dans le cycle de travail d'un robot, sont pratiquement nulles tant qu'il fonctionne. Mais toutes nos opérations ne sont pas automatisées. Elles présentent les deux phénomènes. Et n'oubliez pas que le but n'est pas de rendre les robots productifs, mais tout le système, n'est-ce pas, Lou?

–Bob a peut-être raison. Nous avons beaucoup de machines automatisées dans l'usine, et les temps de traitement doivent être relativement uniformes, dit Lou.

–Mais il est en train de dire... intervient Stacey, en se tournant vers lui.

À cet instant, la porte de la salle de conférences s'ouvre. Fred, l'agent d'ordonnancement, passe la tête dans l'encadrement et cherche Bob Donovan du regard.

–Puis-je vous voir un instant? lui demande-t-il, c'est à propos des pièces de Hilton Smyth.

Bob se lève et s'apprête à quitter la pièce, mais je dis à Fred d'entrer. Que cela me plaise ou non, je suis concerné par cette «crise» avec Hilton Smyth. Fred m'explique que les pièces doivent passer par deux autres ateliers avant que les sous-ensembles soient prêts pour l'expédition.

–Pouvons-nous les faire partir aujourd'hui?

–Ça va être juste, mais nous pouvons essayer, me répond-il. La navette part à cinq heures.

La navette est un service de transport interne que nous utilisons dans la division pour les livraisons entre les usines.

—Celle de cinq heures est notre dernière chance de livrer à l'usine de Smyth à temps, dit Bob. Si nous la manquons, la prochaine ne part que demain après-midi.

Je me tourne vers Fred.

—Que reste-t-il à faire?

—Il reste encore une opération d'usinage à l'atelier de Peter Schnell, puis les pièces doivent être soudées. Nous allons préparer l'un des robots pour faire les soudures.

—Ah oui, les robots. Vous pensez que nous y arriverons?

—D'après les quotas, les gens de Peter devraient nous donner suffisamment de pièces pour sortir 25 unités par heure, dit Fred, et je sais que le robot est capable de souder 25 exemplaires de ce sous-ensemble par heure.

Bob demande comment les pièces vont être amenées au robot. En temps normal, les pièces produites par le service de Pete seraient transférées au robot en une fois dans la journée, ou peut-être même lorsqu'un lot serait achevé. Nous ne pouvons pas attendre aussi longtemps. Le robot doit se mettre au travail dès que possible.

—Je vais faire le nécessaire pour qu'un manutentionnaire passe dans l'atelier de Pete toutes les heures, propose Fred.

—D'accord, dit Bob. Quand Pete peut-il commencer?

Fred réfléchit un instant.

—À midi, je pense. Donc nous avons cinq heures devant nous.

—Vous savez que les ouvriers de Pete quittent le travail à quatre heures, lui rappelle Bob.

—Je sais, je vous ai dit que ça allait être juste, mais tout ce que nous pouvons faire, c'est tenter le coup. C'est bien ce que vous voulez, n'est-ce pas?

Cela me donne une idée.

—Écoutez-moi tous, leur dis-je. Vous n'avez pas véritablement compris ce que je vous ai expliqué ce matin, mais si ce que je vous ai dit est correct, nous devrions en voir les effets dans cette situation.

Tous hochent la tête.

—Et si nous constatons que Jonah avait raison, nous serions idiots de continuer à faire tourner l'usine comme avant, n'est-ce pas? Je vais donc vous laisser constater par vous-mêmes ce qui se passe. Fred, vous dites que Pete se mettra au travail sur ces pièces à midi?

—C'est exact. Ils sont tous en train de déjeuner actuellement. La pause est à onze heures trente, donc ils reprennent à midi. Les robots seront réglés à une heure, lorsque le manutentionnaire fera le premier transfert.

Je saisis une feuille de papier et un crayon et élabore un programme très simple.

—Il faut que nous sortions 100 pièces avant cinq heures, pas une de moins. Hilton a dit qu'il n'accepterait pas de livraison partielle. Si nous n'atteignons pas ce chiffre, je ne veux pas que nous expédiions quoi que ce soit. Les gens de Pete sont censés produire à la cadence de 25 pièces à l'heure, mais ça ne veut pas dire qu'à la fin de chaque heure ils auront toujours 25 pièces. Ils en auront parfois un peu plus, parfois un peu moins.

Je lève les yeux. Tous sont attentifs.

—Nous sommes donc face à des fluctuations aléatoires. Mais nous prévoyons qu'entre midi et quatre heures, l'atelier de Pete aura produit en moyenne 100 pièces. Le robot, de son côté, a une cadence plus précise. Il sera réglé pour travailler au rythme de 25 pièces par heure, ni plus ni moins. Nous avons également des événements dépendants, car le robot ne peut pas commencer à souder tant que le manutentionnaire n'aura pas apporté les pièces de l'atelier de Pete. Le robot ne peut pas démarrer avant une heure, mais à cinq heures, lorsque le camion sera prêt à partir, nous voulons que la dernière pièce soit chargée à bord. Donc, représenté par un diagramme, voici ce qui devrait se passer...

Je leur montre mon programme, qui se présente de la façon suivante:

```
Demande = 100 pièces. Quota = 25 pièces/heure

12 h      13 h     14 h     15 h     16 h     17 h

                 [25]
Pete    --25-- |      [50]
               | --25-- |     [75]
                        | --25-- |    [100]
                                 | --25-- |

                 [25]
Robot   --25-- |      [50]
               | --25-- |     [75]
                        | --25-- |    [100]
                                 | --25-- |
```

–Très bien. Maintenant, je veux que Pete note exactement combien de pièces son service fabrique véritablement heure par heure, et je veux que Fred en fasse autant pour le robot. Et rappelez-vous: on ne triche pas. Il nous faut les chiffres réels. Compris?

–Pas de problème, dit Fred.

–À propos, vous pensez vraiment que nous arriverons à expédier 100 pièces aujourd'hui?

–Tout dépend de Pete, intervient Bob. S'il dit qu'il peut le faire, je ne vois pas pourquoi nous n'y arriverions pas.

–Bob, dis-je, je vous parie 10$ que nous ne les ferons pas partir aujourd'hui.

–Vous êtes sérieux?

–Tout à fait.

–D'accord, je prends le pari, 10$.

Pendant que tous les autres déjeunent, j'appelle Hilton Smyth. Il est également parti déjeuner, mais je laisse un message à sa secrétaire disant que les sous-ensembles seront livrés sans faute à son usine demain, mais que nous ne pouvons pas faire mieux, à moins que Hilton accepte de payer le surcroît d'une livraison spéciale ce soir (connaissant son souci d'économiser sur les coûts, je suis certain qu'il refusera).

Une fois débarrassé de cet appel, j'essaie de réfléchir à mon ménage et à ce que je peux faire. Manifestement, Julie n'a pas donné de nouvelles. Je suis fou furieux qu'elle soit partie, mais je suis également très inquiet. Que puis-je faire? Je ne peux pas errer dans les rues à sa recherche, elle pourrait être n'importe où. Il va falloir que je prenne mon mal en patience. Elle finira bien par appeler. Sinon, son avocat le fera. Entre temps, il y a deux gamins dont je dois m'occuper.

Fran entre dans mon bureau, un autre message à la main.

–Une des autres secrétaires vient de me donner cela en rentrant de déjeuner. Pendant que vous étiez au téléphone, vous avez eu un appel de David Rogo. C'est votre fils?

–Oui. Quel est le problème?

–Il dit qu'il s'inquiète parce qu'il ne pourra pas entrer dans la maison lorsqu'il rentrera de l'école. Votre femme est absente?

–Oui, elle est partie pour quelques jours. Fran, vous avez

deux enfants: comment arrivez-vous à travailler et à les élever en même temps?

—Eh bien, ce n'est pas facile, dit-elle en riant. Mais d'un autre côté, je ne travaille pas autant que vous. Si j'étais à votre place, je demanderais à quelqu'un de m'aider jusqu'à ce qu'elle revienne.

Lorsqu'elle est sortie, je reprends le téléphone.

—Allô, maman? C'est Alex.

—As-tu des nouvelles de Julie?

—Non. Dis-moi, maman, est-ce que cela t'ennuierait beaucoup de venir t'installer à la maison jusqu'à ce que Julie revienne?

À deux heures, je prends une demi-heure pour aller chercher ma mère et l'amener chez moi avant que les enfants ne rentrent de l'école. Lorsque j'arrive devant sa maison, elle m'attend sur le pas de la porte, entourée de deux valises et de quatre cartons remplis à ras bords d'ustensiles de cuisine.

—Maman, nous avons des casseroles et des poêles à la maison, lui dis-je.

—Ce ne sont pas les mêmes que les miennes.

Je mets tout ça dans le coffre. Je l'emmène avec ses casseroles et ses poêles jusqu'à la maison et l'installe. Les enfants la trouveront là en rentrant de l'école. Je me dépêche de retourner à l'usine.

Vers quatre heures, lorsque la première équipe termine, je vais voir Bob Donovan dans son bureau pour savoir où en est la livraison de Smyth. Il m'attend.

—Tiens, tiens, tiens. Bonjour, M. Rogo, me dit Bob dès que j'ouvre la porte. Comme c'est aimable à vous de me rendre visite!

—Peut-on savoir ce qui vous rend si heureux?

—Je suis toujours heureux lorsque des gens qui me doivent de l'argent viennent me voir.

—Ah, c'est ça? Et qu'est-ce qui vous fait croire que quelqu'un vous doit de l'argent?

—Allez, Alex! Ne me dites pas que vous avez oublié notre pari: 10$, vous vous souvenez? Je viens de parler à Pete et ses gars vont terminer les 100 pièces dans les délais. Le robot ne devrait donc avoir aucun problème à terminer cette livraison pour l'usine de Smyth.

—Ah bon? Eh bien, si c'est vrai, je ne regretterai pas mes 10$.

—Alors, vous admettez que vous avez perdu?

—Certainement pas. Pas tant que ces sous-ensembles ne seront pas partis sur la navette de cinq heures.

—Comme vous voudrez.

—Allons voir comment ça se passe là-bas.

Nous traversons les ateliers pour nous rendre au bureau de Pete. Chemin faisant, nous passons devant le robot qui illumine les alentours avec les éclairs de soudure. Deux hommes arrivent en sens inverse. En passant dans la zone de soudage, ils s'arrêtent et s'écrient:

—Nous avons battu le robot!

—Ils sont certainement de l'atelier de Pete, dit Bob.

En les croisant, nous leur faisons un clin d'œil. Ils n'ont rien battu du tout, mais ça ne fait rien. Ils ont l'air heureux. Bob et moi continuons notre chemin vers le bureau de Pete, une petite cabine en tôle à côté des machines.

—Bonjour, messieurs, dit Pete d'un air satisfait en nous voyant entrer. Nous avons rempli notre mission.

—Bravo, Pete. Vous avez les notes que je vous avais demandé de prendre?

—Oui, bien sûr. Allons bon, où l'ai-je mise?

Il fourrage dans la pile de papiers qui se trouve sur son bureau tout en continuant à parler.

—Vous auriez dû voir mes gars cet après-midi. Ils se sont vraiment démenés comme de beaux diables. Je leur ai dit à quel point cette livraison était importante et ils ont vraiment fait leur maximum. D'habitude, ils lèvent un peu le pied à la fin de leur tour, mais pas aujourd'hui. Ils étaient tout fiers en sortant d'ici.

—Oui, nous avons remarqué, dit Bob.

—Ah, les voilà, dit Pete en posant une feuille devant moi sur le bureau. Nous nous penchons dessus.

Demande = 100 pièces. Quota = 25 pièces / heure

12 h	13 h	14 h	15 h	16 h	17 h

```
                        19 [−6]
Pete          --19--  |    40 [−10]
                      |  --21--  |   68 [−7]
                              |  --28--  |   100 [0]
                                     |  --32--  |
```

Volume produit = 100 pièces.

−Vous n'avez fait que 19 pièces pendant la première heure, lui dis-je.

−Il nous a fallu un peu de temps pour nous organiser et un des gars est revenu de déjeuner avec un peu de retard. Mais à une heure, le manutentionnaire a emporté les 19 pièces pour que le robot puisse commencer.

−La deuxième heure, il vous manquait encore quatre pièces pour remplir le quota, dit Bob.

−D'accord, et alors? Regardez ce qui s'est passé entre deux heures et trois heures: nous avons dépassé le quota de trois pièces. Lorsque je me suis aperçu que nous avions encore du retard, j'ai dit à tous les gars qu'il était très important pour nous de sortir ces 100 pièces avant la fin de l'équipe.

−Et tout le monde a accéléré un peu, dis-je.

−Exactement. Nous avons rattrapé ainsi le retard que nous avions au départ.

−Et ils ont fait 32 pièces dans la dernière heure, dit Bob. Qu'en pensez-vous, Al?

−Allons voir ce que fait le robot.

À cinq heures cinq, le robot est encore en train de souder des sous-ensembles. Donovan tourne autour de lui comme un lion en cage. Fred s'approche de moi.

−Est-ce que le camion va attendre? lui demande Bob.

−J'ai posé la question au chauffeur, mais il m'a dit qu'il ne pouvait pas. Il doit passer dans d'autres usines et s'il nous attend, il sera en retard ce soir.

Bob se tourne vers la machine et l'invective.

−Mais qu'est-ce qu'il a, ce crétin de robot? Il a toutes les pièces qu'il lui faut!

Je lui frappe sur l'épaule et lui montre la feuille de papier sur laquelle Fred a noté le débit du robot. De la poche de ma chemise, je retire la feuille établie par Pete et la plie en deux pour que nous puissions comparer les deux morceaux de papier.

−Voyez-vous, Bob, pendant la première heure, les ouvriers de Pete ont sorti 19 pièces. Le robot était capable d'en souder 25, mais Pete lui en a apporté moins, donc la capacité réelle du robot pour cette heure a été de 19 pièces.

−Même chose pour la deuxième heure, intervient Fred. Pete a

livré 21 pièces, le robot ne pouvait pas en faire plus.

–Chaque fois que l'atelier de Pete a pris du retard, cela s'est transmis au robot. Mais lorsque Pete a sorti 28 pièces, le robot ne pouvait toujours en faire que 25. En d'autres termes, lorsque le dernier lot de 32 pièces est arrivé à quatre heures, il restait encore 3 pièces à souder du lot précédent. Le robot ne pouvait donc pas commencer immédiatement sur le dernier lot.

```
          Demande = 100 pièces. Quota = 25 pièces/heure

          12 h      13 h      14 h      15 h      16 h      17 h


                          19 [–6]
  Pete            --19--  |       40 [–10]
                         |   --21--  |     68 [–7]
                               |   --28--  |     100 [0]
                                     |   --32--  |


                          19 [–6]
  Robot                  --19--  |      40 [–10]
                                |  --21--  |     65 [–10]
                                     |  --25--  |     90 [–10]
                                           |  --25--  |
  Volume produit = 90 pièces
```

–D'accord, j'ai compris maintenant, dit Bob.

–Vous savez, souligne Fred, Pete n'a jamais eu que 10 pièces de retard. C'est drôle, mais c'est exactement le nombre de pièces qu'il nous a manqué en fin de compte.

–C'est la conséquence du principe mathématique que j'essayais d'expliquer ce matin, dis-je. L'écart maximal d'une opération qui en précède une autre devient le point de départ de celle qui la suit.

Bob sort son portefeuille.

–Je crois bien que c'est moi qui vous dois 10 $, grommelle-t-il.

–Donnez-les plutôt à Pete pour qu'il paie un café ou un verre à ses gars, pour les remercier de l'effort qu'ils ont fait cet après-midi.

–C'est une bonne idée, dit Bob. Je suis désolé que nous n'ayons pas pu expédier aujourd'hui et j'espère que cela ne nous attirera pas d'ennuis.

–De toute façon, c'est trop tard pour nous faire du souci. Le côté positif de la chose, c'est que nous avons appris quelque chose aujourd'hui et je crois qu'il va falloir que nous révisions sérieusement notre système de primes dans cette usine.

–Pourquoi cela? demande Bob.

–Vous ne voyez pas? Le fait que Pete ait sorti ses 100 pièces n'a servi à rien puisque nous n'avons pas pu expédier quand même. Mais Pete et ses gars croient qu'ils ont réussi un exploit. Hier encore, nous l'aurions pensé aussi. Mais c'est faux.

CHAPITRE 18

Lorsque j'arrive à la maison, ce soir-là, les deux gosses m'accueillent à la porte. Ma mère est dans le fond, et un nuage de vapeur s'échappe de la cuisine. Je suppose qu'elle s'occupe du dîner et qu'elle maîtrise la situation. Sharon lève vers moi un visage illuminé.

—Tu sais quoi? me demande-t-elle.

—Aucune idée.

—Maman a appelé!

—Ah?

Je jette un coup d'œil à ma mère. Elle hoche la tête.

—C'est Davey qui a répondu, poursuit Sharon. Moi, je ne lui ai pas parlé.

Je regarde Sharon.

—Et qu'est-ce qu'a dit maman?

—Elle a dit qu'elle nous aimait, Davey et moi.

—Et aussi qu'elle serait absente pendant un moment, ajoute Davey. Mais qu'il ne fallait pas qu'on s'inquiète pour elle.

—Est-ce qu'elle a dit quand elle reviendrait?

—Je lui ai demandé, dit Davey, mais elle m'a dit qu'elle ne

savait pas encore.

—As-tu pris le numéro de téléphone où je pourrai la rappeler?

Il baisse les yeux.

—David! Tu devais lui demander le numéro si elle appelait!

Il bredouille:

—Je l'ai fait, mais... elle n'a pas voulu me le donner.

—Ah!

—Désolé, papa.

—Ça ne fait rien, Dave. Merci d'avoir essayé.

—Allez! Tout le monde à table! claironne ma mère avec entrain.

Cette fois, le dîner est plus animé. Ma mère bavarde et fait de son mieux pour égayer l'atmosphère. Elle nous raconte des histoires du temps de la Dépression de 1929, et nous dit que nous avons beaucoup de chance d'avoir de quoi manger.

Le mardi matin est un peu plus serein. Avec l'aide de ma mère, j'arrive à amener les enfants à l'école et à être à l'usine à l'heure. À huit heures trente, Bob, Stacey, Lou et Ralph sont dans mon bureau et nous discutons des événements de la journée d'hier. Je les trouve beaucoup plus attentifs aujourd'hui. Peut-être parce que la démonstration a été faite devant leurs yeux, pour ainsi dire.

—Nous affrontons tous les jours cette combinaison de dépendance et de fluctuations, leur dis-je. Je crois que c'est ce qui explique pourquoi nous avons tant de commandes en retard.

Lou et Ralph examinent les deux tableaux que nous avons établis hier.

—Que se serait-il passé si la deuxième opération avait dû être faite par des gens et non par un robot? demande Lou.

—Nous aurions eu un autre ensemble de fluctuations aléatoires pour compliquer encore la situation, dis-je. N'oubliez pas que, dans ce cas, il n'y avait que deux opérations. Vous pouvez imaginer ce qui se passe lorsque la dépendance s'étend à 10 ou 15 opérations, chacune avec ses propres facteurs de fluctuation, pour fabriquer une seule pièce. Et il en faut des centaines pour fabriquer certains de nos produits.

Stacey est perplexe.

—Alors, comment pouvons-nous arriver à contrôler ce qui se

passe dans les ateliers? demande-t-elle.

–C'est là que le bât blesse. Comment parvenir à contrôler les 50 000, voire les 50 000 000 de variables qui entrent en jeu dans cette usine?

–Il faudrait que nous achetions un nouvel ordinateur uniquement pour en faire le suivi, dit Ralph.

Je lui réponds qu'une nouvelle machine ne nous sauverait pas. L'informatique, seule, ne nous donnera pas un meilleur contrôle.

–Alors, des délais plus longs? demande Bob.

–Et vous croyez vraiment qu'un délai de livraison plus long nous aurait permis d'expédier cette commande à l'usine de Hilton Smyth? Depuis combien de temps avions-nous cette commande avant la crise d'hier?

Bob marche de long en large dans la pièce.

–Hé! Tout ce que je dis c'est que nous aurions un peu de marge pour rattraper les retards.

–Les délais de fabrication plus longs gonflent les stocks, Bob. Et ce n'est pas le but recherché, intervient Stacey.

–Je le sais, répond Bob. Je suis d'accord avec vous là-dessus. La raison pour laquelle j'ai parlé des délais est que je veux savoir ce que nous allons faire maintenant.

Tout le monde se tourne vers moi.

–Une chose au moins est claire pour moi, leur dis-je. Nous devons changer notre façon de penser en ce qui concerne la capacité de production. Nous ne pouvons pas mesurer la capacité d'une ressource de façon isolée. Sa véritable capacité de production dépend de son emplacement dans l'usine. En essayant d'équilibrer la capacité avec la demande pour limiter les dépenses, nous faisons fausse route. Ce n'est pas du tout ce que nous devrions essayer de faire.

–Mais c'est ce que tout le monde fait! s'exclame Bob.

–Je le sais. Ou en tout cas, c'est ce que tout le monde prétend faire. Mais nous avons maintenant la preuve que c'est idiot, dis-je.

–Mais comment font les autres industriels pour survivre? demande Lou.

Je lui dis que je me pose exactement la même question. En

fait, je crois que lorsqu'une usine approche de l'équilibre, grâce aux efforts d'ingénieurs et de responsables qui font pourtant l'inverse de ce qu'il faudrait faire, la crise n'est pas loin, et l'usine est très vite déséquilibrée par les déplacements d'ouvriers, les heures supplémentaires ou la réintégration d'une partie du personnel licencié. La nécessité de survivre bouscule les fausses notions établies.

–D'accord, mais qu'est-ce qu'on va faire? demande Bob. Nous ne pouvons pas embaucher sans l'accord de la division et notre politique interdit les heures supplémentaires.

–Il est peut-être temps de rappeler Jonah, suggère Stacey.

–Je crois que vous avez raison.

Il faut une demi-heure à Fran pour découvrir dans quelle partie du monde se trouve Jonah aujourd'hui, et une heure de plus avant de le joindre par téléphone. Dès que je l'ai au bout du fil, j'envoie une autre secrétaire trouver les personnes concernées et les rassembler dans mon bureau, afin que tout le monde puisse entendre Jonah lorsque je brancherai le haut-parleur du téléphone. Pendant qu'ils s'installent, je raconte à Jonah la balade avec Herbie qui m'a permis de comprendre ce qu'il m'avait expliqué. Je lui parle aussi de ce que nous avons appris sur les effets des deux phénomènes dans l'usine.

–Maintenant, dis-je, nous savons que nous ne devrions pas prendre chaque secteur individuellement et tenter de l'améliorer. C'est tout le système que nous devrions essayer d'optimiser. Certaines ressources doivent avoir une capacité plus grande que d'autres. Celles qui se trouvent en fin de chaîne devraient en avoir plus que celles qui sont au début, beaucoup plus, même, dans certains cas. C'est bien ça?

–Vous êtes sur la bonne voie, me répond Jonah.

–Bien. Je suis content de savoir que nous allons peut-être arriver à quelque chose, lui dis-je. Mais la raison pour laquelle j'appelle, c'est que nous voudrions savoir ce qu'il faut faire à partir de là.

–L'étape suivante, Alex, consiste à distinguer deux types de ressources dans votre usine. Il y a un type que j'appelle la ressource goulot, l'autre étant tout simplement une ressource non-goulot.

Je fais signe aux autres de prendre des notes.

—Un goulot, poursuit Jonah, c'est une ressource, n'importe laquelle, dont la capacité est égale ou inférieure à la demande correspondante. Et un non-goulot est une ressource dont la capacité est supérieure à la demande. Vous avez compris?

—D'accord, lui dis-je.

—Une fois que vous aurez fait la distinction entre ces deux types de ressources, vous commencerez à voir tout ce que cela implique.

—Mais, Jonah, que devient la demande du marché dans tout cela? interroge Stacey. Il y a forcément un rapport entre la demande et la capacité.

—Oui, mais comme vous le savez déjà, vous ne devriez pas chercher à équilibrer la capacité avec la demande. Par contre, vous devez équilibrer le flux de produits dans l'usine avec la demande du marché. En fait, c'est la première des neuf règles qui expriment les rapports entre les goulots et les non-goulots et indiquent comment vous devriez gérer votre usine. Alors, je vous le répète: équilibrez le flux et non les capacités.

Stacey a encore des doutes.

—Je ne suis pas sûre d'avoir bien compris, dit-elle. Où interviennent les goulots et les non-goulots?

—Laissez-moi vous poser une question, dit Jonah. Entre ces deux types de ressources, laquelle détermine la capacité effective de l'usine?

—Le goulot, bien sûr, répond Stacey.

—Exactement, dis-je. C'est comme ce garçon, Herbie, pendant la balade du week-end dernier. Ayant la plus faible capacité, c'est lui qui, en fait, a déterminé l'allure de tout le groupe.

—Alors? Où devriez-vous équilibrer le flux? demande Jonah.

—Ah, j'ai compris, s'exclame Stacey. L'idée, c'est de faire en sorte que le flux qui passe par le goulot soit égal à la demande du marché.

—En gros, c'est ça, dit Jonah. Dans la pratique, le flux devrait être très légèrement inférieur à la demande.

—Pourquoi? interroge Lou.

—Parce que s'il est égal à la demande et que celle-ci fléchit, vous perdez de l'argent, répond Jonah. Mais c'est une subtilité.

Le principe de base, c'est que le flux passant par le goulot doit être au même niveau que la demande.

Bob Donovan se manifeste par des bruits divers: il veut participer à la conversation.

—Excusez-moi, mais je pensais que les goulots étaient une mauvaise chose, dit-il. Il faudrait donc les éliminer chaque fois que c'est possible, n'est-ce pas?

—Non, les goulots ne sont pas nécessairement mauvais ou bons, répond Jonah. Ils existent, tout simplement. Ce que je suggère, c'est que là où ils se trouvent, vous vous en serviez pour régulariser le flux dans tout le système et l'orienter vers le marché.

Cela me paraît logique car je me suis moi-même servi d'Herbie pour contrôler mes scouts pendant la randonnée.

Jonah reprend:

—Il faut que je me dépêche; nous faisions une pause mais je dois maintenant aller poursuivre mon exposé.

—Jonah, lui dis-je, avant que vous raccrochiez...

—Oui?

—Quelle est notre prochaine étape?

—Eh bien, tout d'abord, avez-vous des goulots dans votre usine?

—Nous ne savons pas.

—Alors, voilà votre prochaine étape. Vous devez le déterminer, car cela change du tout au tout la façon dont vous gérez vos ressources.

—Comment trouvons-nous les goulots? demande Stacey.

—C'est très simple, mais il me faudrait quelques minutes pour vous l'expliquer. Écoutez, essayez de trouver cela tout seuls. C'est très facile si vous y réfléchissez bien.

—D'accord, mais...

—Je me sauve! Au revoir. Appelez-moi lorsque vous saurez si vous avez un goulot.

Il raccroche et la tonalité résonne dans toute la pièce.

—Et maintenant... que faisons-nous? demande Lou.

—Nous allons comparer toutes nos ressources à la demande du marché. Si nous en trouvons une pour laquelle la demande est supérieure à la capacité, nous saurons que nous avons un goulot.

–Que ferons-nous dans ce cas? demande Stacey.

–Je crois que la meilleure solution sera d'appliquer la méthode que j'ai utilisée avec la troupe de scouts, lui dis-je. Nous ajusterons la capacité de façon à ce que le goulot se trouve en tête du cycle de production.

–Une question, intervient Lou. Que se passera-t-il si notre ressource ayant la plus petite capacité a quand même une capacité supérieure à ce qu'exige la demande du marché?

–Dans ce cas, nous aurons une bouteille sans goulot.

–Mais il y aura toujours des limites, intervient Stacey. La bouteille aura toujours des parois, mais elles seront supérieures à la demande du marché.

–Et si c'est le cas? interroge Lou.

–Je ne sais pas. Commençons toujours par déterminer si nous avons un goulot.

–Essayons de trouver Herbie, dit Ralph. À condition qu'il soit dans les parages.

–C'est ça, dépêchons-nous, grommelle Bob que tout ce bavardage agace.

Quelques jours plus tard, la salle de conférences est littéralement remplie de papiers. La grande table est recouverte de dossiers et d'imprimés d'ordinateur. Dans un coin, un terminal a été installé; à côté de lui, une imprimante sort imperturbablement d'autres papiers. Les corbeilles à papier sont pleines à ras bords, comme les cendriers. Çà et là traînent des gobelets en plastique blanc, des pochettes de sucre vides, des serviettes en papier froissées et des paquets de biscuits ouverts. C'est là que nous avons établi notre quartier général pour rechercher Herbie. Nous ne l'avons pas encore trouvé, et nous commençons à être très fatigués.

Ralph Nakamura est assis à un bout de la grande table. Lui, ses informaticiens et la base de données qu'ils gèrent sont essentiels pour nos recherches.

En entrant dans la salle, je note l'air soucieux de Ralph. Il se passe à plusieurs reprises la main dans les cheveux.

–Il y a quelque chose qui ne va pas, dit-il à Stacey et Bob. Son visage s'éclaire en me voyant et il m'interpelle.

–Vous tombez bien! Savez-vous ce que nous venons de faire?

—Vous avez trouvé Herbie?

—Non, nous venons de passer plus de deux heures à calculer la demande pour des machines qui n'existent pas.

—Pourquoi avez-vous fait cela?

Ralph ouvre la bouche pour me répondre, mais Bob l'arrête et prend la parole:

—Un instant, un instant, un instant. Laissez-moi vous expliquer: ils sont tombés sur des gammes de fabrication où figuraient encore les vieilles machines que nous n'utilisons plus...

—Non seulement nous ne les utilisons plus, mais j'ai découvert que nous les avons vendues l'année dernière, l'interrompt Ralph.

—Tout le monde, dans l'atelier concerné, sait que ces machines ne sont plus là et ça n'a jamais été un problème, reprend Bob.

La question est réglée. Nous essayons de calculer la demande pour chaque ressource, chaque machine qui se trouve dans l'usine. Jonah a dit qu'un goulot est une ressource dont la capacité est égale ou inférieure à la demande du marché à laquelle elle doit répondre. Donc, pour déterminer si nous avons un goulot, il nous a semblé que la première chose à établir était la demande totale du marché pour les produits qui sortent de cette usine. Deuxièmement, nous devrons calculer combien de fois chaque ressource doit intervenir pour faire face à cette demande. Si le nombre d'heures de fabrication disponibles (déduction faite du temps consacré à la maintenance des machines, des pauses et du déjeuner pour les gens, etc.) pour la ressource est égal ou inférieur au nombre d'heures requises pour répondre à la demande, nous aurons trouvé Herbie.

Pour déterminer la demande totale du marché, il suffit de consulter des données que nous avons déjà: le carnet de commandes, les prévisions pour les produits nouveaux et pour les pièces détachées, soit l'ensemble des produits pour toute l'usine, y compris ce que nous «vendons» à d'autres usines et divisions dans le groupe.

Ceci fait, nous nous lançons dans le calcul des heures que chaque «centre de travail» doit fournir. Ce terme de centre de travail désigne un groupe de ressources identiques: 10 soudeurs avec les mêmes qualifications constituent une section homogène;

4 machines identiques en constituent une autre. Les 4 opérateurs qui règlent et commandent les machines encore une autre, etc. En divisant la charge totale en heures par le nombre d'heures disponibles d'une section, nous obtenons un pourcentage d'utilisation, une norme que nous pouvons utiliser pour faire des comparaisons.

Hier, par exemple, nous avons déterminé que la demande de produits moulés créait sur les presses une charge d'environ 260 heures par mois. La disponibilité de ces machines est approximativement de 280 heures par mois et par ressource. Autrement dit, nous avons une réserve de capacité sur ces machines.

Mais plus nous avançons, plus nous constatons que nos données sont loin d'être précises. Nous nous retrouvons avec des nomenclatures qui ne correspondent pas aux gammes de fabrication, des gammes de fabrication qui n'indiquent pas les temps d'usinage ou les machines appropriées, comme nous venons de le voir, etc.

—Le problème, dit Stacey, c'est que nous avons été tellement débordés que la mise à jour a été quelque peu négligée.

—Avec toutes les modifications techniques, les déplacements de personnel et tout le reste, comment voulez-vous qu'on y arrive? grommelle Bob.

Ralph secoue la tête.

—Revérifier et actualiser toutes les données qui concernent cette usine prendrait des mois!

—Ou des années, ajoute Bob.

Je me laisse tomber sur une chaise et ferme les yeux pendant un instant. Lorsque je les rouvre, tous les regards sont braqués sur moi.

—De toute évidence, nous n'aurons pas le temps de le faire. Nous ne disposons que de 10 semaines à partir d'aujourd'hui pour changer les choses avant que Peach ferme le couvercle. Je sais que nous sommes sur la bonne voie, mais nous tâtonnons encore. Nous devons admettre que nous n'aurons pas de données parfaites pour travailler.

—Alors, je me permets de vous rappeler le vieux dicton des informaticiens, intervient Ralph:«garbage in, garbage out[1]».

—Attendez une minute, Ralph. Nous sommes peut-être un peu

trop méthodiques. Analyser une base de données n'est pas la seule façon de trouver des réponses. Ne pouvons-nous imaginer une méthode plus rapide pour repérer le goulot, ou au moins déterminer ce qui peut en constituer un? Lorsque je repense au modèle des garçons sur la piste, j'ai tout de suite vu qui était le plus lent. Est-ce que quelqu'un a une idée de l'endroit où pourrait se trouver notre Herbie dans l'usine?

–Mais nous ne savons même pas s'il y en a un, dit Stacey.

Bob réfléchit, les sourcils froncés. Il ouvre la bouche comme pour dire quelque chose, hésite puis se lance.

–Écoutez, il y a plus de 20 ans que je travaille dans cette usine. Depuis le temps, j'ai appris à sentir d'où peuvent venir les problèmes. Je pense que je pourrais établir une liste des zones où nous risquons de manquer de capacité; au moins, cela réduirait le champ de nos recherches et nous permettrait peut-être de gagner un peu de temps.

Stacey se tourne vers lui.

–Bob, vous venez de me donner une idée: si nous demandons aux agents d'ordonnancement, ils pourront probablement nous dire quelles sont les pièces qui leur manquent le plus souvent et dans quels ateliers ils vont généralement les chercher.

–Et qu'est-ce que cela va nous apporter? demande Ralph.

–Les pièces dont on manque le plus souvent sont probablement celles qui passent dans un goulot, et l'atelier où les expéditeurs vont les chercher est probablement celui où nous trouverons notre Herbie.

Je me redresse.

–Cela paraît logique.

Je me lève et me mets à faire les cent pas.

–Moi aussi je viens d'avoir une idée. Sur la piste, je pouvais dire quels étaient les garçons les plus lents d'après les écarts dans la file: plus un garçon était lent, plus la distance entre lui et celui qui le précédait était grande. Pour reprendre l'analogie, ces écarts étaient les stocks.

Bob, Ralph et Stacey me regardent.

–Vous ne comprenez pas? Si nous avons effectivement un Herbie, il aura probablement un énorme tas d'en-cours devant lui.

–Peut-être, mais des énormes tas, comme vous dites, il y en a partout dans cette usine, intervient Bob.

—Alors, il faut que nous trouvions le plus important.

—Bien sûr! Ce sera un signe irréfutable, s'exclame Stacey.

Je me tourne vers Ralph et me demande ce qu'il en pense.

—Ça vaut le coup d'essayer. Lorsque vous aurez rétréci le champ de recherches à quelques postes de travail, il ne nous faudra pas longtemps pour comparer ceux que vous aurez trouvés avec les données que nous avons et avoir une certitude.

Bob se tourne vers Ralph et lui dit en plaisantant:

—Et Dieu sait si nous avons pu voir leur précision!

Mais Ralph, lui, ne plaisante pas. Il a l'air gêné.

—Hé! Je suis bien obligé de travailler avec ce que j'ai. Qu'est-ce que je peux faire d'autre?

—Écoutez, l'important c'est que nous puissions maintenant essayer une autre méthode. Alors ne perdons pas de temps à incriminer des données incorrectes. Au travail!

Relancés par la force des idées nouvelles, nous nous mettons au travail et nos recherches avancent rapidement... si rapidement, en fait, que lorsque nous trouvons enfin la réponse, je me demande si elle ne constitue pas un obstacle insurmontable.

—Et voilà! Je vous présente Herbie, dit Bob en nous désignant une machine d'un geste théâtral. La NCX-10.

—Vous êtes certain que c'est un goulot?

—Voilà la preuve.

Il me montre les piles d'en-cours qui attendent à côté de la machine; elles représentent des semaines de retard dans les commandes d'après le rapport que Ralph et Stacey m'ont remis il y a environ une heure.

—Nous avons parlé aux agents d'ordonnancement, reprend Bob. Ils disent qu'ils sont toujours en train d'attendre des pièces provenant de cette machine. Les contremaîtres disent la même chose. Quant au responsable de ce secteur, il s'est acheté une paire de bouchons d'oreilles en cire pour ne plus entendre les récriminations des uns et des autres.

—Mais la NCX-10 est censée être la plus efficace de nos machines.

—C'est exac:, dit Bob. C'est celle qui peut produire des pièces spéciales au meilleur coût et le plus vite.

–Alors pourquoi est-elle un goulot?

–C'est la seule de ce type que nous ayons.

J'attends ses explications.

–Cette machine n'a que deux ans environ. Avant de l'avoir, nous utilisions d'autres machines pour faire ce qu'elle fait. Mais la NCX-10 peut effectuer toutes les opérations qui nécessitaient avant trois machines différentes.

Bob m'explique qu'autrefois ils produisaient ces pièces en se servant des trois types de machines. Pour une pièce donnée, les temps d'usinage étaient d'environ 2 minutes dans la première machine, 8 minutes dans la deuxième et 4 minutes dans la troisième, soit un total de 14 minutes par pièce. Mais la nouvelle NCX-10 peut effectuer les 3 opérations en 10 minutes par pièce.

–Bob, vous êtes en train de me dire que nous économisons 4 minutes par pièce. Cela veut donc dire que nous produisons davantage de pièces à l'heure qu'autrefois! Comment se fait-il alors que cette machine ait autant d'en-cours?

–Avec l'ancienne méthode, nous avions davantage de machines: 2 du premier type, 5 du deuxième et 3 du troisième.

J'ai compris.

–Vous pouviez donc fabriquer davantage de pièces, même si cela prenait davantage de temps. Dans ce cas, pourquoi avons-nous acheté la NCX-10?

–Pour chacune des autres machines, il fallait un opérateur. Il ne faut que deux ouvriers pour faire les réglages de la NCX-10. Je vous l'ai dit, c'est celle qui nous coûte le moins cher pour produire ces pièces.

Je fais lentement le tour de la machine.

–Cet engin fonctionne 24 heures sur 24, n'est-ce pas?

–À vrai dire, c'est ce qu'elle fait de nouveau depuis aujourd'hui. Il nous a fallu quelques jours pour trouver un remplaçant à Tony, le régleur de la troisième équipe qui est parti.

–Ah oui, je me rappelle...

En mon for intérieur, je maudis Peach.

–Bob, combien de temps faut-il pour former un nouveau régleur sur cette machine?

–Environ six mois.

Je secoue la tête.

—C'est notre gros problème, Al. Nous formons quelqu'un et deux ans plus tard, il peut partir ailleurs où il est mieux payé. Avec ce que nous offrons, nous n'intéressons personne.

—Pourquoi les opérateurs de cette machine ne sont-ils pas mieux rémunérés?

—Le syndicat. Les autres ne seraient pas contents et le syndicat exigerait que nous augmentions tous les régleurs.

Je jette un dernier regard à la machine.

—Très bien. Au revoir, Herbie.

Mais ce n'est pas tout. Bob m'amène à l'autre bout de l'usine et me présente un deuxième Herbie: l'atelier de traitement thermique.

Cela ressemble davantage à l'idée que l'on peut se faire d'un Herbie industriel. C'est sale, laid, ennuyant... et indispensable.

Le traitement thermique n'exige qu'une paire de fours... grosses boîtes en acier compact avec un revêtement constitué de blocs de céramique réfractaire. Des brûleurs à gaz élèvent les températures internes à plus de 800° C...

Après l'usinage ou le travail à froid ou à des températures ordinaires, on ne peut plus rien faire sur certaines pièces tant qu'elles n'ont pas subi un traitement thermique. La plupart du temps, il faut détendre le métal, rendu très dur et friable pendant le traitement, pour pouvoir continuer à usiner les pièces.

Les opérateurs placent donc dans le four une certaine quantité de pièces, qui varie entre 12 et 200, puis le mettent en route et les pièces y restent entre 6 et 16 heures. Après cela, les pièces doivent refroidir hors du four, à la température ambiante. Cette opération nous fait perdre beaucoup de temps.

—Quel est le problème, dans ce cas? dis-je. Nous faudrait-il des fours plus gros?

—Oui et non. La plupart du temps, ces fours fonctionnent à moitié charge, répond Bob.

—Pourquoi cela?

—Apparemment, c'est la faute des agents d'ordonnancement. Ils sont toujours en train de demander qu'on leur traite une douzaine de pièces ou même moins pour qu'ils puissent terminer un montage et faire partir une commande. Il y a donc toujours un lot de pièces qui attend pendant que nous en traitons une poignée.

Pour cette opération, c'est un peu comme chez le coiffeur: on prend son tour et on attend.

–Donc, nous ne traitons pas des lots complets?

–Si, cela nous arrive. Mais parfois, même lorsque le lot est complet, il n'est pas suffisant pour remplir le four.

–Les lots sont trop petits?

–Ou trop grands, et dans ce cas il faut un deuxième cycle de traitement thermique pour les pièces qui n'ont pu être prises dans le premier. Il semble que nous n'arrivions jamais à accorder nos violons. Vous vous souvenez qu'il y a deux ans on avait envisagé d'installer un troisième four, à cause de ces problèmes.

–Qu'en est-il advenu?

–Le projet a avorté au niveau de la division. Il n'ont pas voulu débloquer les fonds à cause des mauvais rendements. Ils nous ont dit de nous servir de la capacité que nous avions. En plus, ils nous ont fait tout un laïus sur les économies d'énergie et sur le fait qu'un autre four consommerait deux fois plus, etc.

–Admettons. Mais si nous remplissions le four chaque fois, aurions-nous une capacité suffisante pour faire face à la demande?

Bob sourit.

–Je ne sais pas. Nous n'avons jamais essayé.

J'avais pensé que je pourrais appliquer à l'usine ce que j'avais fait avec les garçons sur la piste. Selon moi, la meilleure solution était de tout réorganiser de façon à ce que la ressource ayant la plus faible capacité soit en première position dans les procédés. La capacité de toutes les autres ressources aurait progressivement augmenté pour compenser les fluctuations aléatoires répercutées par la dépendance des opérations les unes par rapport aux autres.

Lorsque nous nous retrouvons tous dans mon bureau, je me rends très vite compte que le plan que j'avais imaginé pour mettre en place une usine non équilibrée avec Herbie en première position dans le cycle de production ne peut pas être appliqué.

–Du point de vue de la production, c'est impossible, dit Stacey.

–Nous ne pouvons pas placer un goulot, et encore moins deux, en tête de cycle, ajoute Bob. L'ordre des opérations doit rester tel qu'il est et nous ne pouvons rien faire à ce point de vue.

Je m'en suis déjà rendu compte.

—Nous sommes pris dans un ensemble d'événements dépendants, dit Lou.

En les écoutant, j'ai le sentiment que tout le travail et toute l'énergie que nous avons consacrés à analyser nos problèmes ont été inutiles. Mais je ne veux pas me laisser aller au découragement.

—D'accord, si nous ne pouvons rien faire pour changer leur position dans le cycle, nous pouvons peut-être accroître leur capacité et les transformer en non-goulots.

—Comment résoudrez-vous le problème de l'augmentation de capacité de l'ensemble du système? interroge Stacey.

—Nous modifierons l'organisation... Nous réduirons la capacité au début du cycle de production et nous l'augmenterons progressivement à chaque opération jusqu'à la fin.

—Al, il ne s'agit pas simplement de déplacer des hommes. Comment pouvons-nous augmenter la capacité sans ajouter des machines? demande Bob. Et vous savez ce que cela coûte. Un autre four pour le traitement thermique et peut-être une deuxième machine à commande numérique... On parle de mégadollars!

Lou résume la situation.

—Le vrai problème, c'est que nous n'avons pas l'argent nécessaire. Si vous vous imaginez que nous pouvons demander à Peach d'augmenter la capacité d'une usine qui perd déjà de l'argent, alors que le groupe traverse l'une de ses plus mauvaises années... je me permets de vous dire, si vous me passez l'expression, que nous sommes complètement «capotés».

1. N.T.: «à données idiotes, résultats idiots».

CHAPITRE 19

Je dîne avec les enfants à la maison. Ma mère nous a préparé un bon repas et insiste pour que je mange mes petits pois.

—Maman, à mon âge je suis assez grand pour savoir si je dois ou non manger mes petits pois.

Je l'ai vexée.

—Désolé, maman, je ne suis pas dans mon assiette ce soir.

—Tu as des soucis, papa? demande Davey.

—Eh bien... C'est un peu compliqué. Finissons vite de dîner, il faut que je parte à l'aéroport dans quelques minutes.

—Tu pars en voyage? interroge Sharon.

—Non, je vais simplement chercher quelqu'un.

—Maman?

—Non, malheureusement.

—Alex, dis à tes enfants ce qui te préoccupe, intervient ma mère. Cela les concerne aussi.

Je regarde les enfants. Ma mère a raison.

—Nous avons découvert à l'usine des problèmes que nous n'arriverons peut-être pas à résoudre.

—Et le monsieur que tu as appelé? Tu ne peux pas lui en

parler?

—Jonah? C'est lui que je vais chercher à l'aéroport, mais je ne suis pas certain qu'il pourra nous aider.

Dave a l'air choqué.

—Tu veux dire que tout ce que nous avons appris pendant la randonnée, sur Herbie qui déterminait l'allure de toute la troupe et tout ça... c'était faux?

—Non, Dave, ce n'est pas faux. Le problème, c'est que nous avons découvert que nous avions deux Herbie à l'usine et qu'ils se trouvent justement là où il ne faudrait pas qu'ils soient. Imagine que nous n'ayons pas pu modifier l'ordre des garçons sur la piste, que Herbie ait eu un frère jumeau et qu'ils aient été tous les deux au milieu de la file. Ils bloquent tout le monde et nous ne pouvons pas les déplacer. Nos deux Herbie de l'usine ont des piles et des piles de pièces en cours devant eux et nous ne savons pas quoi faire.

—C'est simple, dit ma mère. S'ils ne peuvent pas faire le travail, il faut vous en débarrasser.

—Il ne s'agit pas de gens, mais de machines. Nous ne pouvons pas licencier des machines. Par ailleurs, le travail qu'elles font est indispensable; sans elles, il serait impossible de fabriquer la plupart de nos produits.

—Alors, pourquoi est-ce que tu ne les fais pas aller plus vite? demande Sharon.

—Elle a raison, papa, s'exclame Davey. Tu te souviens de ce qui s'est passé pendant la randonnée quand tu as pris son sac à dos à Herbie? Tu pourrais peut-être faire quelque chose comme ça à l'usine.

—Peut-être, mais ce n'est pas aussi simple.

—Alex, je sais que tu feras pour le mieux. Si ces deux machines bloquent tout le reste, il faut que tu les surveilles pour empêcher qu'elles fassent perdre encore plus de temps.

—Merci du conseil, maman. Il faut que j'y aille maintenant. Ne m'attends pas, je te verrai demain matin.

J'attends la sortie de Jonah, dont l'avion vient de se poser. Je lui ai parlé à Boston cet après-midi au moment où il partait pour Los Angeles. Je lui ai dit combien nous lui étions reconnaissants de ses conseils, mais que la situation nous semblait impossible à modifier à l'usine.

–Alex, comment savez-vous si c'est impossible?

–Il ne nous reste que deux mois avant que mon patron recommande la fermeture de l'usine au conseil d'administration. Si nous avions un peu plus de temps, nous pourrions peut-être faire quelque chose mais avec deux mois seulement...

–Deux mois sont suffisants pour commencer à apporter des améliorations, mais il faut que vous appreniez à gérer votre usine en fonction de ses contraintes.

–Jonah, nous avons analysé la situation dans le plus petit détail...

–Alex, il n'y a que deux raisons pour lesquelles les idées que je vous ai exposées pourraient ne pas fonctionner: la première, c'est l'absence de demande pour les produits que vous fabriquez.

–Nous avons une demande, mais elle baisse à mesure que nos prix augmentent et que le service se détériore. Mais nous avons encore un carnet de commandes bien rempli.

–La deuxième raison, c'est que je ne peux rien pour vous si vous n'êtes pas décidés à changer. Avez-vous pris la décision de ne rien faire et de laisser fermer l'usine?

–Pas du tout, mais nous ne voyons aucune autre possibilité!

–Très bien: avez-vous essayé de soulager les goulots en utilisant d'autres ressources?

–Vous voulez dire réduire leur charge de travail? Nous ne pouvons pas, ce sont les deux seules ressources de ce type que nous ayons.

Après un long moment de silence, il avait repris:

–Encore une question, Alex: est-ce qu'il y a un aéroport à Bearington?

C'est pourquoi je suis ici en train d'attendre Jonah. Il a modifié son vol vers Los Angeles de façon à passer quelques heures à Bearington ce soir. Je l'aperçois qui franchit la porte n° 2. Je m'approche de lui et lui serre la main.

–Avez-vous fait bon voyage?

–Avez-vous jamais voyagé dans une boîte à sardines? Enfin, ne nous plaignons pas, je suis encore en vie.

–Je vous remercie d'être venu, Jonah. Je vous suis reconnaissant d'avoir modifié votre programme, mais je ne suis toujours pas convaincu que vous puissiez nous aider.

–Alex, le fait d'avoir un goulot...

–Deux goulots.

–Le fait d'avoir deux goulots ne veut pas dire que vous ne pouvez pas gagner de l'argent. En fait, c'est même le contraire. La plupart des usines n'ont pas de goulot. Elles ont un énorme excédent de capacité. Elles devraient avoir des goulots pour chaque pièce qu'elles produisent.

Je suis déconcerté.

–Vous me comprendrez plus tard. Pour l'instant, je veux que vous me donniez le plus d'informations possible sur votre usine.

Pendant le trajet entre l'aéroport et l'usine, je lui expose en détail tous nos problèmes. Lorsque nous arrivons à l'usine, je gare la Buick devant les bureaux. À l'intérieur, Bob, Lou, Stacey et Ralph nous attendent. Ils sont debout devant le bureau de la réceptionniste. Tout en faisant les présentations, je sens que mes collaborateurs attendent de voir si ce fameux Jonah – il ne ressemble pas du tout à l'idée qu'ils se faisaient d'un consultant – sait véritablement ce qu'il fait. Jonah entre directement dans le vif du sujet.

–Alex m'a appelé aujourd'hui parce que les goulots que vous avez découverts dans votre usine vous posent un problème. En fait, vous affrontez une combinaison de plusieurs problèmes. Mais commençons par le début: d'après ce que m'a dit Alex, votre besoin le plus immédiat est d'augmenter le produit des ventes et d'améliorer votre trésorerie. Correct?

–Ça nous aiderait beaucoup, dit Lou. Comment, à votre avis, pouvons-nous y parvenir?

–Vos goulots ne maintiennent pas un flux suffisant pour faire face à la demande et produire des bénéfices. Il n'y a donc qu'une chose à faire: trouver plus de capacité.

–Mais nous n'avons pas d'argent pour cela, objecte Lou.

–Ni le temps pour l'installer, intervient Bob.

–Je ne parle pas d'augmenter la capacité d'un bout de l'usine à l'autre. Il vous suffit d'accroître simplement celle des goulots.

–Vous voulez dire pour en faire des non-goulots? Demande Stacey.

–Non, aucunement. Les goulots restent des goulots, mais

nous devons trouver suffisamment de capacité pour qu'ils répondent mieux à la demande.

–Et où allons-nous la trouver? demande Bob. Je suppose que cette capacité se trouve déjà dans l'usine?

–Certainement. Si vous êtes comme la plupart des autres usines, vous avez une capacité que vous ne *voyez pas* parce qu'une partie de votre raisonnement est incorrecte. Je suggère que nous allions tout d'abord dans les ateliers et que nous voyions exactement comment vous gérez vos deux goulots.

–Pourquoi pas? De toute façon, nos visiteurs n'échappent jamais à la tournée des installations.

Nous nous munissons tous les six de casques et de lunettes et entrons dans l'usine. Jonah et moi marchons devant. La deuxième équipe a presque fini son tour et les ateliers sont plus calmes que pendant la journée. Heureusement, car cela nous permet de parler sans hurler. J'indique à Jonah les différentes étapes de la production à mesure que nous progressons. Je remarque qu'il note les piles d'en-cours qui attendent près des machines. J'essaie de presser le pas.

–Et voici notre machine à commande numérique NCX-10, lui dis-je en arrivant devant l'énorme engin.

–Et votre goulot, c'est elle, n'est-ce pas?

–C'est l'un des deux.

–Pouvez-vous me dire pourquoi elle ne fonctionne pas en ce moment?

Il a raison, la NCX-10 est arrêtée.

–Bonne question. Bob, pourquoi la NCX-10 ne marche-t-elle pas?

Bob jette un coup d'œil à sa montre.

–Probablement parce que les régleurs sont en train de prendre leur demi-heure de pause. Ils devraient être de retour dans environ 20 minutes.

–Nos accords avec le syndicat stipulent que les ouvriers doivent faire une pause d'une demi-heure toutes les quatre heures.

–Mais pourquoi font-ils leur pause maintenant plutôt que lorsque la machine fonctionne?

C'est Bob qui répond.

—Parce qu'il était huit heures et que...

Jonah lève la main et l'interrompt.

—Attendez un instant: pour n'importe quelle machine non-goulot dans votre usine, pas de problème. En effet, toute machine qui ne constitue pas un goulot devrait être inactive pendant un certain laps de temps. Donc, l'heure à laquelle les opérateurs font la pause n'a aucune importance. Mais pour une machine goulot, c'est exactement l'inverse.

Il pointe le doigt sur la NCX-10 et poursuit:

—Avec cette machine, vous disposez seulement d'un certain nombre d'heures pour produire; combien... 600, 700 heures?

—Environ 585 heures par mois, dit Ralph.

—Quel que soit ce nombre, la demande est encore plus grande. Si vous perdez une de ces heures, ou même la moitié, vous ne la rattraperez jamais. Nulle part ailleurs dans le système vous ne pourrez rattraper le retard. Le produit des ventes pour l'ensemble de l'usine sera amputé du volume que le goulot produit pendant ce temps. À mon avis, la pause du déjeuner vous revient vraiment très cher!

—Mais nous devons tenir compte du syndicat, dit Bob.

—Parlez-leur. Ils sont concernés par ce qui se passe dans cette usine. Ils ne sont pas idiots, mais il faut que vous leur fassiez comprendre la situation.

Plus facile à dire qu'à faire, me dis-je. Mais d'un autre côté...

Jonah fait le tour de la NCX-10 et examine en même temps les autres machines. Il revient vers nous.

—Vous m'avez dit que c'était la seule machine de ce type dans toute l'usine. Mais elle est relativement neuve. Où sont les vieilles machines qu'elle a remplacées? Vous les avez toujours?

Bob n'en est pas très sûr.

—Il nous en reste quelques-unes. Les autres, nous nous en sommes débarrassés, c'étaient de vraies antiquités.

—Est-ce qu'il vous reste au moins un exemplaire de chacune des trois machines qui faisaient autrefois ce que cette X machin truc enfin, cet engin fait?

Lou s'approche, interloqué.

—Excusez-moi, mais vous n'êtes quand même pas en train de suggérer que nous utilisions de vieilles machines, n'est-ce pas?

−Si elles sont encore opérationnelles, certainement.

−Je ne suis pas certain de l'incidence que cela aurait sur le profil de nos coûts, mais je dois vous dire que ces vieilles machines vont nous coûter beaucoup plus cher.

−Nous nous occuperons de cela plus tard. D'abord, je veux savoir si vous les avez ou si vous ne les avez pas.

Seul Bob peut répondre, et il rit doucement.

−Désolé de vous décevoir, mais nous nous sommes débarrassés de toutes les machines dont nous aurions besoin pour aider la NCX-10.

−C'est malin! Et pourquoi? dis-je, irrité.

−Nous avions besoin de capacité de stockage supplémentaire.

−Oh!

−À l'époque, l'idée semblait bonne, dit Stacey.

Tout en parlant, nous sommes arrivés devant les fours de traitement thermique.

Jonah commence par regarder les piles de pièces et demande:

−Vous êtes certains que toutes ces pièces doivent subir un traitement thermique?

−Absolument certain, répond Bob.

−N'est-il pas possible de rectifier quelque chose dans le cycle en amont de cet atelier pour éviter d'avoir à traiter au moins une partie de ces pièces?

Je réfléchis un instant.

−Il faudrait que je consulte les ingénieurs, dis-je enfin.

Bob lève les yeux au ciel.

−Qu'y a-t-il? lui dis-je.

−Disons que nos amis ingénieurs ne sont pas aussi coopératifs qu'ils pourraient l'être. Ils n'aiment pas changer les spécifications. En général, ils nous rétorquent «faites ce que nous vous disons».

Je me tourne vers Jonah.

−Je crains qu'il ait raison. Même s'ils acceptent de coopérer, il leur faudra des semaines avant d'approuver la modification.

Jonah ne se décourage pas.

−Très bien, alors laissez-moi vous poser une question: y a-t-il un sous-traitant dans la région qui pourrait effectuer ce traitement pour votre compte?

–Oui, dit Stacey, mais nous adresser à eux augmenterait le coût unitaire des pièces.

Je vois sur le visage de Jonah qu'il commence à être agacé par nos objections systématiques. Il désigne du doigt une montagne de pièces.

–Combien d'argent représente ce tas?

Je ne sais pas, dit Lou... peut-être 10 ou 15 000 $.

–S'il s'agit d'un goulot, ce n'est pas de milliers de dollars qu'il faut parler. Réfléchissez encore. C'est infiniment plus que cela.

–Je peux vous sortir les dossiers si vous voulez, intervient Stacey, mais le coût ne sera pas beaucoup plus élevé que ce que Lou vient de dire. Au plus, nous devons avoir environ 20 000 $ en matières premières...

–Non, non. Je ne parle pas seulement du coût des matières premières. Combien de produits allez-vous vendre à vos clients dès que vous aurez traité ce tas de pièces?

Nous nous consultons mutuellement pendant un long moment.

–C'est difficile à dire, dit Bob.

–Nous ne sommes pas certains que toutes les pièces de cette pile se transformeraient en ventes immédiates, ajoute Stacey.

–Ah vraiment? Vous faites travailler vos goulots sur des pièces qui ne contribueront pas au produit des ventes? demande Jonah.

–Eh bien... dit Lou, certaines deviennent des pièces détachées et d'autres sont intégrées au stock de produits finis. Plus tard, cela deviendra des ventes.

–Plus tard, et, entre temps, combien de commandes en retard avez-vous?

Je lui explique qu'il nous arrive d'augmenter la taille des lots pour améliorer les rendements.

–Pouvez-vous m'expliquer comment cela améliore votre rendement?

Je rougis en me rappelant nos conversations précédentes.

–Ça ne fait rien, laissons cela pour l'instant. Occupons-nous strictement du produit des ventes. Je vais vous poser ma question différemment: combien de produits êtes-vous incapables d'expédier parce qu'il vous manque les pièces qui se trouvent dans ce tas?

Cela est plus facile à déterminer parce que nous connaissons notre carnet de commandes. Je lui en donne le montant en millions avec le pourcentage qui est bloqué en raison des pièces qui doivent passer par le goulot.

–Et si vous arriviez à écouler les pièces qui se trouvent dans ce tas, vous pourriez assembler et expédier le produit?

–Bien sûr, sans problème, dit Bob.

–Et quel est le prix de vente unitaire de vos produits?

–C'est variable, bien sûr, dit Lou, mais en moyenne à peu près 1 000 $.

–Dans ce cas, nous ne parlons pas de 10, ou de 15, ou même de 20 000 $ ici. Combien y a-t-il de pièces dans ce tas?

–Peut-être 1 000, dit Stacey.

–Et à chacune de ces pièces correspond un produit que vous pouvez expédier?

–En général, oui.

–Et chaque produit que vous expédiez représente 1 000 $? Alors, 1 000 produits multipliés par 1 000 $, combien d'argent cela représente-t-il?

Avec un bel ensemble, tous les regards se tournent vers la montagne de pièces.

–Euh... 1 000 000 $, dis-je, effaré.

–À une condition: que vous soumettiez ces pièces au traitement thermique et que vous les expédiiez sous forme de produits finis avant que vos clients ne se fatiguent d'attendre et ne s'adressent ailleurs, souligne Jonah.

Du regard, il fait le tour de notre petit groupe.

–Pouvez-vous vous permettre d'éliminer une seule possibilité, surtout si, pour la mettre en œuvre, vous n'avez qu'un changement de politique à faire?

Personne ne dit mot.

–Je vous en dirai un petit peu plus dans un moment sur la façon d'analyser les coûts. Mais avant cela, dites-moi où se fait le contrôle de qualité des pièces qui sortent du goulot.

Je lui explique que la plupart des vérifications sont effectuées avant l'assemblage final.

–Montrez-moi.

Nous arrivons dans la zone où nous effectuons le contrôle de qualité. Jonah demande où sont les pièces qui sont rejetées en sortant du goulot. Immédiatement, Bob désigne une palette sur laquelle sont empilées des pièces d'acier brillantes. Une fiche rose, au sommet de la pile, indique que le contrôle de qualité, le C.Q., les a refusées. Bob prend la pochette contenant les fiches techniques des pièces et les feuillette.

–Je ne sais pas ce qui ne va pas avec ces pièces, mais elles ont certainement un défaut.

–Est-ce qu'elles sont passées dans un goulot? demande Jonah.

–Oui.

–Est-ce que vous comprenez les conséquences du refus du C.Q.?

–Il va falloir que nous mettions environ une centaine de pièces à la ferraille.

–Non, ce n'est pas ça. Il s'agit de pièces qui arrivent d'un goulot.

Je comprends ce qu'il veut dire.

–Nous avons perdu le temps de travail du goulot.

–Exactement! Et qu'est-ce que cela signifie? Une perte dans le produit des ventes.

–Vous ne voulez quand même pas dire que nous devrions ignorer la qualité, s'offusque Bob.

–Absolument pas. Vous ne pouvez pas gagner de l'argent sans un produit de qualité, mais je vous suggère d'utiliser le contrôle d'une façon différente.

–Croyez-vous que nous devrions le faire avant que les pièces arrivent au goulot?

–Bien vu, Alex. Faites en sorte que le goulot ne travaille que sur des pièces parfaites en éliminant celles qui sont défectueuses. Si vous rejetez une pièce avant qu'elle atteigne le goulot, vous ne perdez que cette pièce. Mais si vous la rejetez après qu'elle est passée par le goulot, vous avez perdu du temps que vous ne pouvez plus rattraper.

–Et si les pièces deviennent non conformes après être passées dans le goulot? demande Stacey.

—C'est un autre aspect de la même idée: il faut vous assurer que les contrôles effectués sur les pièces qui passent dans le goulot sont bons, de façon à ce que ces pièces ne deviennent pas défectueuses au cours des autres opérations. Vous me suivez?

—Une question, intervient Bob: où trouvons-nous les contrôleurs?

—Pourquoi n'affectez-vous pas aux goulots ceux que vous avez déjà?

—C'est une chose que nous pouvons envisager, dis-je.

—Très bien. Nous pouvons retourner au bureau.

Nous reprenons notre place autour de la table dans la salle de conférences.

—Je veux être absolument certain que vous comprenez l'importance des goulots, commence Jonah. Chaque fois qu'un goulot finit une pièce, vous avez la possibilité d'expédier un produit fini. Qu'est-ce que cela représente au point de vue des ventes?

—Environ 1 000 $ par produit, dit Lou.

—Vous vous demandez si cela vaut la peine de dépenser quelques dollars de plus aux goulots pour les rendre plus productifs? Connaissez-vous le coût horaire d'une machine, n'importe laquelle?

Lou répond immédiatement.

—32,50 $.

—Et le traitement thermique?

—21 $.

—Les deux montants sont incorrects, affirme Jonah.

—Mais les données de coût que...

—Les chiffres sont faux non pas parce que vous avez fait une erreur de calcul mais parce que les coûts ont été établis comme si ces centres de travail fonctionnaient de façon isolée. Laissez-moi vous expliquer: lorsque j'étais professeur de physique, de temps en temps des gens venaient me voir avec des problèmes de mathématiques qu'ils ne pouvaient résoudre. Ils voulaient que je contrôle leurs calculs. Mais après un certain temps, je me suis aperçu que je perdais mon temps à vérifier les chiffres, parce qu'ils étaient presque toujours exacts. Toutefois, si je vérifiais les *hypothèses de travail*, elles étaient pratiquement toujours erronées.

Jonah tire un cigare de sa poche et l'allume.

—C'est ce qui se passe ici. Vous avez calculé le coût de fonctionnement de ces deux centres de travail selon les procédures comptables habituelles... sans tenir compte du fait que toutes deux constituaient des goulots.

—Comment cela modifie-t-il leur coût? demande Lou.

—Je vous ai démontré que la capacité de l'usine est égale à la capacité de ces goulots. Ce que les goulots produisent en une heure est l'équivalent de ce que l'usine produit en une heure. Donc... une heure perdue aux goulots est une heure perdue pour l'ensemble du système.

—D'accord, nous avons compris, dit Lou.

—Dans ces conditions, combien cela vous coûterait-il si toute l'usine était inactive pendant une heure?

—Je ne peux pas dire avec précision, mais certainement très cher.

—Dites-moi quelque chose, Lou: quel est le montant des dépenses de fonctionnement de votre usine pour un mois?

—Aux environs de 1 600 000 $.

—Prenons votre machine X comme exemple: quel est le nombre d'heures de production de chaque machine par mois?

—Plus ou moins 585 heures, intervient Ralph.

—Le coût réel d'un goulot est le montant total des dépenses du système divisé par le nombre d'heures pendant lesquelles le goulot produit. Combien cela fait-il?

Lou sort sa calculatrice et pianote un instant sur les touches.

—2 735 $. Eh, attendez une minute. Ce n'est pas possible!

—Si, c'est possible. Si vos goulots ne travaillent pas, vous ne perdez pas que 32 $ ou 21 $. Le coût réel, c'est celui d'une heure de travail de l'ensemble du système, et cela représente 2 735 $!

Lou en reste sans voix.

—Cela change beaucoup la façon de voir les choses, dit Stacey.

—Certainement. Et sur cette base, comment optimiser l'utilisation des goulots? Vous devez vous concentrer sur deux aspects importants... Premièrement, faire en sorte de ne pas gaspiller le temps des goulots. Comment peut-il l'être? Par exemple, s'il est inactif pendant la pause du déjeuner; ou alors, s'il travaille sur des pièces qui sont défectueuses, ou qui le deviendront par la suite à cause de la négligence d'un ouvrier ou d'un mauvais contrôle de processus. Une autre façon de gaspiller le temps d'un goulot, c'est de le faire travailler sur des pièces dont vous n'avez pas besoin.

–Vous voulez dire des pièces détachées? demande Bob.

–Je veux dire tout ce qui n'entre pas dans la demande du moment. Que se passe-t-il lorsque vous accumulez aujourd'hui des stocks que vous ne vendrez pas avant plusieurs mois? Vous sacrifiez de l'argent que vous avez pour de l'argent que vous aurez; le problème est de savoir si votre trésorerie peut le supporter. Dans votre cas, absolument pas.

–Il a raison, admet Lou.

–Deuxièmement, vous devez faire travailler les goulots uniquement sur ce qui contribuera au produit des ventes immédiat... et non pas dans neuf mois. C'est une façon d'accroître la capacité des goulots. Vous pouvez également accroître leur capacité en réduisant leur charge de travail et en la transférant à des ressources non-goulots.

–Comment?

–C'est pour cela que je vous ai posé toutes ces questions lorsque nous étions dans l'usine. Est-ce que toutes les pièces doivent passer par le goulot? Celles pour lesquelles ce n'est pas indispensable peuvent être transférées aux non-goulots. Vous gagnerez ainsi de la capacité sur vos goulots. Deuxième question: avez-vous d'autres machines qui peuvent faire la même opération? Dans ce cas, ou si vous avez un fournisseur qui a le matériel adéquat, vous pouvez soulager le goulot. Là encore, vous dégagez une capacité qui vous permet d'accroître le produit des ventes.

Le lendemain matin, je descends prendre mon petit déjeuner dans la cuisine. Ma mère pose devant moi une assiette remplie à ras bords de gruau fumant... dont j'ai une sainte horreur.

–Comment ça s'est passé hier soir? me demande-t-elle.

–Eh bien, les enfants et toi, vous aviez raison hier soir.

–C'est vrai! demande Dave.

–Il faut que nous nous arrangions pour que les Herbie aillent plus vite, et Jonah nous a indiqué plusieurs moyens d'y parvenir. Nous avons beaucoup appris.

–Voilà une bonne nouvelle, dit ma mère.

Elle se sert une tasse de café et s'assied à la table. Nous restons silencieux pendant un moment, puis je remarque que ma mère et les enfants se jettent de petits coups d'œil.

–Quelque chose qui ne va pas?

–Leur mère a appelé de nouveau la nuit dernière pendant que tu étais à l'usine.

Depuis qu'elle est partie, Julie appelle régulièrement les enfants, mais pour une raison qu'elle seule connaît, elle ne veut pas leur dire où elle se trouve. Je me demande si je ne devrais pas faire appel à un détective privé pour découvrir sa cachette.

–Sharon dit qu'elle a entendu quelque chose pendant qu'elle parlait à sa mère au téléphone.

Je regarde Sharon.

–Tu te souviens, papa, cette musique que grand-père écoute toujours?

–Tu veux dire grand-père Barnett?

–Oui. Tu sais, c'est la musique qui t'endort avec les... comment ça s'appelle?

–Des violons, dit Dave.

–C'est ça, les violons. Eh bien, pendant que maman me parlait, je les ai entendus au téléphone hier soir.

–Moi aussi, ajoute Dave.

–Vraiment? C'est très intéressant. Merci à tous les deux de l'avoir remarqué. J'appellerai peut-être grand-père et grand-mère Barnett aujourd'hui.

Je finis mon café et me lève.

–Alex, tu n'as même pas touché à ton gruau, me reproche ma mère.

Je me penche et l'embrasse.

–Désolé, maman, je suis en retard pour l'école! Je fais un clin d'œil aux enfants et me dépêche de prendre mon attaché-case.

–Ça ne fait rien. Je le mettrai de côté, tu l'auras demain matin.

CHAPITRE 20

Sur le chemin de l'usine, je passe devant le motel où Jonah a couché la nuit dernière. Il est parti depuis longtemps. Il avait un vol à six heures trente. Je lui ai proposé de l'amener à l'aéroport, mais (quelle chance!) il a refusé en me disant qu'il prendrait un taxi.

Dès que j'arrive au bureau, je demande à Fran de convoquer tout le monde pour une réunion. En les attendant, je commence à dresser la liste des actions recommandées par Jonah, mais la pensée de Julie m'obsède. Je ferme la porte de mon bureau et téléphone à ses parents.

Le lendemain du départ de Julie, ils m'avaient appelé pour me demander si j'avais des nouvelles. Depuis, ils n'ont plus donné signe de vie. Avant-hier, je les avais appelés à mon tour pour savoir si eux savaient quelque chose. Ada, la mère de Julie, m'avait affirmé qu'elle ignorait où se trouvait sa fille. Je ne l'avais crue qu'à moitié.

C'est de nouveau Ada qui répond.

—Bonjour, Ada, c'est Alex. Je voudrais parler à Julie.

—Euh... elle n'est pas ici, me répond-elle d'un ton très

embarrassé.

—Je sais qu'elle est là.

Je l'entends soupirer et j'insiste.

—Je sais qu'elle est là, je veux lui parler.

—Elle ne veut pas vous parler, Alex.

—Depuis combien de temps, Ada? Depuis combien de temps est-elle chez vous? Vous m'avez menti le dimanche où je vous ai appelée?

—Non, Alex, dit-elle d'un ton indigné. Nous n'avions aucune idée de l'endroit où elle se trouvait. Elle était avec son amie Jane, chez qui elle a passé quelques jours.

—C'est ça. Et lorsque je vous ai appelée l'autre jour?

—Julie m'avait demandé de ne pas dire où elle se trouvait. Elle veut être seule pendant quelque temps.

—Ada, il faut que je lui parle.

—Elle ne viendra pas au téléphone.

—Comment pouvez-vous le savoir tant que vous ne le lui avez pas demandé?

J'entends le bruit du combiné qu'elle pose sur la table. Un long silence au bout du fil, puis elle reprend:

—Elle vous fait dire qu'elle vous appellera lorsqu'elle sera prête.

—Qu'est-ce que cela veut dire?

—Si vous ne l'aviez pas négligée pendant toutes ces années, vous ne seriez pas dans cette situation.

—Ada...

—Au revoir, Alex.

Elle raccroche.

J'essaie de rappeler immédiatement mais personne ne répond. Après plusieurs tentatives infructueuses, je me force à me concentrer sur ma réunion.

À dix heures, tout le monde est dans mon bureau et nous nous mettons au travail.

—Je voudrais avoir votre avis sur ce que nous avons entendu hier soir. Lou, qu'en pensez-vous?

—Eh bien... J'ai eu du mal à admettre ce qu'il disait à propos de ce que nous coûte une heure perdue sur un goulot. En rentrant chez moi, j'y ai longuement réfléchi et, effectivement, nous nous sommes trompés dans nos calculs concernant les goulots.

—Ah bon?

—Seulement 80% de nos produits passent par les goulots, poursuit Lou en prenant une feuille de papier dans sa poche. Le coût réel est donc de 80% de nos dépenses de fonctionnement, ce qui représente 2 188 $ l'heure, et non 2 735 $.

—Vous avez sans doute raison.

—Néanmoins, je dois reconnaître qu'envisager la situation sous cet angle change beaucoup de choses.

—Tout à fait d'accord avec vous, Lou. Et vous autres, qu'en pensez-vous?

Ils me donnent leur avis tour à tour et, dans l'ensemble nous sommes tous d'accord. Pourtant, Bob semble hésitant sur certains des changements que, d'après Jonah, il conviendrait d'apporter. Ralph n'est pas tout à fait sûr de la façon dont nous pouvons les intégrer à l'usine. Stacey, par contre, est totalement convaincue.

—Je crois que c'est suffisamment logique pour qu'on prenne le risque de changer notre façon de travailler.

—Bien que tout ce qui est susceptible d'accroître nos dépenses de fonctionnement en ce moment me rende un peu nerveux, dit Lou, je suis d'accord avec Stacey. Comme Jonah l'a dit, nous courons peut-être un risque plus grand encore en suivant notre voie actuelle.

Bob lève sa grosse patte pour demander la parole.

—C'est bien beau, mais certaines des mesures recommandées par Jonah seront plus faciles et plus rapides à mettre en place que d'autres. Pourquoi ne commençons-nous pas tout de suite par les plus faciles, pour voir l'effet qu'elles ont pendant que nous mettons les autres au point?

—Cela me paraît raisonnable. Par quoi commenceriez-vous, Bob?

—Je crois que nous pourrions d'abord déplacer le point où intervient le contrôle de qualité, pour vérifier les pièces qui partent dans les goulots. Les autres mesures concernant ce contrôle prendront un peu de temps, mais nous pouvons mettre en place la vérification avant les goulots immédiatement, aujourd'hui même si vous voulez.

—Très bien. Et en ce qui concerne les nouvelles règles pour la pause du déjeuner?

–Le syndicat risque de se faire tirer l'oreille.

–Je crois qu'ils seront d'accord. Mettez au point les détails et je parlerai à O'Donnell.

Bob prend quelques notes. Je me lève et vais me placer devant le bureau pour donner plus d'importance à ce que je vais dire.

–Un des points que Jonah a soulevé hier soir me paraît fondamental: pourquoi ne faisons-nous pas travailler les goulots sur des stocks de pièces qui n'augmentent pas le produit des ventes?

Bob et Stacey se regardent.

–C'est une bonne question, dit-elle.

–Nous avons pris la décision...

–Je sais, Bob: nous avons décidé de gonfler les stocks pour maintenir les rendements. Mais notre problème, ce ne sont pas les rendements, ce sont toutes les commandes en retard qui crèvent les yeux des clients et des responsables de la division. Nous devons absolument faire quelque chose pour améliorer la ponctualité de nos livraisons, et Jonah nous a donné une idée de ce «quelque chose». Jusqu'à présent, nous avons ordonnancé les commandes en fonction de celui qui criait le plus fort. Désormais, les commandes en retard devront avoir la priorité sur les autres: une commande qui a deux semaines de retard aura la priorité sur celle qui n'a qu'une semaine de retard, et ainsi de suite.

–Nous avons déjà essayé cela dans le passé.

–C'est exact, Stacey, mais cette fois, nous allons faire en sorte que les *goulots* produisent les pièces destinées à ces commandes en retard, selon la même priorité.

–C'est une façon saine d'aborder le problème, Al, dit Bob. Et maintenant, comment nous y prenons-nous?

–Nous devons déterminer, parmi les lots de pièces en route vers les goulots, lesquels sont nécessaires pour les commandes en retard, et quels sont ceux qui vont simplement prendre le chemin d'un entrepôt. Nous allons procéder de la façon suivante: Ralph, je voudrais que vous dressiez une liste de toutes les commandes en retard. Classez-les par ordre de priorité en fonction du nombre de jours de retard. Quand pouvez-vous nous donner cela?

–Cela ne prendra pas beaucoup de temps, mais le problème c'est que nous avons à produire les états mensuels.

Je secoue la tête.

–Pour le moment, il n'y a rien de plus important que d'améliorer la productivité des goulots. Il nous faut cette liste aussitôt que possible, car dès que vous l'aurez, je voudrais que vous déterminiez avec Stacey et ses camarades du contrôle des stocks quelles sont les pièces qui doivent encore passer par l'un ou l'autre des goulots pour terminer ces commandes.

Je me tourne vers Stacey.

–Lorsque vous saurez quelles sont les pièces qui manquent, allez voir Bob et programmez les goulots pour qu'ils commencent à travailler sur celles qui sont destinées à la commande qui a le plus de retard, puis celle qui vient immédiatement après, dans l'ordre de priorité, etc.

–Et que faisons-nous au sujet des pièces qui ne passent par aucun des goulots? demande Bob.

–Pour le moment, nous ne nous en occupons pas. Nous considérerons que tout ce qui ne passe pas par un goulot est déjà en attente devant la chaîne de montage, ou y sera lorsque les pièces venant des goulots arriveront.

Bob hoche la tête.

–Tout le monde a bien compris? Rien d'autre n'a priorité sur ça. Nous ne pouvons pas nous permettre de prendre du recul et faire comme au siège où personne n'agit avant d'avoir réfléchi pendant six mois. Nous savons ce que nous avons à faire, alors au travail.

Ce soir-là, au lieu de rentrer directement à la maison, je prends la sortie de l'autoroute qui indique Forest Grove, où vivent les parents de Julie.

Je n'ai pas averti les Barnett de ma visite, et j'ai demandé à ma mère de ne rien dire aux enfants. Julie non plus n'est pas prévenue. J'en ai assez de ce jeu de cache-cache.

Je tourne dans une petite rue parfaitement entretenue qui serpente dans un quartier cossu et tranquille. Les maisons sont luxueuses et les pelouses immaculées. Les rues sont bordées d'arbres où commencent à pousser les premières feuilles. La lumière dorée du soleil couchant les fait paraître plus vertes.

Les Barnett habitent dans une maison de brique à deux étages, de style colonial, peinte en blanc. Les volets sont en aluminium et n'ont pas de gonds; ils ne sont pas fonctionnels mais bien dans le style de la maison. C'est là que Julie a grandi.

Je gare la Buick le long du trottoir, devant la maison.

Comme je m'y attendais, la voiture de Julie est stationnée devant le garage.

Avant que j'arrive, la porte d'entrée s'ouvre. La silhouette d'Ada Barnett se dresse devant moi.

—Bonjour, Ada.

—Je vous ai dit qu'elle ne voulait pas vous parler, Alex.

—Voudriez-vous au moins lui demander de venir? Après tout, c'est ma femme.

—Si vous voulez parler à Julie, passez par son avocat.

Elle a un geste pour refermer la porte.

—Ada, je ne partirai pas d'ici tant que je n'aurai pas parlé à votre fille.

—Cette maison nous appartient, et si vous ne partez pas, j'appelle la police.

—Alors, j'attendrai dans ma voiture. La rue, elle, ne vous appartient pas.

La porte claque. Je traverse la pelouse pour rejoindre ma voiture. Je m'y installe, et l'attente commence. De temps en temps, je vois les rideaux bouger légèrement derrière la fenêtre de la maison des Barnett. Trois quarts d'heure plus tard, il fait nuit et je commence à me demander combien de temps je vais devoir attendre là lorsque la porte s'ouvre.

Julie sort de la maison. Elle porte un jean, des tennis et un gros chandail. Sa tenue la fait paraître très jeune. Elle ressemble à une adolescente qui part à un rendez-vous avec un garçon en cachette de ses parents. Pendant qu'elle traverse la pelouse, je sors de la voiture. À trois mètres, elle s'arrête brusquement, comme si elle avait peur d'approcher davantage. Elle craint peut-être que je me saisisse d'elle, la traîne à ma voiture et, rapide comme le vent, ne l'emmène dans mon antre. Nous nous regardons. Je glisse mes mains dans mes poches.

Ne sachant trop quoi dire, je lui demande comment elle va.

—Si tu veux vraiment le savoir, très mal. Et toi?

—Inquiet à ton sujet.

Elle détourne les yeux. Je donne un coup de poing sur le toit de la Buick.

–Allons faire un tour.

–Non, je ne peux pas, dit-elle.

–Faisons quelques pas alors?

–Alex, dis-moi ce que tu veux et finissons-en.

–Je veux savoir pourquoi tu fais cela!

–Parce que je ne sais pas si j'ai envie que notre mariage continue, n'est-ce pas assez clair?

–Ne pouvons-nous pas en parler?

Elle ne répond pas.

–Allez, Julie, viens. Faisons quelques pas, juste le tour du pâté de maisons. À moins que tu tiennes absolument à donner aux voisins matière à cancaner.

Julie jette un regard aux maisons toutes proches et comprend que nous sommes en train de nous donner en spectacle. Maladroitement, elle fait un pas vers moi. Je lui tends la main. Elle ne la prend pas mais me rejoint et nous nous engageons sur le trottoir. Du coin de l'œil, je vois un rideau s'agiter furieusement derrière la fenêtre. Nous parcourons une centaine de mètres sans rien dire. Je romps enfin le silence.

–Julie, je suis désolé de ce qui s'est passé le week-end dernier. Mais que pouvais-je faire d'autre? J'avais promis à Dave...

–Ce n'est pas parce que tu es parti faire cette randonnée avec Dave. C'est simplement la goutte d'eau qui a fait déborder le vase. Brusquement, je n'ai pu en supporter davantage. Il fallait que je parte.

–Pourquoi ne m'as-tu pas au moins dit où tu étais?

–Alex, je suis partie pour pouvoir être seule.

–Tu... tu veux divorcer? dis-je d'un ton hésitant.

–Je ne sais pas encore.

–Quand le sauras-tu?

–Alex, je ne sais pas très bien où j'en suis. Je ne sais pas quoi faire. Je n'arrive pas à prendre une décision. Ma mère me dit une chose, mon père m'en dit une autre, et mes amis une troisième. Apparemment, tout le monde sait ce que je devrais faire, sauf moi.

–Tu es partie pour réfléchir et prendre une décision qui va

avoir des conséquences pour nous mais aussi pour nos enfants, et tu écoutes tout le monde, sauf les trois personnes dont la vie va être bouleversée si tu ne reviens pas.

–C'est une décision que je dois prendre seule, loin des pressions que tous les trois vous exercez sur moi.

–Je suggère seulement que nous parlions de ce qui te tracasse.

Elle a un soupir exaspéré.

–Al, nous en avons déjà parlé je ne sais combien de fois!

–Très bien. Alors, dis-moi au moins cela: y a-t-il un autre homme dans tout cela?

Julie s'arrête brusquement. Nous sommes arrivés au coin de la rue.

–Je n'irai pas plus loin avec toi, dit-elle d'un ton glacial.

Elle tourne les talons et s'éloigne. Je me lance à sa poursuite.

–Alors? Y a-t-il quelqu'un d'autre, oui ou non?

–Bien sûr que non! Crois-tu que je serais chez mes parents si c'était cela?

Un homme qui promène son chien se retourne et nous lance un regard curieux. Nous le dépassons dans un silence épais.

–Il fallait simplement que je sache, Julie.

–Si tu crois que j'aurais quitté mes enfants simplement pour avoir une aventure, tu me connais vraiment mal. C'est comme si j'avais reçu une gifle en plein visage.

–Julie, je suis désolé. Ce genre de choses arrive parfois et il fallait que je sois certain.

Elle ralentit. Je pose ma main sur son épaule mais elle la repousse.

–Al, il y a longtemps que je suis malheureuse et je vais te dire quelque chose. Je me sens coupable de ce sentiment. J'ai l'impression que je n'ai aucune raison de ne pas être heureuse, et pourtant je ne le suis pas.

Avec irritation, je vois que nous sommes revenus devant la maison de ses parents. Nous n'avons pas été assez loin. Ada fait le guet à la fenêtre. Julie et moi nous arrêtons et je m'appuie contre l'aile de la Buick.

–Pourquoi ne fais-tu pas ta valise et ne rentres-tu pas à la maison avec moi?

Elle secoue la tête en signe de dénégation avant même que

j'aie fini de parler.

–Non, je ne suis pas prête pour cela.

–Bon, d'accord. Le choix est le suivant: tu restes chez tes parents et nous divorçons, ou nous rentrons ensemble et nous luttons pour que notre mariage marche. Plus nous serons séparés, plus nous nous éloignerons l'un de l'autre et nous rapprocherons d'un divorce. Et si nous divorçons, tu sais ce qui va se passer, nous l'avons vu maintes fois avec nos amis. Est-ce vraiment ce que tu veux? Allez, Julie, rentre à la maison avec moi. Je te promets que je ferai un effort.

Elle secoue la tête.

–Je ne peux pas, Al. Tu m'as trop fait de promesses dans le passé.

–Alors, tu veux divorcer?

–Je t'ai déjà dit que je n'en savais rien!

–Bon. Je ne peux pas prendre la décision à ta place. Toi seule peux le faire. Mais je peux te dire au moins une chose: je veux que tu reviennes et je suis certain que les enfants le veulent aussi. Appelle-moi lorsque tu sauras ce que tu veux.

–C'est exactement ce que j'avais l'intention de faire, Al.

Je monte dans la Buick et lance le moteur. Baissant la vitre, je la regarde une dernière fois, debout sur le trottoir à côté de la voiture.

–Même si tu en doutes, je t'aime, Julie.

Mes mots l'émeuvent. Elle s'approche de la voiture et se penche par la fenêtre baissée de la portière. Je prends sa main pendant un moment. Elle m'embrasse. Puis sans un mot, elle se redresse et s'éloigne. À mi-chemin sur la pelouse, elle se met à courir. Je la regarde jusqu'à ce qu'elle ait franchi le seuil de la porte. Puis je secoue la tête et démarre.

CHAPITRE 21

J'arrive à la maison vers dix heures, très déprimé. Je fouille dans le réfrigérateur, à la recherche de quelque chose à grignoter, mais je dois me contenter de spaghettis froids et d'un reste de petits pois que je fais passer avec un verre de vodka.

Tout en mangeant, je me demande ce que je vais faire si Julie ne revient pas. Si je me retrouve célibataire, vais-je sortir avec d'autres femmes? Où pourrais-je en rencontrer? Dans les bars? Brusquement, je me vois accoudé au bar de l'Holiday Inn de Bearington, faisant le beau et essayant de lier connaissance avec des inconnues en leur demandant quel est leur signe! Est-ce *cela* ma vie? Est-ce que seulement ça marche comme ça? Est-ce que cela a jamais marché comme ça?

Ce n'est pas possible, je connais sûrement une femme que je pourrai inviter à sortir.

Pendant quelques minutes, je passe en revue toutes les femmes disponibles de ma connaissance. Mais qui voudrait sortir avec moi? Avec qui voudrais-je sortir? Il ne me faut pas longtemps avant d'épuiser la liste. Puis je pense à une femme. Me levant d'un bond, je vais jusqu'au téléphone et reste là à le regarder fixement pendant cinq minutes.

Je me décide enfin. Nerveusement, je fais le numéro. Je raccroche avant que la sonnerie ne se déclenche et me remets à tourner en rond. Oh, et puis après tout, pourquoi pas? Tout ce que je risque, c'est qu'elle dise non, n'est-ce pas? Je forme de nouveau le numéro. Ça sonne une dizaine de fois avant que quelqu'un réponde.

−Allô? C'est la voix de son père.

−Puis-je parler à Julie, s'il vous plaît?

−Un instant, dit-il après une petite pause.

−Allô?

−Bonsoir, c'est moi.

−Alex?

−Oui, écoute, je sais qu'il est tard, mais je voudrais te demander quelque chose.

−Si c'est à propos d'un divorce ou de mon retour...

−Non, non, non. Je me demandais simplement si, pendant que tu réfléchis, nous ne pourrions pas nous voir de temps en temps.

−Eh bien... pourquoi pas?

−Parfait. Que fais-tu samedi soir?

Il y a un instant de silence et j'imagine le sourire qui se forme sur ses lèvres.

−Es-tu en train de m'inviter à sortir? demande-t-elle d'un ton amusé.

−Exactement.

Long silence à l'autre bout du fil. J'insiste.

−Alors, est-ce que ça te plairait de sortir avec moi?

−Oui, beaucoup.

−Formidable. Alors je peux passer te chercher à sept heures et demie?

−Je serai prête.

Le lendemain matin, dans la salle de conférences, les deux chefs d'équipe chargés des goulots se joignent à nous. Par «nous» j'entends Stacey, Bob, Ralph et moi-même. Ted Spencer est le responsable des fours de traitement thermique. C'est un homme d'un certain âge, à la chevelure gris acier et d'une minceur qui confine à la maigreur. Nous lui avons demandé de venir, ainsi qu'à Mario DeMonte, chef d'équipe de l'atelier d'usinage où se trouve la NCX-10. Mario a le même âge que Ted, mais il est plus corpulent.

Stacey et Ralph ont les yeux rouges. Avant que nous nous asseyions, ils me résument ce qu'ils ont fait pour préparer la réunion de ce matin.

Ils ont dressé sans problème la liste des commandes en retard. L'ordinateur la leur a donnée dans l'ordre de priorités en moins d'une heure. Les choses se sont compliquées lorsqu'ils se sont attaqués aux nomenclatures et aux gammes pour chacune des commandes afin de déterminer les pièces qui passent par les goulots. Ils ont ensuite dû déterminer si nous avions les stocks nécessaires pour fabriquer ces pièces, et cela leur a pris une bonne partie de la nuit.

Stacey affirme que c'est la première fois qu'elle a véritablement apprécié la présence de l'ordinateur.

Nous avons tous en main une photocopie de la liste manuscrite que Ralph a fait établir. La liste comporte 67 noms, représentant toutes nos commandes en retard. Elles ont été classées par ordre de priorité décroissante, en commençant par celles qui ont le plus grand nombre de jours de retard. La première de la liste est une commande qui a 58 jours de retard par rapport à la date de livraison promise par le marketing. Le retard minimal est d'une journée, et il y en a trois dans ce cas.

–Nous avons fait quelques vérifications, dit Ralph. Près de 90% des commandes actuellement en retard comportent des pièces qui passent par l'un ou l'autre des goulots. Sur ces commandes, environ 85% sont bloquées au montage parce que nous devons attendre que ces pièces arrivent avant de commencer à assembler et à expédier.

Je précise à l'intention des deux chefs d'équipe.

–Donc, ces pièces passeront avant toutes les autres.

–Nous avons fait une liste, reprend Ralph, pour le traitement thermique et la NCX-10 afin de savoir quelles étaient les pièces qui devaient passer dans ces machines et dans quel ordre, en suivant l'ordre de la liste. Dans une semaine environ, l'ordinateur pourra nous donner cela.

–Formidable, Ralph. Vous et Stacey avez fait du beau travail.

Je me tourne ensuite vers Ted et Mario.

–Messieurs, il ne vous reste plus qu'à mettre vos contre-maîtres au travail en commençant par la première commande de la liste.

–Ce n'est pas très difficile, dit Ted. Je pense que nous pouvons y arriver.

–Vous savez, il va peut-être falloir que nous fassions des recherches pour retrouver certaines de ces pièces.

–Il vous suffira de fouiller dans les stocks, Mario, intervient Stacey. Où est le problème?

Mario fronce les sourcils.

–Il n'y a pas de problème. Vous voulez que nous fassions ce qui est sur cette liste, n'est-ce pas?

–Exactement. Je ne veux pas vous voir travailler sur autre chose. Si les ordonnanceurs vous font des difficultés, envoyez-les-moi. Tout ce que je vous demande, c'est de respecter l'ordre des commandes que nous vous avons donné.

Ted et Mario hochent la tête. Je me tourne vers Stacey.

–Vous comprenez à quel point il est important que les ordon-nanceurs ne viennent pas bouleverser cette liste de priorités, n'est-ce pas?

–Je suis d'accord, mais vous devez me promettre que vous-même ne la modifierez pas sous la pression des gens du mar-keting.

–Je vous en donne ma parole d'honneur.

Je me tourne vers Ted et Mario.

–Sérieusement, j'espère que vous êtes bien conscients du fait que le traitement thermique et la NCX-10 ont aujourd'hui une importance capitale pour l'ensemble de l'usine. L'efficacité avec laquelle vous les gérerez pourrait bien déterminer son avenir.

–Nous ferons de notre mieux, dit Ted.

–Je peux vous assurer qu'ils feront le maximum, affirme Bob Donovan.

En sortant de la réunion, je me rends au service du personnel pour rencontrer Mike O'Donnell, le délégué syndical. Lorsque je pénètre dans son bureau, mon directeur du personnel, Scott Dolin, a les poings serrés sur les bras de son fauteuil, tandis que O'Donnell hurle en faisant les cent pas devant lui.

–Que se passe-t-il ici?

–Vous savez parfaitement quel est le problème: vos nouvelles règles concernant la pause du repas pour le personnel du traitement thermique et les opérateurs de la machine à commande numérique, aboie O'Donnell. C'est une violation de la convention collective. Reportez-vous à l'article 7, paragraphe 4...

–Ne vous énervez pas, Mike. Il est temps que je fasse le point de la situation dans l'usine avec le syndicat.

Pendant tout le reste de la matinée, je lui expose la situation de l'usine telle qu'elle se présente. Je lui parle ensuite de ce que nous avons découvert et lui explique pourquoi les changements sont nécessaires.

–Vous comprenez, n'est-ce pas, qu'ils ne concerneront qu'une vingtaine de personnes au maximum, lui dis-je en concluant mon exposé.

–Je vous remercie de m'avoir expliqué tout cela, mais nous avons une convention et si nous vous laissons apporter des modifications dans un secteur, qu'est-ce qui nous dit que vous ne bouleverserez pas ensuite tout à votre guise?

–Mike, pour être franc, je ne peux pas vous promettre que d'autres changements ne seront pas nécessaires. Mais nous sommes en train de parler d'emplois. Je ne demande pas une réduction des salaires ou des concessions sur les avantages acquis. Je demande un assouplissement des conditions de travail, afin que nous ayons la marge nécessaire pour procéder aux changements qui permettront à l'usine de gagner de l'argent. Sinon, il y a de fortes probabilités que nous n'ayons plus d'usine dans quelques mois.

–Il me semble que vous essayez de nous faire peur, dit-il enfin.

–Mike, tout ce que je peux vous dire, c'est que si vous voulez attendre deux mois pour voir si j'essaie de faire peur à quelqu'un, ce sera trop tard.

Après un instant de réflexion, O'Donnell reprend.

–Il faut que je pense à tout cela, que j'en parle aux autres, et nous vous dirons ensuite ce que nous décidons.

Au début de l'après-midi, je n'y tiens plus. Je veux savoir comment fonctionne le nouveau système de priorités. J'essaie d'appeler Bob Donovan, mais il est quelque part dans l'usine. Je décide donc d'aller voir par moi-même.

Je commence ma tournée par la NXC-10, mais lorsque j'arrive devant la machine, je ne peux interroger personne. Étant entièrement automatisée, elle fonctionne la plupart du temps toute seule. Malheureusement je constate en arrivant que ce maudit engin est arrêté et qu'il n'y a personne à proximité. La colère me gagne.

Je vais trouver Mario.

–Pouvez-vous me dire pourquoi cette machine ne fonctionne pas?

Il vérifie auprès du contremaître et revient vers moi.

–Nous n'avons pas la matière première.

–Que voulez-vous dire, «nous n'avons pas la matière première»? Et ces blocs d'acier, là, qu'est-ce que c'est d'après vous?

–Mais vous nous avez dit de travailler en suivant la liste.

–Vous avez terminé toutes les pièces en retard?

–Non. Ils ont fait les deux premiers lots. Lorsqu'ils sont arrivés à la troisième pièce de la liste, ils n'ont pas trouvé la matière première nécessaire dans les piles. C'est pourquoi nous avons arrêté la machine en attendant.

Je suis sur le point de l'étrangler.

–C'est bien ce que vous vouliez que nous fassions, non? reprend Mario. Vous vouliez que nous fassions uniquement ce qui figurait sur la liste et dans l'ordre indiqué. C'est bien ce que vous avez dit?

–Oui, c'est bien ce que j'ai dit. Mais il ne vous est pas venu à l'idée que si vous ne pouviez pas faire l'une des pièces qui figuraient sur la liste, vous pouviez peut-être passer à la suivante?

Mario a l'air embarrassé.

–Bon sang, où est la matière première qu'il vous faut?

–Je ne sais pas. Elle pourrait se trouver dans une demi-douzaine d'endroits, mais je pense que Bob Donovan a déjà envoyé quelqu'un pour s'en occuper.

–Mario, dites aux régleurs de préparer cette machine pour la prochaine pièce de cette liste pour laquelle vous avez la matière première, et débrouillez-vous pour que ce maudit engin continue de tourner.

–Bien, monsieur.

Fou furieux, je reviens au bureau pour faire appeler Bob Donovan afin de savoir ce qui s'est passé. En chemin, je l'aperçois devant un tour, en train de parler avec Otto, le contremaître. Si j'en crois l'expression du visage d'Otto, le ton de la conversation ne doit guère être aimable. Je m'arrête et attends que Bob s'aperçoive de ma présence. Ce n'est pas long. Otto s'éloigne et rassemble ses opérateurs. Bob s'avance vers moi.

–Vous êtes au courant de ce qui se passe... lui dis-je.

–Oui, c'est pour ça que je suis ici.

–Quel est le problème?

–Rien, pas de problème. La procédure normale.

Bob m'explique que les pièces qu'on attendait à la NCX-10 étaient stockées ici depuis une semaine. Otto s'était occupé d'autres lots de pièces. Il ignorait l'importance des pièces destinées à la NCX-10. Pour lui, ce n'était qu'un autre lot de pièces, pas très important à en juger par sa taille. Lorsque Bob était arrivé, ils étaient au beau milieu d'un cycle long, sur un très gros lot. Otto ne voulait pas l'interrompre... Puis Bob lui avait expliqué, et il avait accepté.

–Bon sang, Al, c'est toujours la même chose. Ils font tous les réglages pour un lot de pièces et ensuite ils doivent s'arrêter au milieu du cycle pour terminer quelque chose d'autre.

–Calmez-vous, Bob. Essayons plutôt de réfléchir.

–Mais réfléchir à quoi?

–Essayons de raisonner logiquement. Quel était exactement le problème?

–Les pièces ne sont pas arrivées à la NCX-10 et les opérateurs n'ont pas pu faire passer le lot qu'ils étaient censés produire, dit Bob d'un ton exaspéré.

–Et cela parce que les pièces destinées au goulot ont été bloquées par cette machine non-goulot travaillant des pièces non-goulots. Nous allons maintenant pouvoir nous demander pourquoi cela s'est passé ainsi.

–Le type responsable de ce tour essayait simplement de s'occuper, c'est tout.

–Exact. Parce que s'il était resté inactif, vous lui seriez immédiatement tombé sur le dos.

–Exact. Et si je ne l'avais pas fait, c'est vous qui me seriez tombé dessus.

–D'accord, Bob. Et pourtant, ce tourneur, bien qu'il ait été occupé, ne contribuait pas à nous rapprocher du but.

–Eh bien...

–Non, Bob, il ne nous servait à rien, dis-je en désignant les pièces destinées à la NCX-10. Il nous faut ces pièces immédiatement, pas demain. Nous n'aurons peut-être pas besoin des pièces qui passent dans les machines non-goulots avant des semaines ou même des mois, ou peut-être même jamais. Donc, en continuant à produire les pièces non-goulots, ce type nous empêchait de faire partir une commande et de gagner de l'argent.

–Il ne pouvait pas le savoir.

–C'est exact. Il ne peut pas faire la différence entre un lot de pièces important et un autre qui en a moins. Pourquoi?

–Personne ne le lui a dit.

–Jusqu'à ce que vous arriviez. Mais vous ne pouvez pas être partout et ce genre de situation va se reproduire. Comment pouvons-nous indiquer à tout le personnel de l'usine quelles sont les pièces qui sont importantes?

–Il faudrait que nous imaginions un système.

–Oui, mettons-nous immédiatement au travail. Avant tout, assurons-nous que le personnel des deux machines goulots est informé qu'il doit continuer à travailler sur la commande qui arrive en tête de la liste des priorités.

Bob échange encore quelques mots avec Otto pour s'assurer qu'il a bien compris ce qu'il doit faire avec les pièces, puis nous nous dirigeons vers les goulots.

De retour dans mon bureau, je vois sur le visage de Bob qu'il est encore tracassé par ce qui vient de se passer.

–Qu'y a-t-il? Vous avez l'air sceptique.

–Al, que va-t-il se passer si nous demandons sans arrêt aux ouvriers d'interrompre des cycles pour produire des pièces destinées aux goulots?

–Nous devrions pouvoir éviter des temps morts dans ces secteurs.

–Et que va devenir notre coût pour les autres postes de travail de l'usine?

–Pour l'instant, ne vous en occupez pas. Contentons-nous de continuer à faire tourner les goulots. Je suis convaincu que vous avez fait ce qu'il fallait avec Otto. Pas vous?

–Peut-être, mais pour cela, il a fallu que je viole toutes les règles.

–Dans ce cas, c'est qu'elles devaient l'être. D'ailleurs, elles n'étaient peut-être pas bonnes. Vous savez que nous avons toujours été obligés d'interrompre des cycles pour pouvoir faire partir des commandes. La différence, maintenant, c'est que nous savons que cela doit être fait avant que le travail commence, avant que nous y soyons contraints par des pressions extérieures. Nous devons croire en ce que nous faisons.

Bob acquiesce de la tête, mais je sais qu'il ne sera véritablement convaincu que lorsqu'il verra les résultats. Et pour être franc, je suis un peu comme lui.

Nous consacrons quelques jours à mettre au point un système pour remédier au problème. À huit heures le vendredi matin, lorsque la première équipe arrive, je suis à la cafétéria en compagnie de Bob et nous attendons que tout le monde soit à son poste.

À la suite de notre premier malentendu, convaincu que plus il y aurait d'employés informés des goulots et de leur importance, moins nous risquerions de problèmes, je décidai d'organiser des réunions d'une quinzaine de minutes avec tous les employés de l'usine, aussi bien les contremaîtres que les ouvriers. Cet après-midi, nous ferons la même chose avec la deuxième équipe et je reviendrai tard ce soir, pour expliquer à la troisième. Lorsque tous ceux de la première équipe sont réunis ce vendredi matin, je m'adresse à eux.

–Comme vous le savez tous, cette usine est sur la pente descendante depuis un certain temps. Ce que vous ne savez pas, c'est que nous sommes en mesure de changer cela. Je vous ai demandé de venir parce que nous mettons en place aujourd'hui un nouveau système... un système qui, nous le pensons, rendra l'usine plus productive que par le passé. Je vais vous expliquer brièvement quelques-unes des raisons qui nous ont amenés à développer ce nouveau système, puis Bob Donovan vous dira comment il fonctionne.

Une réunion de 15 minutes ne nous donne pas le temps de nous étendre beaucoup. Me servant de l'exemple du sablier, je leur parle brièvement des goulots et leur explique pourquoi nous devons donner la priorité aux pièces destinées au traitement thermique et à la NCX-10. Je n'ai pas le temps de leur parler du bulletin qui va remplacer l'ancien journal interne et qui rendra compte des nouveautés et des progrès dans l'usine.

Je tends le micro à Donovan pour qu'il leur expose comment nous allons établir l'ordre de priorité de toutes les pièces dans l'usine, afin que chacun sache sur quoi il doit travailler.

–À la fin de la journée, tous les en-cours qui se trouvent dans les ateliers seront identifiés par une étiquette portant un numéro. L'étiquette sera rouge ou verte. Une étiquette rouge signifie que le travail auquel elle correspond a la plus haute priorité. Les étiquettes rouges accompagneront toutes les pièces qui doivent être traitées par un goulot. Lorsqu'un lot de pièces avec cette marque arrive à votre poste de travail, vous vous en occuperez immédiatement.

Bob explique ce que nous entendons par «immédiatement». Si l'employé est en train de travailler sur un autre lot, il pourra terminer ce qu'il a entrepris à condition que cela ne dure pas plus d'une demi-heure. Les pièces identifiées par une étiquette rouge ne devront en aucun cas être laissées en attente pendant plus d'une heure.

–Si vous êtes en train de faire un réglage, arrêtez immédiatement et préparez la machine pour les pièces «rouges». Lorsque vous les aurez terminées, vous pourrez reprendre ce que vous faisiez avant. L'autre couleur, c'est le vert. Si vous avez le choix de travailler sur des pièces identifiées par une étiquette rouge et des pièces identifiées par une étiquette verte, prenez d'abord les «rouges». La plupart des en-cours seront des pièces «vertes». Mais de toute façon, vous ne vous en occupez que s'il n'y a aucune pièce «rouge» en attente. Voilà pour la priorité dans les couleurs. Mais que se passe-t-il si vous avez deux lots de la même couleur? Chaque fiche portera un numéro. Vous devrez toujours travailler sur les pièces qui ont le plus petit numéro.

Donovan donne encore quelques détails et répond à une ou

deux questions, après quoi je déclare que la réunion est terminée. Avant de les laisser partir, je leur fais une petite déclaration.

–Cette réunion était mon idée. J'ai décidé de vous distraire de votre travail pendant quelques minutes parce que je voulais que tout le monde soit informé en même temps, afin que vous compreniez mieux ce qui se passe. J'ai souvent souhaité vous réunir, car il y a longtemps que vous n'aviez pas eu des nouvelles à propos de l'usine. Ce que vous venez d'entendre n'est qu'un début. Même ainsi, l'avenir de cette usine et vos emplois ne seront assurés que lorsque nous aurons recommencé à gagner de l'argent. L'important maintenant, c'est que vous coopériez avec nous... et nous sauverons ensemble cette usine.

En fin d'après-midi, mon téléphone sonne.

–Bonjour, ici O'Donnell. C'est d'accord pour la nouvelle politique de pause. Nous ne nous y opposerons pas.

Je transmets la nouvelle à Donovan et la semaine s'achève sur ces petites victoires.

À sept heures vingt-neuf le samedi soir, je gare la Buick lavée, polie et propre comme un sou neuf dans l'allée des Barnett. Je prends le bouquet de fleurs posé à côté de moi sur le siège et m'engage sur la pelouse vêtu de mon plus beau costume. À sept heures trente, je sonne à la porte.

C'est Julie qui vient ouvrir.

–Mon Dieu, quelle élégance! s'exclame-t-elle.

–Tu n'es pas mal non plus.

Et je suis sincère.

J'échange quelques mots embarrassés avec ses parents. M. Barnett me demande comment ça va à l'usine. Je lui dis que nous allons peut-être nous en sortir et lui parle du nouveau système de priorités et des conséquences que cela aura pour la NCX-10 et le traitement thermique. Les parents de Julie me jettent un regard vide.

–On y va? suggère Julie.

–Je vous la ramènerai à dix heures, dis-je en plaisantant à sa mère.

–Très bien. Nous l'attendrons.

CHAPITRE 22

–Et voilà, dit Ralph.

–Pas mal, commente Stacey.

–Pas mal? C'est mieux que pas mal, s'indigne Bob.

–Nous sommes certainement dans le vrai, ajoute Stacey.

–Sans doute, mais ce n'est pas suffisant, dis-je à mon tour.

Une semaine s'est écoulée. Nous sommes groupés autour d'un terminal d'ordinateur dans la salle de conférences. Ralph vient de sortir une liste des commandes en retard que nous avons expédiées la semaine dernière.

–Pas suffisant? Au moins, c'est un progrès, dit Stacey. Nous avons expédié 12 commandes la semaine dernière. Pour cette usine, ce n'est pas mal, d'autant que c'étaient celles qui avaient le plus de retard.

–À propos, je vous signale que notre plus gros retard sur une commande est actuellement de 40 jours seulement, intervient Ralph. Vous vous en souvenez sans doute, notre cas le plus désespéré était, jusqu'à la semaine dernière, de 58 jours.

–Bravo! s'exclame Donovan.

Je reviens à la table et m'assois.

Leur enthousiasme est d'une certaine façon justifié. Le nouveau système de marquage des lots en fonction de la priorité et des gammes a relativement bien marché. Les goulots reçoivent leurs lots de pièces rapidement. En fait, les piles de stocks devant eux ont augmenté. Après leur passage dans les goulots, les pièces «rouges» ont été acheminées plus vite vers le montage final. Nous avons créé une sorte de «voie rapide» réservée aux pièces destinées aux goulots.

Après avoir positionné le contrôle de qualité en aval des goulots, nous avons constaté qu'environ cinq pour cent des pièces qui passaient dans la NCX-10 et à peu près sept pour cent de celles destinées au traitement thermique n'étaient pas conformes aux normes de qualité. Si ces pourcentages se maintiennent, le temps gagné ainsi nous permettra d'accroître le produit des ventes.

Maintenant, les goulots fonctionnent également pendant l'heure du déjeuner. Nous ne savons pas exactement combien nous avons gagné grâce à cette mesure, car nous ne savions pas combien nous perdions auparavant. Mais au moins, nous sommes sur le bon chemin. Toutefois, il arrive que la NCX-10 soit arrêtée de temps en temps, alors que tout le monde est au travail. Donovan s'occupe d'en rechercher la cause.

Toutes ces mesures nous ont permis d'expédier nos commandes les plus critiques et même d'en faire partir un peu plus que d'habitude. Pourtant, je sais que nous n'allons pas assez vite. Il y a quelques semaines, nous avancions en boitant; aujourd'hui, nous marchons, certes, mais nous devrions courir.

Je me retourne vers le terminal. Tous les yeux sont fixés sur moi.

–Écoutez... Je sais que nous avons fait un pas dans la bonne direction mais il faut que nous accélérions les progrès. Nous avons expédié 12 commandes la semaine dernière, c'est bien, mais nous avons encore des commandes qui prennent du retard. Pas autant qu'avant, je vous l'accorde, mais il faut que nous fassions encore mieux. Nous ne devrions avoir aucune commande en retard.

Tous abandonnent le terminal et me rejoignent autour de la table. Bob Donovan commence à me parler des améliorations qu'il envisage d'apporter à ce que nous avons déjà mis en place.

–Bob, ce que vous suggérez est très bien, mais c'est mineur. Où en sommes-nous avec les autres suggestions de Jonah?

Bob détourne les yeux.

–Eh bien... nous sommes en train de les étudier.

–Je veux des recommandations pour l'allégement de la charge de travail des goulots dès la réunion de mercredi prochain.

Bob hoche la tête sans rien dire.

–Pouvez-vous faire cela dans ce délai, Bob?

–Quoi qu'il m'en coûte, vous les aurez.

Dans l'après-midi, je convoque Elroy Langston, notre responsable du contrôle de qualité, et Barbara Penn chargée des communications avec les employés. Barbara rédige les bulletins qui expliquent les raisons des changements qui interviennent dans l'usine. La semaine dernière, nous avons distribué le premier numéro. Je la convoque avec Langston pour lui confier un nouveau projet.

Lorsque les pièces sortent des goulots, elles paraissent souvent identiques à celles qui y entrent. Dans certains cas, seul un examen attentif par un œil exercé peut déceler la différence. Le problème est de savoir comment rendre la distinction plus facile pour les employés... et leur permettre de travailler sur les pièces post-goulots afin qu'un plus grand nombre arrive aux postes de montage et soient expédiées en étant conformes aux normes de qualité. Langston et Penn sont dans mon bureau pour m'exposer ce qu'ils ont imaginé.

C'est Penn qui commence.

–Nous avons déjà les étiquettes rouges qui indiquent les pièces qui vont passer par un goulot. Ce qu'il nous faut, c'est une méthode simple pour désigner aux ouvriers les pièces qu'ils doivent traiter avec un soin tout particulier, comme si elles étaient en or.

–La comparaison est bonne, lui dis-je.

–J'ai pensé que nous pourrions coller une pastille jaune sur les étiquettes lorsque les pièces sont sorties des goulots. La pastille indiquerait immédiatement aux ouvriers que ces pièces doivent être traitées comme si elles étaient en or. En plus, j'organiserai une campagne d'information à l'intérieur de l'usine pour expliquer ce que veut dire la pastille. Comme support, nous pourrions utiliser une affiche collée à l'entrée de l'usine, ou une déclaration que les contremaîtres liraient aux ouvriers, ou encore une grande bannière accrochée dans l'usine.

–Si on peut coller la pastille sans ralentir les goulots, cela me semble parfait.

–Je suis certain que nous pouvons trouver un moyen de le faire sans que cela gêne, intervient Langston.

–Très bien, mais je ne voudrais pas que cela soit une campagne sans lendemain.

–Bien entendu, dit Langston en souriant. Actuellement, nous définissons systématiquement les causes des problèmes de qualité aux goulots et dans les opérations suivantes. Lorsque nous serons fixés, nous formulerons des procédures spécifiques pour les pièces qui passent dans les goulots. Après cela, nous organiserons des cours de formation afin que les gens puissent se familiariser avec ces procédures. Mais cela va nous prendre un certain temps. Dans l'immédiat, nous demandons que les contrôles soient doublés sur les cycles passant par les goulots.

Nous bavardons encore quelques minutes, mais pour l'essentiel, leurs idées me semblent bonnes. Je leur donne le feu vert et leur demande de me tenir informé des résultats.

–Beau travail, leur dis-je au moment où ils se lèvent pour partir. À propos, Elroy, je pensais que Bob Donovan serait présent à cette réunion.

–Il est difficile à trouver, depuis quelque temps. Mais je le mettrai au courant.

Juste à ce moment, le téléphone sonne. Tout en prenant le combiné d'une main, je fais signe à Langston et à Penn de rester encore un instant.

–Bonjour, c'est Donovan.

–Trop tard pour vous faire porter malade, Bob. Vous ne saviez pas que nous avions une réunion aujourd'hui?

Ça ne le trouble pas du tout.

–Al, j'ai quelque chose à vous montrer! Vous avez cinq minutes pour faire une petite promenade?

–Je pense. De quoi s'agit-il?

–Je vous le dirai quand vous serez ici. Rejoignez-moi au quai de réception.

Je me rends au quai où Bob se trouve déjà; il me fait de grands signes comme s'il avait peur que je ne le voie pas, ce qui serait difficile. Un camion à remorque plate est garé le long du quai, et au beau milieu de la remorque trône une grosse masse. L'objet est couvert d'une épaisse bâche grise retenue par des cordes. Deux ouvriers s'affairent auprès d'une petite grue mobile pour soulever la chose. Elle est suspendue dans les airs lorsque j'arrive près de Bob.

–Doucement, doucement, crie-t-il en voyant la masse grise se balancer.

La grue dépose doucement sa charge sur le quai. Les ouvriers dégagent les chaînes. Bob s'approche et leur demande de défaire les cordes qui retiennent la bâche.

J'attends patiemment, mais Bob ne peut s'empêcher de les aider. Lorsque toutes les cordes sont défaites, Donovan arrache la bâche d'un geste théâtral et dévoile ce qu'elle cachait.

–Ta-da! s'exclame-t-il, triomphant.

Je crois bien que cet engin est la plus vieille machine que j'aie jamais vue.

–Mais qu'est-ce que c'est que ça?

–C'est une Zmegma.

Il s'empare d'un chiffon et se met à nettoyer la machine avec ardeur. Puis il ajoute:

–On n'en fait plus des comme ça de nos jours!

–Je suis content de le savoir, lui dis-je, pince-sans-rire.

–Al, la Zmegma est exactement la machine qu'il nous faut!

–Cette machine était sans doute à la pointe du progrès en 1942... mais qu'allons-nous en faire?

–D'accord... J'admets qu'à côté de la NCX-10, elle fait miteux. Mais si vous prenez cette antiquité, une des Screwmeisters qui sont là-bas et cette autre machine qui se trouve à côté, toutes les trois ensemble peuvent faire exactement la même chose que la NCX-l0.

Je jette un coup d'œil aux différentes machines. Toutes sont vieilles et n'ont manifestement pas fonctionné depuis longtemps. Je m'approche de la Zmegma pour l'examiner.

–Ça doit être une des machines que vous aviez dit avoir

vendues pour faire de la place.

–Vous avez tout compris!

–C'est pratiquement une antiquité, et les autres aussi. Êtes-vous sûr qu'elles peuvent sortir un produit de qualité acceptable?

–Elles ne sont pas automatisées, et compte tenu de l'intervention humaine, nous aurons certainement plus de pièces rejetées. Mais si vous voulez de la capacité, c'est un moyen rapide de l'obtenir.

Je souris.

–Je la trouve de plus en plus jolie! Où avez-vous déniché cet engin?

–J'ai appelé un copain ce matin à l'usine de South End. Il m'a dit qu'il lui en restait une ou deux dans ses entrepôts et que ça ne le dérangerait pas du tout de m'en passer une. J'ai donc pris un type de l'entretien et nous sommes allés à l'usine pour jeter un coup d'œil.

–Combien cela nous a-t-il coûté?

–La location du camion pour la transporter jusqu'ici. Le type de South End nous a dit que nous pouvions la prendre tout de suite. Il la déclarera envoyée à la ferraille. Il a préféré nous la donner plutôt que de nous la vendre, car cela lui aurait fait trop de paperasserie.

–Est-ce qu'elle fonctionne encore?

–Nous allons le savoir tout de suite.

L'employé de l'entretien branche le câble électrique sur une prise encastrée dans une colonne d'acier. Bob tend la main vers l'interrupteur et le met en position MARCHE. Pendant une seconde, il ne se passe rien, puis nous entendons un grondement feutré qui monte des entrailles de la vieille machine. Elle tousse un peu, un nuage de poussière sort de derrière la grille de protection du ventilateur.

Bob se tourne vers moi avec un sourire idiot sur son large visage.

–À votre service, M. Rogo.

CHAPITRE 23

La pluie tambourine contre les fenêtres de mon bureau. Dehors, le monde est gris et diffus. La matinée du mercredi tire lentement sur sa fin. Devant moi sont posés quelques *Bulletins de productivité* diffusés par Hilton Smyth, et que j'ai trouvés dans mon panier de courrier. Je ne suis pas allé au-delà du premier paragraphe de la première page du premier numéro. Distrait, je pense à ma situation conjugale en regardant tomber la pluie.

Notre petite sortie de ce fameux samedi soir, avec Julie, a été très agréable. Nous n'avons rien fait d'extraordinaire: un film puis un dîner rapide, suivi d'une longue promenade dans le parc en rentrant à la maison. Très calme, mais c'est exactement ce qu'il nous fallait. J'ai apprécié de pouvoir me détendre à ses côtés. Je reconnais qu'au début j'avais l'impression d'être redevenu collégien. Mais au bout d'un moment, j'ai trouvé cela plutôt agréable. Je l'ai ramenée chez ses parents à deux heures du matin et nous avons continué notre flirt dans la voiture jusqu'à ce que son père allume la lumière sous le porche d'entrée.

Depuis, nous nous voyons régulièrement. Deux fois la semaine dernière je suis allé lui rendre visite chez ses parents.

Une autre fois, nous nous sommes retrouvés à mi-chemin dans un restaurant. J'ai eu du mal à me lever le lendemain matin, mais je ne m'en plains pas. Nous sommes bien ensemble.

Tacitement, ni l'un ni l'autre ne parlons de divorce ou de mariage. Le sujet n'a été évoqué qu'une seule fois, parce que nous parlions des enfants; nous avons convenu qu'ils rejoindraient Julie chez ses parents dès que l'école serait finie. J'ai essayé à cette occasion de pousser les choses un peu plus loin, mais sentant venir la dispute, j'ai très vite fait marche arrière pour préserver la paix.

La situation dans laquelle nous nous trouvons est étrange. C'est un peu comme avant notre mariage, à la seule différence qu'aujourd'hui nous nous connaissons très bien. La tempête s'est éloignée pour le moment mais elle reviendra certainement un jour.

Un coup discret à la porte interrompt ma méditation. Fran passe la tête et m'annonce que Ted Spencer voudrait me voir.

—Il dit qu'il faut qu'il vous parle de quelque chose.

—À propos de quoi?

Fran entre dans le bureau et referme la porte derrière elle. Elle s'approche de moi rapidement et se penche à mon oreille pour me murmurer quelques mots.

—Je ne sais pas exactement, mais j'ai entendu dire qu'il s'était disputé avec Ralph Nakamura il y a une heure.

—Ah? Très bien, merci de m'avoir averti, faites-le entrer s'il vous plaît.

Quelques instants plus tard, Ted Spencer est assis devant mon bureau. Il a l'air furieux. Je lui demande ce qui se passe au traitement thermique.

—Al, débarrassez-moi de ce type avec ses ordinateurs.

—Ralph? Que lui reprochez-vous?

—Il est en train d'essayer de me transformer en gratte-papier. Il est tout le temps à tourner autour de moi et à me poser des tas de questions idiotes. Il veut que je tienne une espèce de registre spécial de ce qui se passe au traitement thermique.

—Quel type de registre?

—Je ne sais pas... Il veut que je fasse une liste détaillée de tout ce qui entre et sort des fours... L'heure à laquelle nous mettons les pièces dans le four, celle à laquelle nous les en sortons entre les cycles de traitement, des machins comme ça. J'ai trop de travail pour m'occuper de ça. En plus du traitement thermique, je suis responsable de trois autres centres de travail.

—Pourquoi veut-il ces relevés d'heures?

—Qu'est-ce que j'en sais, moi? Nous avons déjà suffisamment de paperasserie à faire comme cela sans en ajouter d'autre. Je crois que Ralph veut simplement s'amuser avec des chiffres. S'il a le temps, tant mieux pour lui, qu'il fasse cela chez lui. J'ai assez à faire avec la productivité de mon secteur.

—Je vous comprends, Ted. Je verrai ce que je peux faire, lui dis-je, désireux de mettre un terme à la conversation.

—J'espère qu'il ne viendra plus rôder dans mon secteur.

—Je vous tiendrai au courant, Ted.

Après son départ, je demande à Fran de faire venir Ralph Nakamura. Je suis surpris de cette histoire, car Ralph n'est pas du genre agressif et pourtant, il semble avoir mis Ted très en colère.

—Vous vouliez me voir?

—Oui, Ralph. Entrez et asseyez-vous.

Il prend un fauteuil et s'assoit devant mon bureau.

—Maintenant, dites-moi ce que vous avez fait pour mettre Ted Spencer dans cet état.

Il lève les yeux au ciel.

—Tout ce que je lui ai demandé, c'est de tenir un relevé précis de la durée réelle du cycle de traitement des pièces qui passent dans ses fours. Cela ne m'a pas paru très compliqué.

—Pour quelle raison lui avez-vous demandé cela?

—Deux raisons essentiellement: tout d'abord, les données que nous avons sur le traitement thermique semblent très imprécises. Si ce que vous dites est vrai, à savoir que cette opération est vitale pour l'usine, j'ai pensé qu'il nous fallait des statistiques valables à ce sujet.

—Qu'est-ce qui vous fait croire que nos données sont si imprécises?

—Ce sont les expéditions de la semaine dernière qui m'ont mis la puce à l'oreille. Il y a quelques jours, de mon propre chef, j'ai établi quelques projections sur le nombre d'expéditions que nous aurions réellement pu faire la semaine dernière, sur la base du volume de pièces produit par les goulots. D'après ces projections, nous aurions dû être en mesure de procéder à 18 ou 20 expéditions au lieu de 12. La différence était si considérable que je me suis d'abord demandé si je n'avais pas fait une erreur. J'ai donc fait une contre-vérification mais je n'ai rien trouvé. Puis j'ai vu que les estimations pour la NCX-10 cadraient à peu près, mais que pour le traitement thermique, il y avait une grosse différence.

–Et c'est cela qui vous a porté à croire que la base de données était erronée?

–Exactement. Je suis donc allé voir Spencer et...

–Et quoi?

–J'ai remarqué quelques trucs bizarres. J'ai commencé à lui poser des questions, mais il n'était pas très bavard. J'ai fini par lui demander carrément quand les pièces qui se trouvaient dans le four seraient terminées. Je voulais simplement vérifier si la durée réelle du cycle était proche de la norme. Il m'a répondu que les pièces sortiraient vers trois heures. Je suis parti et je suis revenu à trois heures, mais il n'y avait personne au four. J'ai attendu une dizaine de minutes, puis me suis mis à la recherche de Ted. Lorsque je l'ai trouvé, il m'a dit que les opérateurs du four travaillaient ailleurs et qu'ils déchargeraient les fours dans un moment. Cela ne m'a pas paru anormal et je suis retourné dans mon bureau. Puis vers cinq heures et demie, tandis que je m'apprêtais à rentrer chez moi, j'ai décidé de faire un tour vers les fours pour demander à quelle heure les pièces avaient été retirées, mais elles y étaient toujours.

–Elles n'avaient pas encore été déchargées deux heures et demie plus tard!

–C'est exact. J'ai donc été trouver Sammy, le contremaître de la deuxième équipe, pour lui demander ce qui se passait. Il m'a dit qu'il manquait de personnel et qu'il ferait retirer les pièces du four plus tard, et que cela n'avait pas d'importance si les pièces restaient dans le four. Pendant que j'étais avec lui, il a éteint les brûleurs mais j'ai découvert plus tard que les pièces n'avaient en fait été retirées qu'à huit heures. Je ne voulais pas créer un incident mais j'ai pensé que si nous enregistrions la durée réelle de chaque cycle, nous aurions des chiffres réalistes pour établir les estimations. J'ai interrogé quelques-uns des ouvriers de l'équipe et ils m'ont dit que ce genre de retard était fréquent dans le traitement thermique.

–Vraiment? Ralph... vous pouvez faire tous les relevés dont vous avez besoin. Ne vous occupez pas de Ted. Et faites la même chose sur la NCX-10.

–J'aimerais bien, mais c'est une vraie corvée. C'est pourquoi j'aurais voulu que Ted et les autres notent les durées.

–Très bien, je vais m'en occuper, et je vous remercie beaucoup.

–À votre disposition.

–À propos, quelle était l'autre raison?

–Oh, ce n'est probablement pas très important.

–Dites-moi quand même.

–Je ne sais pas si c'est vraiment réalisable, mais j'ai pensé que nous pourrions peut-être trouver un moyen de nous servir des goulots pour savoir quand nous serons en mesure d'expédier une commande.

J'envisage cette possibilité.

–Cela me semble intéressant, Ralph. Tenez-moi au courant.

Lorsque j'ai fini de lui dire ce que Ralph a découvert à propos du traitement thermique, Bob Donovan a l'air penaud. Je suis très contrarié par tout cela. Je marche comme un lion en cage dans mon bureau tout en lui expliquant la situation, et Bob n'ose m'interrompre.

Lorsque je me tais enfin, il tente de se justifier.

–Al, le problème, c'est que les types n'ont rien à faire dans ce service tant que les pièces sont dans le four. Ils chargent, ferment les portes du four et il y en a pour six ou huit heures. Que peuvent-ils faire entre temps? Se tourner les pouces?

–Je me moque de ce qu'ils font entre les cycles, tant qu'ils chargent et déchargent les pièces rapidement. Nous aurions presque pu traiter un autre lot de pièces pendant les cinq heures où nous avons attendu qu'ils finissent ce qu'ils faisaient ailleurs et rechargent les fours.

–D'accord. Voilà ce que je vous propose: nous prêtons ces gars à d'autres services pendant le cycle, mais dès que celui-ci est terminé, nous les rappelons immédiatement pour...

–Non, je sais ce qui va se passer: tout le monde fera très

attention pendant deux ou trois jours puis on reprendra les mauvaises habitudes. Je veux des ouvriers près de ces fours, prêts à charger et à décharger les pièces 24 heures sur 24, 7 jours par semaine. La première chose à faire, c'est de désigner des contremaîtres qui seront responsables à plein temps de ce qui se passe dans ce secteur. Et vous pouvez dire à Ted Spencer que la prochaine fois que je le vois, il a intérêt à savoir ce qui se passe au traitement thermique ou il aura affaire à moi.

–Je n'y manquerai pas! Mais vous vous rendez compte que vous parlez de deux, peut-être trois personnes par équipe.

–C'est tout? Vous vous souvenez du coût du temps perdu à un goulot?

–Compris. Pour être franc, ce que Ralph a découvert à propos du traitement thermique ressemble beaucoup à ce que j'ai moi-même constaté à propos des temps morts sur la NCX-10.

–C'est-à-dire?

Bob me confirme que la NCX-10 reste parfois inactive pendant une demi-heure ou plus. Mais le problème n'est pas dû à la pause du déjeuner. Si le réglage de la NCX-l0 est en cours, même si c'est l'heure de déjeuner, les régleurs achèvent d'abord leur travail. Ou bien, si le réglage est long, ils vont déjeuner chacun à leur tour. Il n'y a donc pas d'interruption de cette opération pour cette raison. Mais si la machine s'arrête, par exemple, au milieu de l'après-midi, il arrive qu'elle reste ainsi pendant 20, 30 ou même 40 minutes avant que quelqu'un vienne commencer un nouveau réglage, car les régleurs sont occupés sur d'autres machines, qui ne constituent pas des goulots.

–Dans ce cas, Bob, nous devons faire pour la NCX-10 la même chose que pour le traitement thermique. Il faut que deux personnes, dont un opérateur qualifié, restent en permanence auprès de la machine. Lorsqu'elle s'arrête, ils peuvent commencer immédiatement à la préparer pour un autre lot.

–Je suis entièrement d'accord avec vous, mais cela va sembler bizarre. Tout le monde va penser que nous augmentons la composante main-d'œuvre directe des pièces qui sortent du traitement thermique et de la NCX-10.

–Chaque chose en son temps, Bob; nous réglerons ce problème plus tard.

Le lendemain matin, Bob nous présente ses recommandations. Elles consistent essentiellement en quatre mesures. Les deux premières concernent ce dont lui et moi avons parlé la veille, c'est-à-dire l'affectation de deux personnes en permanence à la NCX-10 et d'un contremaître avec deux ouvriers aux fours de traitement thermique, et ce, pour les trois équipes. Les deux autres recommandations concernent l'allégement de la charge de travail des goulots. Bob a calculé que si nous pouvions mettre en service les vieilles machines qu'il a récupérées – la Zmegma et les deux autres – pendant une partie de la journée, nous pourrions accroître de 18% le volume des pièces produites par la NCX-10. Je suggère enfin une autre possibilité, à savoir que nous retirions une partie des pièces en attente de traitement thermique pour les envoyer à des sous-traitants qui feraient le travail pour nous.

En écoutant Bob présenter ses recommandations, je me demande ce que Lou va dire. À ma grande surprise, il ne fait pas d'objection.

–Compte tenu de ce que nous savons, il est parfaitement légitime que nous affections des gens aux goulots, si cela doit accroître le produit de nos ventes. Nous pouvons certainement justifier le coût de cette modification si elle augmente les ventes et, par voie de conséquence, la trésorerie. Par contre, je me demande où vous allez trouver le personnel nécessaire.

Bob suggère que nous pourrions rappeler certains des ouvriers que nous avons licenciés.

–Non, nous ne pouvons pas faire cela. La division y est absolument opposée et nous ne pouvons reprendre personne sans son accord.

–Y a-t-il des ouvriers dans l'usine qui soient capables de faire ce travail? demande Stacey.

–Vous voulez prendre des gens dans d'autres services? interroge Bob.

–Mais bien sûr! Il faut prendre des gens qui sont actuellement affectés à des ressources non-goulots. Par définition, elles ont de toute façon un excédent de capacité.

Bob réfléchit pendant un instant avant de déclarer que cela ne pose pas de gros problèmes. Par ailleurs, certains ouvriers, qui n'ont pas été mis à pied à cause de leur ancienneté, connaissent bien la Zmegma et les deux autres machines. Nous pourrions donc faire appel à eux. Mais l'affectation d'une équipe permanente de deux personnes à la NCX-10 lui semble toutefois plus difficile.

—Qui va faire les réglages sur les autres machines? demande-t-il.

—Les opérateurs qui y travaillent actuellement en savent assez pour les régler eux-mêmes, lui dis-je.

—Nous pouvons toujours essayer. Ne craignez-vous pas que ces mutations de personnel transforment des ressources non-goulots en goulots?

—L'important, Bob, c'est de maintenir le flux. Si nous déplaçons un ouvrier et que nous n'arrivons pas à maintenir le flux, nous le remettrons à son poste antérieur et nous prendrons quelqu'un d'un autre atelier. Et si nous n'arrivons toujours pas à maintenir le flux, il ne nous restera plus qu'à demander à la division l'autorisation de faire des heures supplémentaires ou de réintégrer quelques-uns des ouvriers que nous avons licenciés.

—Parfait, dans ces conditions je tente le coup.

Lou nous donne sa bénédiction.

—Alors, allons-y. Bob, assurez-vous de choisir des gens compétents. À partir d'aujourd'hui, nous devons affecter nos meilleurs éléments aux goulots.

Aussitôt dit, aussitôt fait.

Une équipe solide veille maintenant sur la NCX-10. La Zmegma et les autres machines sont remises en service. Le sous-traitant n'est que trop heureux de traiter notre excédent de pièces, et dans notre propre atelier de traitement thermique, deux personnes dans chaque équipe sont postées en permanence près des fours, pour le chargement et le déchargement immédiat des pièces. Donovan s'arrange avec les contremaîtres des différents centres de travail afin qu'il y en ait un en permanence pour superviser le traitement thermique.

Pour un contremaître, le poste de traitement thermique n'est qu'un minuscule royaume, pas très prestigieux. L'opération en elle-même n'est pas particulièrement intéressante et le fait de n'avoir que deux ouvriers à diriger n'est guère valorisant. Pour éviter que le contremaître affecté à cette tâche ne prenne sa mutation comme une brimade, je m'astreins à aller le voir plusieurs fois par jour. Tout en bavardant avec lui, je fais quelques allusions à la récompense que ne manquera pas de tirer celui qui sera capable d'améliorer la production des pièces qui passent au traitement thermique.

Quelques jours plus tard, tandis que je me trouve à la sortie de la troisième équipe très tôt le matin, j'observe quelque chose de très intéressant. Le contremaître en charge est un jeune Noir, nommé Mike Haley. Ses épaules sont tellement musclées qu'elles semblent toujours sur le point de faire éclater les coutures de sa chemise. Nous avons remarqué que pendant la semaine précédente, il avait fait passer au traitement thermique environ 10% de pièces de plus que les autres contremaîtres. Généralement, nous ne faisons pas de relevé sur la troisième équipe et nous nous étions demandé si les biceps de Mike pouvaient expliquer cette différence. Pour en avoir le cœur net, je décide d'aller voir par moi-même comment les choses se déroulent.

En m'approchant, j'aperçois deux ouvriers qui s'activent à déplacer des pièces. Devant les fours, deux piles de pièces soigneusement disposées augmentent régulièrement. J'appelle Mike et lui demande ce qu'ils sont en train de faire.

—Ils se préparent.

—Que voulez-vous dire?

—Ils se préparent à recharger l'un des fours, dès qu'il aura fini son cycle. Chaque pile correspond à des pièces qui sont traitées à la même température.

—Autrement dit, vous séparez les lots en fonction de la température de traitement des pièces?

—C'est ça. Je sais que ce n'est pas ce que nous sommes censés faire mais vous avez besoin de ces pièces, n'est-ce pas?

—Bien sûr, pas de problème. Mais pour le traitement, vous continuez à respecter le système de priorité?

—Oh, bien sûr. Venez, je vais vous expliquer.

Mike me fait passer derrière les fours et m'amène devant une vieille table rouillée sur laquelle est posée la liste des commandes les plus en retard pour lesquelles il doit faire sortir des pièces pendant la semaine.

—Regardez la commande 22. Il nous faut 50 pièces RB/11.

Elles sont traitées à une température de 670° C. Mais 50 pièces seulement, cela ne suffit pas pour remplir le four. Maintenant, si vous prenez la commande numéro 31, elle nécessite 300 bagues de fixation qui sont également traitées à 670° C.

—J'ai compris: après avoir chargé les 50 pièces destinées à la commande 22, vous finirez de remplir le four avec une partie des bagues de fixation.

—Exactement. Mais nous trions les pièces d'avance pour pouvoir charger le four plus vite.

—Bien raisonné, Mike.

—Nous pourrions faire encore mieux si quelqu'un voulait bien écouter une idée qui me trotte dans la tête depuis un certain temps.

—Je vous écoute, Mike.

—Eh bien, actuellement, il faut environ une heure pour recharger un four avec un chariot élévateur ou à la main. Cela ne nous prendrait que deux minutes si nous avions un meilleur système. Chaque four a un plateau monté sur roulettes sur lequel on pose les pièces. Si nous pouvions avoir une plaque d'acier, avec un petit coup de main du Génie, nous pourrions rendre ces plateaux interchangeables, comme ça, nous pourrions empiler un chargement de pièces d'avance et transférer les chargements dans le four avec un chariot élévateur. Nous gagnerions deux heures par jour, ce qui nous permettrait de faire un cycle supplémentaire de traitement thermique par semaine.

—Mike, vous avez congé demain soir, un autre contremaître vous remplacera.

—J'accepte avec plaisir, dit-il en souriant. Mais pourquoi?

—Parce qu'après-demain, je veux que vous passiez dans l'équipe de jour. Vous allez écrire ces procédures noir sur blanc pour que nous puissions commencer à les mettre en place le plus vite possible. Continuez à faire fonctionner votre cervelle, nous en avons besoin.

Un peu plus tard dans la matinée, Donovan vient me rendre une petite visite dans mon bureau.

—Bonjour, Al.

—Bonjour, Bob. Vous avez reçu ma note à propos de Haley?

—On s'en occupe.

–Très bien. N'oubliez pas de lui donner une augmentation lorsque les salaires seront débloqués.

–Vous pouvez compter sur moi.

Bob reste planté devant mon bureau, un petit sourire entendu aux lèvres.

–Autre chose, Bob?

–J'ai une bonne nouvelle pour vous.

–Ah bon?

–Vous vous souvenez quand Jonah nous a demandé si toutes les pièces qui passaient au traitement thermique en avaient véritablement besoin?

Je hoche la tête pour indiquer que je me le rappelle parfaitement.

–Je viens de m'apercevoir que dans trois cas, ce n'est pas le Génie qui a demandé un traitement thermique. C'est nous.

–Comment cela?

Il m'explique que cinq ans auparavant, un groupe d'experts avait décidé qu'il fallait augmenter les rendements de plusieurs centres d'usinage. Pour accélérer le processus, on avait donc modifié le réglage des outils de coupe. À chaque passe, au lieu de retirer une lamelle d'un millimètre d'épaisseur, l'outil retirait trois millimètres, fragilisant le métal, d'où la nécessité du traitement thermique.

–Mais les machines dont nous avons accru le rendement, poursuit Bob, se trouvent être des non-goulots. Elles ont une capacité suffisante pour que nous puissions ralentir leur production tout en satisfaisant la demande. Si nous retournons à la méthode précédente, nous n'avons plus besoin du traitement thermique et nous pouvons alléger d'environ 20% la charge de travail actuelle des fours.

–Formidable! Mais est-ce que les ingénieurs approuveront?

–J'ai gardé le meilleur pour la fin: c'est nous qui avons fait le changement il y a cinq ans.

–Donc, nous pouvons revenir à l'ancienne méthode quand nous voulons.

–Exactement! Nous n'avons pas besoin de l'accord du Génie puisqu'il existe déjà une procédure agréée pour cette opération.

Il me quitte quelques instants plus tard, nanti des instructions nécessaires pour procéder aux changements le plus vite possible. Ainsi, me dis-je, en diminuant le rendement de certaines opérations, nous allons élever la productivité de l'ensemble de l'usine. Ce paradoxe apparent me fait sourire. Je pense que j'aurai du mal à faire croire cela aux gens du siège social.

CHAPITRE 24

Vendredi après-midi. Dans le parking, les ouvriers de la première équipe reprennent leurs voitures et rentrent chez eux. Il y a l'embouteillage habituel à la sortie. Je suis tranquillement assis dans mon bureau lorsque la porte s'ouvre soudainement... et un OVNI saute au plafond avant de rebondir sur mon bureau et de terminer sa course sur la moquette à côté de mon fauteuil. Complètement éberlué, je me penche pour identifier ce missile. C'est un bouchon de champagne.

J'entends un énorme éclat de rire dans mon dos. Je me retourne et dans la minute qui suit, j'ai l'impression que la moitié de l'usine s'est donné rendez-vous dans mon bureau. Il y a là Stacey, Bob Donovan qui tient à la main la bouteille d'où provient le bouchon, Ralph, Fran, deux secrétaires et plusieurs autres personnes, parmi lesquelles Lou. Fran me tend un des gobelets en plastique qu'elle est en train de distribuer. Bob le remplit à ras bords.

—Puis-je savoir la raison de toute cette agitation?

—Je vous le dirai dès que tout le monde aura quelque chose à boire, claironne Bob.

D'autres bouteilles sont ouvertes au milieu d'un brouhaha indescriptible et lorsque tous les gobelets sont pleins, Bob lève le sien.

—Je bois au nouveau record d'expéditions établi par cette usine, dit-il solennellement. Lou a tenu les comptes pour nous et a constaté que l'ancien record mensuel était de 31 commandes expédiées, ce qui représente environ 2 000 000 $. Ce mois-ci, nous avons fait mieux que ça. Nous avons fait partir 57 commandes d'une valeur de 3 000 000 $.

—Non seulement nous avons expédié davantage de produits, dit Stacey, mais je viens de calculer la quantité de nos stocks et j'ai le plaisir de vous annoncer que depuis le mois dernier, nos stocks d'en-cours ont diminué de 12%.

—Alors, buvons tous au bénéfice que nous avons réalisé! leur dis-je.

Nous trinquons.

—Mmmmm... délicieux ce champagne cuvée industrielle, s'exclame Stacey.

—C'est spécial, dit Ralph à Bob. C'est vous qui l'avez choisi?

—Plus vous en buvez, meilleur il est...

Je m'apprête à demander que l'on remplisse à nouveau mon verre lorsque Fran me fait un signe.

—M. Rogo?

—Oui.

—Bill Peach au téléphone.

—Je le prends dans votre bureau, Fran.

Je secoue la tête en me demandant quelle tuile va me tomber dessus cette fois.

—Oui, Bill, que puis-je faire pour vous?

—Alex, je viens de parler à Johnny Jons.

Machinalement, je prends un crayon et un bloc de papier pour noter les références de la commande qui ne va pas manquer de nous causer des ennuis. J'attends que Peach continue, mais il ne dit rien.

—Quel est le problème, Bill?

—Aucun problème, en fait il était très content.

—Vraiment? À quel sujet?

—Il m'a dit que vous aviez rattrapé une bonne partie du retard des commandes destinées à ses clients, depuis quelque temps. Je suppose que vous avez fait un effort particulier?

–Oui et non. Nous avons un peu modifié nos procédures.

–Quoi qu'il en soit, il était très satisfait. Alex, je ne vous fais pas de cadeau lorsque les choses ne vont pas bien, alors je voulais simplement vous remercier, personnellement et de la part de Jons, parce que cette fois-ci tout a été parfait.

–Merci, Bill, merci de m'avoir appelé.

Quelques heures plus tard, lorsque Stacey s'arrête devant ma porte, j'en suis au stade où j'ai du mal à articuler deux phrases à la suite. Je la remercie avec effusion, emporté par un élan d'affection auquel le champagne n'est sans doute pas étranger.

–Je vous en prie, M. Rogo. Je suis très heureuse que nous ayons eu quelque chose à fêter.

Elle arrête le moteur. Je lève les yeux vers ma maison où une lumière est encore allumée. J'ai eu la bonne idée d'appeler ma mère depuis le bureau pour lui dire de ne pas m'attendre. J'ai été bien inspiré, parce que notre petite fête s'est prolongée fort tard après le coup de téléphone de Peach. La moitié de notre groupe est allé dîner ensemble. Lou et Ralph se sont retirés relativement tôt, mais Donovan, Stacey et moi – en compagnie de quelques fêtards invétérés – sommes ensuite allés boire quelques verres dans un bar. Il est maintenant une heure trente et je suis très sérieusement ivre.

La Buick est restée dans le parking du bar. Stacey, qui est sagement passée du champagne au Coca Cola dès le début de la soirée, nous a généreusement servi de chauffeur, à Bob et à moi. Dix minutes plus tôt, nous avons laissé Bob devant la porte de sa maison, en plus piteux état encore que moi. Si je me souviens bien, il doit demander à sa femme de nous amener demain matin récupérer nos véhicules.

Stacey sort de la voiture et vient m'ouvrir la porte. Je m'extirpe péniblement de mon siège. Légèrement titubant, je m'appuie contre la voiture.

–Je ne vous avais jamais vu sourire autant, dit Stacey.

–Ce soir, j'avais beaucoup de raisons de sourire.

–J'aimerais bien que vous soyez toujours aussi heureux aux réunions.

–J'en prends bonne note, lui dis-je d'une voix pâteuse, et je promets de beaucoup sourire à toutes les réunions.

–Allez, venez, je vais vous amener jusqu'à la porte.

Le bras passé autour de ma taille, elle me guide doucement vers le porche. Je lui demande si elle ne veut pas entrer pour prendre une tasse de café.

–Non merci. Il est tard et il vaut mieux que je rentre.

–Vous êtes sûre?

–Certaine.

J'ai quelques difficultés à introduire la clé dans la serrure, mais j'y arrive enfin. Je me tourne vers Stacey et lui tends la main.

–Je vous remercie de cette merveilleuse soirée, je me suis bien amusé.

Tandis que nous nous serrons la main, je fais un pas en arrière, trébuche sur le seuil de la porte et perds l'équilibre.

–Oups!

Je m'étale de tout mon long, entraînant Stacey dans ma chute. Heureusement – ou malheureusement en la circonstance – Stacey trouve cela très amusant. Le fou rire la gagne, et de grosses larmes roulent sur ses joues. Je me mets à rire à mon tour et nous piquons tous les deux une monumentale crise de fou rire lorsque la lumière s'allume.

–Salaud!

Je lève les yeux, ébloui par la lumière brutale. Et je la vois.

–Julie? Qu'est-ce que tu fais ici?

Sans un mot, elle sort comme une furie par la porte de la cuisine. Pendant que je me redresse pour me lancer à sa poursuite, j'entends la porte du garage qui s'ouvre. La lumière s'allume et sa silhouette se découpe dans la porte pendant un instant.

–Julie! Attends un instant!

La porte du garage s'enroule dans un bruit d'enfer et lorsque je la rejoins, elle est déjà dans sa voiture. La portière claque. Je m'approche en titubant, agitant frénétiquement les bras. Elle fait hurler le moteur.

–Je reste debout toute la nuit à t'attendre, à écouter les réflexions de ta mère pendant six heures, me hurle-t-elle par la fenêtre, et tu as le culot de rentrer ivre avec une traînée!

–Mais Stacey n'est pas une traînée, c'est...

Appuyant à fond sur l'accélérateur, Julie fait marche arrière dans l'allée (manquant de peu la voiture de Stacey), enfile la rue à toute allure en faisant crisser ses pneus. Je reste planté là, incapable de faire un geste.

Le bruit de son moteur s'éloigne peu à peu. C'est fini, elle est partie.

Samedi matin, j'ouvre péniblement un œil et me redresse dans mon lit. Je pousse deux grognements: un à cause de la migraine qui me serre les tempes, le deuxième lorsque me revient en mémoire la scène d'hier soir.

Lorsque je me sens un peu mieux, je m'habille et descends à la cuisine pour me faire une tasse de café. Ma mère est déjà là.

–Tu sais que ta femme était ici la nuit dernière, me dit-elle pendant que je remplis ma tasse de café.

Elle me raconte ce qui s'est passé. Julie est arrivée peu après mon coup de téléphone. Les enfants et moi lui manquions et elle avait sauté dans sa voiture sur une impulsion. Elle voulait me faire une surprise. Elle avait parfaitement réussi!

Un peu plus tard, j'appelle les Barnett. Ada m'informe sèchement que Julie ne veut plus entendre parler de moi.

En arrivant à l'usine le lundi matin, Fran m'annonce que Stacey me cherche depuis qu'elle est arrivée. Je viens de m'installer derrière mon bureau lorsqu'elle fait son apparition.

–Bonjour. Vous avez une minute?

–Bien sûr, Stacey. Entrez.

Elle a l'air très ennuyée et évite mon regard.

–Stacey, je suis désolé de ce qui s'est passé vendredi soir lorsque vous m'avez déposé chez moi.

–Ça ne fait rien. Est-ce que votre femme est revenue?

–Non. Elle va rester chez ses parents pendant quelque temps.

–Est-ce seulement à cause de moi?

–Non, Stacey, il y a déjà un certain temps que nous avons des problèmes.

–Al, je me sens un peu responsable. Voulez-vous que je lui parle?

–Vous n'êtes pas obligée de le faire.

–Je crois que cela vaudrait mieux, vraiment. Quel est son numéro?

Après tout, elle a peut-être raison. Je lui donne le numéro des Barnett. Elle le note et me promet d'appeler dans la journée. Je crois que notre conversation est terminée, mais elle reste là.

–Y a-t-il quelque chose d'autre?

–Je crains bien que oui.

Elle fait une pause.

–De quoi s'agit-il?

–Je crois que vous n'allez pas être très content, mais je suis pratiquement certaine que...

–Stacey, pour l'amour du ciel, que se passe-t-il?

–Les goulots se sont multipliés.

–Que voulez-vous dire «les goulots se sont multipliés»? Est-ce qu'une épidémie s'est déclarée dans l'usine?

–Non. Mais nous avons un nouveau goulot, et peut-être même plusieurs; je n'en suis pas encore certaine. Regardez, je vais vous montrer.

Elle fait le tour du bureau et commence à déplier des imprimés d'ordinateur qu'elle a apportés avec elle.

–Voici les listes des pièces qui sont en attente au montage final.

Nous étudions les listes ensemble. Comme d'habitude, il y a pénurie de pièces en provenance des goulots, mais depuis quelques jours, nous manquons également de pièces produites par des ressources non-goulots.

–La semaine dernière, nous avons eu une commande de 200 DBD-50. Sur les 172 pièces qui composent ce produit, il en manquait 17. Une seule était une pièce «rouge». Les autres étaient des pièces «vertes». La pièce «rouge» est sortie du traitement thermique jeudi et était prête vendredi matin, mais les autres ne sont toujours pas arrivées.

Je me laisse aller contre le dossier de mon fauteuil et me masse le front.

–Bon sang, mais qu'est-ce qui se passe? Je pensais que les pièces qui doivent passer par un goulot arriveraient au montage en dernier. Est-ce que nous manquons de matière première pour fabriquer ces pièces «vertes»? Il y a un problème avec les fournisseurs?

Stacey secoue la tête.

–Non, je n'ai eu aucune difficulté avec les Achats, et aucune des pièces n'a été confiée à des sous-traitants. Le problème est interne. C'est pour ça que je crois que nous avons eu un ou plusieurs nouveaux goulots.

Je me lève et fais quelques pas dans mon bureau.

–Peut-être qu'en augmentant le produit des ventes, nous avons surchargé certaines machines, en dehors du traitement thermique et de la NCX-10, et qu'elles n'ont plus la capacité nécessaire pour produire le volume que nous leur demandons, suggère Stacey à voix basse.

Je hoche la tête. C'est tout à fait possible. Les goulots étant maintenant plus productifs, nous avons accru le produit des ventes et rattrapé une partie de nos retards. Mais en augmentant la productivité de nos goulots, nous avons imposé une charge de travail supplémentaire aux autres postes de travail, et si la charge de travail d'un de ces postes dépasse sa capacité maximale, nous nous retrouvons avec un *nouveau* goulot.

Va-t-il falloir que nous recommencions tout le travail que nous avons effectué pour découvrir ces nouveaux goulots? Juste au moment où nous commencions à apercevoir la lumière au bout du tunnel...

Stacey replie les imprimés.

–Stacey, je veux que vous réunissiez un maximum d'informations: quelles pièces, quel est leur nombre exact, quels produits sont concernés, leurs gammes, la fréquence des manques, etc. De mon côté, je vais essayer de contacter Jonah pour lui demander ce qu'il pense de tout cela.

Stacey part et pendant que Fran essaie d'entrer en contact avec Jonah, debout près de la fenêtre, je réfléchis. J'ai jugé positif le fait que nos stocks aient diminué après la mise en œuvre des nouvelles mesures visant à améliorer la productivité des goulots. Il y a un mois, nous étions submergés de pièces provenant de ressources non-goulots. Nous ne savions plus où les mettre. Au cours des deux dernières semaines, à mesure que nous assemblions des produits, nous avions peu à peu épuisé tous nos stocks. La semaine dernière, pour la première fois depuis mon arrivée à l'usine, j'avais pu me rendre à la chaîne de montage sans avoir à «slalomer» entre les piles de caisses contenant notre stock de pièces. C'était bon signe. Et aujourd'hui, nouveau pépin.

—M. Rogo, j'ai Jonah en ligne.

—Jonah? Bonjour. Nous avons encore des problèmes.

—Qu'est-ce qui ne va pas?

Je lui décris brièvement les symptômes. Jonah me demande ce que nous avons fait depuis sa visite. Je lui raconte tout: le transfert du contrôle de qualité en amont des goulots, la formation dispensée aux ouvriers pour qu'ils accordent une attention particulière aux pièces provenant des goulots, la remise en service des trois machines pour appuyer la NCX-10, les nouvelles règles à propos du déjeuner, l'affectation d'équipes spéciales aux goulots, l'augmentation des lots de pièces qui passent par le traitement thermique, la mise en place du nouveau système de priorités dans l'usine...

—Un nouveau système de priorités? m'interrompt Jonah.

Je lui explique le principe des étiquettes rouges et vertes, ainsi que le fonctionnement du système.

—Je crois qu'il vaudrait mieux que je vienne vous faire une autre visite.

Je suis à la maison ce soir-là lorsque le téléphone sonne.

—Bonsoir, fait la voix de Julie.

—Bonsoir.

—Je te dois des excuses. Je suis désolée à propos de vendredi soir. Stacey m'a appelée. Al, je suis vraiment confuse de ce malentendu.

—Eh bien... Il me semble qu'il y a beaucoup de malentendus entre nous depuis quelque temps.

—Je suis vraiment navrée. J'étais venue en croyant que tu serais heureux de me voir.

—J'aurais été heureux que tu restes. En fait, si j'avais su que tu venais, je serais rentré à la maison immédiatement après le travail.

—Je sais que j'aurais dû t'appeler, mais j'ai agi sur un coup de tête.

—Tu n'aurais peut-être pas dû m'attendre.

—Je pensais que tu allais rentrer d'une minute à l'autre. Pendant tout le temps où je t'ai attendu, ta mère m'a regardée d'un sale œil. Elle a fini par aller se coucher et les enfants aussi. Je me suis endormie sur le canapé et je me suis réveillée en entendant la voiture.

—Allez, c'est fini... amis comme avant?

J'entends son soupir de soulagement.

—Oui. Quand nous voyons-nous?

Je suggère vendredi, mais elle ne veut pas attendre aussi longtemps et nous convenons d'un rendez-vous mercredi.

CHAPITRE 25

J'ai une impression de *déjà vu*[1]. À l'aéroport, le lendemain matin, j'accueille de nouveau Jonah lorsqu'il émerge de la porte numéro 2.

À dix heures, Bob, Lou, Ralph, Stacey et moi sommes assis dans la salle de conférences de l'usine. Jonah nous fait face.

–Commençons par quelques questions fondamentales, dit Jonah. Premièrement, avez-vous déterminé exactement quelles sont les pièces qui sont à l'origine du problème?

Assise à la table, entourée d'une véritable forteresse de papiers, comme si elle s'apprêtait à soutenir un siège, Stacey lui tend une liste.

–Oui, dit-elle, nous les avons identifiées. J'ai passé la moitié de la nuit à les retrouver et à contrôler les données de l'ordinateur avec ce qui se trouve dans les ateliers. Il semble que le problème tourne autour d'une trentaine de pièces.

–Êtes-vous bien certaine que les machines ont été approvisionnées en matières premières pour les fabriquer?

–Certaine. Les matières premières ont été livrées comme prévu. Mais ces pièces n'arrivent pas au montage. Elles restent bloquées aux nouveaux goulots.

–Un instant, Stacey. Comment savez-vous qu'il s'agit vraiment d'un goulot?

–Eh bien... puisqu'elles sont bloquées, j'ai pensé que...

–Avant de tirer des conclusions hâtives, prenons une demi-heure pour faire le tour de l'usine et voir ce qui se passe dans les ateliers, dit Jonah.

Quelques minutes plus tard, nous sommes devant un groupe de fraiseuses. Des pièces marquées d'une étiquette verte sont empilées sur le côté des machines. Stacey désigne du doigt celles qui sont attendues à l'atelier de montage. La plupart des pièces manquantes sont là, et elles portent toutes une étiquette verte. Bob appelle le contremaître, un dénommé Jake, et le présente à Jonah.

–Ouais, elles sont là depuis deux ou trois semaines, ou peut-être même plus, dit Jake.

–Mais nous en avons besoin tout de suite! Comment se fait-il qu'elles ne soient pas usinées?

Jake hausse les épaules.

–Est-ce que ce sont celles-là que vous voulez? On vous les fait tout de suite mais c'est pas comme ça que vous aviez dit de faire pour les priorités!

Il nous montre un tas de pièces posées un peu plus loin.

–Vous voyez ces pièces? Elles ont toutes une étiquette rouge. Il faut que nous nous en occupions avant de travailler sur les pièces vertes. C'est bien ce que vous nous avez dit de faire, non?

Je commence à comprendre.

–Autrement dit, intervient Stacey, pendant que les pièces avec les étiquettes vertes s'accumulaient, vous avez consacré tout votre temps aux pièces destinées aux goulots.

–Une bonne partie de notre temps, en effet. Il n'y a que 24 heures dans une journée, si vous voyez ce que je veux dire?

–Quelle proportion représentent dans votre travail les pièces destinées aux goulots? demande Jonah.

–Environ 75 à 80%. Tout ce qui va au traitement thermique ou à la NCX-10 doit d'abord passer chez nous. Tant que les pièces «rouges» continuent d'arriver – et nous en avons eu sans arrêt depuis que le nouveau système a été mis en place – nous n'avons pas beaucoup de temps à consacrer aux pièces «vertes», et pourtant il y en a beaucoup.

Il y a un moment de silence. Je regarde les pièces, puis les machines, puis de nouveau Jake.

—Et maintenant, que faisons-nous? demande Donovan, comme s'il avait lu dans mes pensées. Est-ce que nous allons intervertir les étiquettes pour que les pièces manquantes soient «rouges» au lieu de «vertes»?

J'ai un geste d'exaspération.

—Je crois que la seule solution, c'est de travailler en urgence.

—Non, ce n'est pas du tout la solution, dit Jonah, parce que si vous travaillez en mode urgence maintenant, vous entrez dans un cercle vicieux et la situation ne pourra qu'empirer.

—Mais que pouvons-nous faire d'autre? demande Stacey en s'adressant à Jonah.

—Tout d'abord, je veux que nous allions voir les goulots parce qu'ils constituent un autre aspect du problème.

Avant même d'atteindre la NCX-10, nous apercevons le tas de pièces en cours. Il atteint presque la hauteur du chariot élévateur. Ce n'est même plus une montagne, c'est un massif montagneux. Les piles sont encore plus hautes que lorsque nous avons découvert que la NCX-10 était un goulot. Et partout, des étiquettes rouges. Derrière, c'est à peine si nous distinguons la NCX-10.

—Par où passons-nous pour atteindre cette machine? demande Ralph.

—Par ici, suivez-moi, dit Bob.

Il nous guide entre les piles de pièces et nous amène devant la machine.

—À vue de nez, dit Jonah, il me semble que vous en avez au moins pour un mois de travail pour faire passer toutes ces pièces dans cette machine, et je suis certain que si nous allions au traitement thermique, la situation serait la même. Savez-vous pourquoi vous avez une telle montagne d'en-cours ici?

—Parce que tout le monde, en amont, donne la priorité aux pièces «rouges», dis-je.

—C'est une des raisons, en effet. Pourquoi un tel nombre de pièces qui passent par d'autres ateliers se trouve-t-il bloqué ici?

Personne ne dit mot.

–Bien, je crois qu'il va falloir que je vous donne quelques explications sur le rapport entre les goulots et les non-goulots.

Jonah se tourne vers moi.

–À propos, Alex, vous souvenez-vous de ce que je vous ai dit au sujet de l'inefficacité d'une usine dans laquelle tout le monde travaille tout le temps? En voici l'illustration.

Jonah va jusqu'au poste de contrôle de qualité le plus proche et prend un morceau de craie dont les contrôleurs se servent pour marquer les défauts sur les pièces qu'ils rejettent. Il s'agenouille sur le sol de béton et pointe la NCX-10.

–Voici votre goulot, la NX... enfin cette machine-là. Nous l'appellerons simplement «X».

Il trace un grand X sur le sol. Puis il désigne les autres machines de la travée.

–X est alimentée par plusieurs ressources non-goulots. Comme nous avons appelé le goulot X, nous désignerons ces ressources non-goulots par la lettre «Y». Maintenant, pour simplifier, voyons ce que donne la combinaison d'une ressource non-goulot et d'une ressource goulot...

Avec la craie, il écrit sur le sol:

$$Y \rightarrow X$$

–Les pièces destinées aux différents produits constituent le lien qui unit ces deux ressources, explique Jonah, et la flèche indique évidemment le sens du flux entre l'une et l'autre. Nous pouvons considérer que n'importe quelle ressource non-goulot alimente X, parce que de toute façon, le stock de pièces que produit cette ressource non-goulot doit passer à un moment ou à un autre par X.

–Si nous nous référons à la définition d'une ressource non-goulot, nous savons que Y dispose d'un excédent de capacité. Pour cette raison, nous savons également que Y répondra plus vite à la demande que X. Disons que X et Y peuvent produire chacune pendant 600 heures chaque mois. Parce que X est un goulot, vous aurez besoin des 600 heures qu'elle peut faire pour répondre à la demande. Mettons que vous n'ayez besoin que de 450 heures par mois, soit 75%, d'Y pour que le flux soit égal à la demande. Que se passe-t-il lorsque Y a fait ses 450 heures? Vous la laissez inactive?

Bob intervient.

–Non, nous trouvons quelque chose d'autre à lui faire faire.

–Mais Y a déjà produit la quantité nécessaire pour répondre à la demande du marché, objecte Jonah.

–Dans ce cas, nous lui faisons prendre de l'avance sur le programme du mois suivant.

–Et si elle n'a pas de matière première pour travailler?

–Eh bien, nous en faisons venir.

–C'est *ça* le problème. En effet, que faites-vous des heures de travail supplémentaires d'Y? Les pièces qu'elle produit doivent bien aller quelque part. Y est plus rapide que X, et parce que vous continuez à faire travailler Y, le flux de pièces qui arrive à X est donc nécessairement supérieur au flux qui en sort. Et le résultat...

Il se dirige vers la montagne d'en-cours et nous la désigne d'un geste large.

–Vous vous retrouvez avec tout cela devant la machine X. Lorsque vous enfournez plus de matière première que le système peut transformer en produit des ventes, qu'obtenez-vous?

–Des excédents de stocks, répond Stacey.

–Exactement. Essayons maintenant une autre combinaison: que se passe-t-il lorsque X approvisionne Y?

Jonah se penche de nouveau pour écrire quelque chose sur le sol: X -> Y

–Sur les 600 heures que peut travailler la machine Y, combien peuvent être utilisées de façon productive dans ce cas?

–Seulement 450, dit Stacey.

–C'est exact. Y étant approvisionnée exclusivement par X, le nombre maximal d'heures pendant lesquelles elle peut travailler est déterminé par la production de X. Et 600 heures de X sont égales à 450 heures pour Y. Après avoir travaillé pendant 450 heures, Y sera en manque de pièces à traiter, ce qui, soit dit en passant, est tout à fait acceptable.

–Une petite minute, dis-je. Nous avons des machines goulots qui alimentent des machines non-goulots ici, dans l'usine. Par exemple, tout ce qui sort de la NCX-10 passe ensuite dans une machine non-goulot, mais je sais que nous ne laissons pas les centres de travail non-goulots en aval de la NCX-10 inactifs une fois qu'ils ont traité les pièces provenant des goulots.

–Vous avez raison, dit Bob. Nous les alimentons avec des pièces qui n'ont rien à voir avec le goulot.

–Qui proviennent de machines non-goulots, autrement dit. Et savez-vous ce qui se produit lorsque vous faites travailler Y de cette façon? Regardez.

Jonah trace un troisième diagramme sur le sol avec la craie.

```
X -> M
Y -> O
     N
     T
     A
     G
     E
```

–Dans ce cas, continue Jonah, certaines pièces ne transitent pas par un goulot; elles sont traitées uniquement par une machine non-goulot et le flux va directement d'Y au montage. Par contre, les autres pièces transitent par un goulot et elles passent par X pour arriver jusqu'à l'atelier de montage où elles sont associées aux pièces Y pour former un produit fini.

En conditions réelles, le circuit Y consisterait sans doute à alimenter une machine non-goulot avec une autre machine non-goulot, puis encore une autre machine non-goulot, et ainsi de suite jusqu'au montage final. Le circuit X peut passer par une série de machines non-goulots qui approvisionnent un goulot, qui à son tour alimente une série d'autres machines non-goulots. Dans notre cas, poursuit Jonah, nous avons un groupe de machines non-goulots en aval de X qui peuvent traiter des pièces provenant soit du circuit X, soit du circuit Y.

Mais pour ne pas compliquer les choses, le diagramme représentant la combinaison n'a que le plus petit nombre possible d'éléments: un X et un Y. Quel que soit le nombre de non-goulots qu'il y ait dans le système, faire travailler Y simplement pour qu'elle ne reste pas inactive aura toujours le même résultat. Supposons donc que vous fassiez travailler X et Y sans arrêt pendant le nombre d'heures correspondant à leur capacité. Quel serait le rendement du système?

–Excellent, dit Bob.

–Faux. En effet, que se passe-t-il lorsque le stock de pièces produit par X arrive à l'atelier de montage?

Bob hausse les épaules.

–Nous assemblons les commandes et nous les faisons partir.

–Comment faites-vous cela? Alors que 80% de vos produits comprennent au moins une pièce provenant d'un goulot. Par quoi allez-vous remplacer la pièce qui n'est pas encore arrivée du goulot?

–Ah, c'est vrai... J'avais oublié, grommelle Bob en se grattant la tête.

–Donc, dit Stacey, si nous ne pouvons pas assembler les commandes, nous nous retrouvons de nouveau avec des piles de pièces en réserve. Mais cette fois, l'excédent de stocks ne s'accumule pas devant une machine goulot; il s'entasse dans l'atelier de montage.

–Et un autre million de dollars est bloqué simplement pour que les machines puissent continuer à tourner.

–Vous comprenez? Je vous le répète encore une fois, les machines non-goulots ne déterminent pas le produit des ventes, même si elles fonctionnent 24 heures sur 24.

–D'accord, mais que faites-vous des 20% de produits qui ne comportent aucune pièce fabriquée par les goulots? Avec ceux-là, nous pouvons avoir des rendements très élevés.

–Vous croyez?

La craie recommence son ballet sur le sol...

$$Y \rightarrow PRODUIT\ A$$
$$X \rightarrow PRODUIT\ B$$

–Cette fois-ci, dit Jonah, X et Y travaillent indépendamment l'une de l'autre. Chacune est affectée à des demandes distinctes. Sur les 600 heures d'Y, combien le système peut-il en utiliser dans ce cas?

–Toutes, répond Bob.

–Certainement pas. À première vue, effectivement, il semble que nous puissions utiliser 100% du temps d'Y, mais réfléchissez bien.

–Nous ne pouvons utiliser que ce que la demande du marché peut absorber, dis-je.

–Correct, approuve Jonah. Par définition, Y a un excédent de capacité; donc si vous faites travailler Y au maximum, vous obtenez une nouvelle fois des excédents de stocks, non plus d'en-cours, mais de produits finis. La contrainte, dans ce cas, ne se situe pas dans la production; elle réside dans la capacité du marketing à vendre.

En l'écoutant, je me rappelle les produits finis qui s'entassent dans nos entrepôts. Deux tiers au moins de ces stocks sont constitués de produits fabriqués entièrement avec des pièces provenant de machines non-goulots. En faisant tourner des non-goulots pour des raisons «d'efficacité», nous avons accumulé des stocks qui dépassent de très loin la demande. Quant au dernier tiers de nos produits finis, il comporte des pièces provenant des goulots, mais la plupart d'entre eux sont entreposés depuis deux ans. Ils sont obsolètes. Sur les quelque 1 500 unités que nous avons en stock, nous sommes chanceux d'en vendre une dizaine par mois. Pratiquement tous les produits *concurrentiels* qui comportent des pièces fabriquées par les goulots sont vendus aussitôt qu'ils sortent du montage final. Quelques-uns attendent dans l'entrepôt pendant un jour ou deux avant de partir chez le client, mais leur nombre est très faible en raison des retards dans les commandes.

Je regarde Jonah ; aux quatre diagrammes qu'il a tracés sur le sol, il a ajouté des chiffres et ils se présentent maintenant de la façon suivante...

```
1) Y --> X        3) Y --> M      4) Y --> PRODUIT A
2) X --> Y           X--> O          X --> PRODUIT B
                         N
                         T
                         A
                         G
                         E
```

Jonah reprend sa démonstration.

–Nous avons examiné quatre combinaisons linéaires impliquant X et Y. Il est certain que nous pouvons créer une infinité de combinaisons d'X et d'Y, mais les quatre que nous avons là sont suffisamment fondamentales pour que nous en restions là. Si nous nous en servons comme de cubes de construction, nous pouvons représenter n'importe quelle situation de production. Il n'est pas nécessaire d'envisager des milliards de combinaisons d'X et d'Y pour découvrir ce qui est universellement vrai dans tous les cas: nous pouvons tirer un principe général en trouvant simplement ce qui se passe dans chacune de ces quatre hypothèses. Pouvez-vous me dire quel est leur point commun?

Stacey souligne immédiatement que Y ne détermine jamais le produit des ventes pour le système. Chaque fois qu'il est possible d'activer Y au-dessus du niveau de X, cela se traduit seulement par un excédent de stocks et non par une augmentation du produit des ventes.

—C'est exact, et si nous suivons ce raisonnement jusqu'à sa conclusion logique, dit Jonah, nous pouvons formuler une règle simple qui sera vraie dans tous les cas: le degré d'utilisation d'une ressource non-goulot n'est pas déterminé par son propre potentiel mais par une autre contrainte au sein du système.

Il désigne la NCX-10.

—Cette machine est une contrainte majeure dans votre système. Lorsque vous faites travailler un non-goulot au-delà de ce que cette machine peut réaliser, vous n'augmentez pas la productivité mais vous faites au contraire exactement l'inverse: vous créez des excédents de stocks et cela va à l'encontre du but.

—Mais que sommes-nous censés faire? demande Bob. Si nous ne donnons pas de travail aux ouvriers, nous aurons des temps d'inactivité qui abaisseront nos rendements.

—*Et alors*? demande Jonah.

Donovan est déconcerté.

—Je vous demande pardon, mais comment diable pouvez-vous dire une chose pareille?

—Regardez derrière vous, Bob. Regardez le monstre que vous avez créé. Il ne s'est pas constitué tout seul, ce sont vos propres décisions qui ont donné naissance à cette montagne de stocks. Pourquoi? À cause de l'hypothèse erronée selon laquelle vous devez faire produire vos ouvriers 100% du temps ou vous en débarrasser pour «économiser» de l'argent.

—Admettons, intervient Lou, que 100% soit un pourcentage non réaliste. Il nous en faut un qui soit acceptable, par exemple 90%.

—Pourquoi 90% serait-il un pourcentage acceptable? s'étonne

Jonah. Pourquoi pas 60% ou 25%? Les chiffres n'ont aucune signification s'ils ne sont pas basés sur les contraintes du système. Avec suffisamment de matière première, vous pouvez occuper un ouvrier jusqu'à ce qu'il prenne sa retraite. Mais *devriez-vous* le faire? Certainement pas si vous voulez gagner de l'argent.

–Vous êtes en train de nous dire que faire travailler un employé et tirer un profit de ce travail sont deux choses différentes? demande Ralph.

–C'est parfaitement exact et c'est une très bonne approximation de la deuxième règle que nous pouvons logiquement déduire des quatre combinaisons de X et Y dont nous avons parlé. De façon très précise, activer une ressource et l'utiliser ne sont pas synonymes.

Il explique que dans les deux règles, «utiliser» une ressource veut dire s'en servir d'une façon qui rapproche le système du but. «Activer» une ressource revient à appuyer sur le bouton de mise en marche d'une machine; elle tourne, qu'il y ait ou non un avantage à tirer de son activité. En conséquence, activer une ressource non-goulot au maximum est un acte de stupidité maximale.

–Ces règles impliquent donc que nous ne devons pas chercher à optimiser chaque ressource du système, poursuit Jonah. Un système d'optima locaux n'est pas du tout un système optimal: c'est un système particulièrement inefficace.

–D'accord, dis-je, mais comment le fait de savoir tout cela peut-il nous aider à débloquer les pièces qui manquent aux fraiseuses et à les transmettre au montage final?

Jonah a une réponse toute prête.

–Réfléchissez à l'accumulation des stocks aussi bien ici qu'aux fraiseuses dans l'optique des deux règles dont nous venons de parler.

–Je crois que je vois la cause du problème, intervient Stacey. Nous envoyons des matières plus vite que les goulots ne peuvent les traiter.

–Exactement, approuve Jonah. Vous envoyez des matières aux ateliers chaque fois que des machines *non-goulots* manquent de travail.

—Peut-être, mais les fraiseuses constituent un goulot, dis-je.

Jonah secoue la tête.

—Non, ce ne sont pas des goulots comme en témoigne cet excédent de stocks qui est derrière vous. Voyez-vous, intrinsèquement, les fraiseuses ne sont pas un goulot; c'est vous qui les avez transformées en goulots.

Lorsqu'on augmente le produit des ventes, nous dit-il, il est tout à fait possible de créer de nouveaux goulots. Mais la plupart des usines disposent d'un tel excédent de capacité qu'il faut une augmentation considérable du produit des ventes avant que cela ne se produise. Nous n'avons eu qu'un accroissement de 20%. Lorsque je lui avais parlé au téléphone, il avait estimé qu'il y avait peu de probabilités pour qu'apparaisse un nouveau goulot.

La cause du problème dans notre cas était que, en dépit de l'augmentation du produit des ventes, nous avions continué à alimenter les machines avec des pièces, comme si nous voulions à tout prix que tous nos ouvriers soient en permanence «activés». Ceci avait alourdi la charge de travail des fraiseuses et les avait amenées à saturation. Les pièces «rouges» prioritaires avaient été traitées, mais les «vertes» s'étaient accumulées. Non seulement avions-nous ainsi créé des excédents de stocks à la NCX-10 et au traitement thermique, mais en raison du volume de pièces goulots, nous avions bloqué le flux à un autre centre de travail et empêché ainsi des pièces non-goulots d'atteindre le montage.

—Très bien, dis-je quand il a fini. Je vois maintenant les failles de nos méthodes. Pouvez-vous nous dire ce que nous devrions faire pour remédier au problème?

—Je veux que vous y réfléchissiez tous pendant que nous retournons à la salle de conférences et nous parlerons ensuite de ce que vous devriez faire. La solution est relativement simple.

1. En français dans le texte.

CHAPITRE 26

La simplicité de la solution ne m'apparaît qu'une fois rentré à la maison. Assis à la table de la cuisine, devant un bloc de papier, je suis en train de réfléchir à ce que Jonah a suggéré dans l'après-midi, lorsque Sharon entre et vient s'asseoir à côté de moi.

–Bonsoir, papa.

–Bonsoir, ma poupée. Quoi de neuf ?

–Pas grand-chose, je me demandais ce que tu faisais.

–Je travaille.

–Je peux t'aider?

–Euh... Je ne sais pas. C'est assez compliqué et tu risques de t'ennuyer.

–Ah... Tu veux que je m'en aille?

Je me sens coupable.

–Non, pas si tu as envie de rester. Veux-tu essayer de résoudre un problème?

–Oh oui!

–Très bien. Voyons, comment pourrais-je t'expliquer les choses simplement? Tu te souviens de la sortie que j'ai faite avec Dave et les scouts?

—Elle ne s'en souvient sûrement pas, mais moi, oui! annonce Dave qui entre en coup de vent dans la cuisine. Moi, je peux t'aider.

—Mon garçon, je crois que tu te prépares une grande carrière dans la vente!

Sharon proteste énergiquement.

—Tu n'y étais même pas, dit son frère dédaigneusement.

—Mais je vous ai entendus en parler!

—Assez, tous les deux. Nous allons travailler ensemble. Le problème est le suivant: nous avons un groupe de scouts qui marchent en file indienne dans la forêt. Au milieu, il y a Herbie. Nous avons déjà allégé son sac à dos pour qu'il puisse avancer plus vite, mais il est toujours le plus lent de la troupe. Tous les autres veulent aller plus vite que lui, mais si je les laisse faire, la file s'étirera et un certain nombre de garçons se perdront. Pour une raison quelconque, nous ne pouvons pas déplacer Herbie de sa position en milieu de colonne. La question est donc: comment faire pour que la file ne s'étire pas?

Les deux enfants froncent les sourcils, perplexes.

—Allez tous les deux dans la pièce à côté. Je vous laisse 10 minutes pour réfléchir, puis nous verrons lequel de vous a la meilleure idée pour que la colonne reste groupée.

—On gagne quelque chose? demande Dave.

—Ce que vous voulez... dans les limites du raisonnable.

—Ce qu'on veut, *vraiment*?

—J'ai dit... dans les *limites du raisonnable*, Sharon.

Ils sortent et reviennent 10 minutes plus tard en se bousculant.

—Prêts?

Ils s'assoient en face de moi.

—Tu veux que je te dise mon idée?

—Vas-y, Sharon, je t'écoute.

—La mienne est meilleure!

—Laisse-la parler, Dave.

—Voilà: il te faut un tambour!

—Pardon?

—Tu sais bien... comme dans un défilé...

—Ah! Je vois ce que tu veux dire. Il n'y a pas de trous dans un défilé. Tout le monde marche au pas.

Sharon rayonne. Son frère lui jette un regard furibond.

–Tout le monde marche au pas... au son du tambour. Je réfléchis à voix haute. D'accord, Sharon, mais comment empêches-tu ceux qui sont devant Herbie d'aller plus vite que lui?

–Tu fais battre le tambour par Herbie!

–Hé, pas mal du tout, ton idée !

–Mais la mienne est meilleure, insiste Dave.

–Vas-y, petit malin, dis-nous ça.

–Tu attaches tout le monde avec des cordes!

–Des cordes?

–Oui, comme les alpinistes. Tu noues une corde autour de la taille de tous les garçons, comme ça, personne ne se perd et personne ne peut accélérer l'allure sans entraîner les autres.

–Mmmmm... très astucieux!

Comme cela, la file – représentée à l'usine par l'ensemble des stocks – ne serait jamais plus longue que la corde qui aurait, bien sûr, une longueur prédéterminée, de sorte que nous pourrions la contrôler avec précision. Tout le monde serait obligé de marcher à la même vitesse. J'admire l'ingéniosité de mon fils.

–Si on y réfléchit, la corde constitue un lien physique entre toutes les machines, comme dans une chaîne de montage.

–C'est ça! Tu m'as bien dit une fois qu'une chaîne de montage était la meilleure façon de produire des choses?

–C'est exact, c'est la méthode la plus efficace pour fabriquer des produits. En fait, c'est celle que nous adoptons pour le montage final de la plupart de nos produits. Le problème, c'est que nous ne pouvons pas avoir de chaînes dans toute l'usine.

Dave a l'air déçu.

–Mais vos deux idées sont excellentes. En les modifiant un tout petit peu, nous aurons presque la solution qui nous a été suggérée aujourd'hui.

–Comment ça?

–Vois-tu, pour que la colonne ne se défasse pas, il ne serait pas vraiment nécessaire que tout le monde marche exactement au même pas ou se soit encordé. Il suffirait d'empêcher le premier garçon de la file de marcher plus vite qu'Herbie, comme ça tous les garçons resteraient groupés.

—Alors, on attache seulement Herbie et le premier garçon.

—Ou alors, ajoute Sharon, Herbie et lui ont un signal convenu: quand le premier va trop vite, Herbie lui demande d'attendre ou de ralentir.

—C'est exact, vous avez parfaitement compris tous les deux.

—Alors, qu'est-ce qu'on a gagné?

—Qu'est-ce qui vous ferait plaisir? Une pizza garnie? Un film?

Ils réfléchissent en silence pendant un moment.

—Un film, ce serait bien, mais ce qui serait encore mieux, c'est que tu fasses revenir maman à la maison.

Je ne sais quoi dire.

—Mais si tu ne peux pas, on comprendra.

—Je fais tout mon possible, mes enfants. En attendant, si nous allions au cinéma?

Une fois les enfants au lit, je m'assieds un moment au salon. Pour la énième fois, je me demande si Julie reviendra. Comparé à mes difficultés conjugales, le problème des stocks à l'usine me paraît simple... maintenant, du moins. Tous les problèmes paraissent simples lorsqu'on a trouvé la solution.

En effet, nous allons faire exactement ce que Sharon et Dave ont suggéré. Les Herbies (les goulots) nous diront à quel moment nous devons accroître le débit du système, mais à la place du tambour et des cordes, nous utiliserons des ordinateurs.

Lorsque nous étions retournés dans la salle de conférences cet après-midi, nous étions tombés d'accord sur le fait que nous sur-approvisionnions les machines en matières premières. Nous n'avons pas besoin d'avoir un stock de pièces pour cinq ou six semaines à chaque goulot pour maintenir sa production.

—Si nous retenons les matières destinées aux pièces «rouges», avait dit Stacey, au lieu d'en donner dès qu'une machine non-goulot n'a rien à faire, les fraiseuses auront le temps de travailler sur les pièces «vertes», et celles qui nous font défaut arriveront à l'atelier de montage sans problème.

Jonah avait approuvé d'un hochement de tête.

—Exact, Stacey. Vous devez imaginer un moyen de distribuer la matière première pour les pièces «rouges» en fonction du rythme des besoins des goulots et uniquement à ce rythme.

Quelque chose me gênait.

–Très bien, mais comment programmer les sorties de matières premières pour qu'elles arrivent aux goulots au moment où ils en ont besoin?

Stacey avait abondé en mon sens.

–Alex a raison, nous ne voulons pas le problème inverse, c'est-à-dire ne pas avoir de travail à donner aux goulots.

–Nous avons au moins un mois devant nous avant que cela n'arrive, avait dit Bob, mais je sais ce que vous voulez dire: si nous laissons un goulot inactif, nous perdons du produit des ventes.

–Il nous faut donc une sorte de signal pour relier les goulots au programme de sortie des matières premières.

–Excusez-moi, je ne peux rien affirmer, mais nous pouvons peut-être prévoir les sorties de matières premières avec un système quelconque fondé sur les données que nous avons réunies sur chacun des goulots.

Je ne suivais pas très bien le raisonnement de Ralph.

–Depuis que nous avons mis en place le suivi des entrées et sorties des goulots, je me suis aperçu que je pouvais prévoir plusieurs semaines à l'avance ce sur quoi chacun travaillerait à un moment donné. Voyez-vous, tant que je sais exactement ce qui est en attente, il me suffit de faire la moyenne du temps de réglage et de traitement de chaque type de pièce pour calculer quand un lot doit sortir du goulot. Puisqu'un seul centre de travail est concerné, avec moins de dépendance, nous pouvons faire la moyenne des fluctuations aléatoires et avoir ainsi une meilleure précision.

Ralph nous avait ensuite expliqué que, d'après ses observations, il fallait environ deux semaines, à un ou deux jours près, pour que la matière première arrive aux goulots après les premières opérations.

–Donc, en ajoutant deux semaines aux temps de réglage et de traitement, je déterminerai le temps qui s'écoulera avant que le goulot ne commence effectivement à travailler sur les matières premières que nous distribuons. À mesure que chaque lot sortira du goulot, nous pourrons actualiser nos données et calculer la date à laquelle Stacey devra envoyer d'autres pièces «rouges».

L'idée de Ralph avait paru excellente à Jonah.

–Quel degré de précision pensez-vous pouvoir atteindre? avais-je demandé à Ralph.

–Je crois que nous devrions pouvoir établir des prévisions au jour près. Donc, si nous maintenons un stock de trois jours d'encours, par exemple, en amont de chaque goulot, nous devrions avoir une bonne marge de sécurité.

Nous avions tous été impressionnés par les arguments de Ralph, mais Jonah n'en était pas resté là.

–En fait, Ralph, vous pouvez faire beaucoup mieux encore avec les mêmes données.

–Quoi, par exemple?

–Vous pouvez aussi vous attaquer au problème des stocks en amont du montage.

J'avais immédiatement compris où il voulait en venir.

–En plus des excédents de stocks de pièces aux goulots, nous pouvons traiter également le problème des pièces non-goulots, n'est-ce pas?

–C'est exact.

Ralph ne voyait pas comment il pouvait faire cela.

Jonah lui avait alors donné quelques indications. Si Ralph parvenait à établir un calendrier de sortie des matières premières pour les goulots, il pouvait aussi en calculer un pour le montage final. Sachant à quel moment les pièces produites par les goulots arriveraient au montage, il pouvait faire le calcul inverse et déterminer le transfert des pièces non-goulots à chaque étape de leur circuit. Ainsi, les goulots régulariseraient le déplacement de l'ensemble des pièces à traiter dans toute l'usine.

–Cela aura le même effet que de déplacer les goulots en tête du cycle de production, ce que j'avais l'intention de faire initialement.

–Tout cela me semble parfait, mais je tiens à préciser que j'ignore combien de temps il me faudra pour programmer l'ordinateur dans ce sens. Tout ce qui concerne les matières destinées aux pièces «rouges» peut être mis en place assez rapidement. Pour le reste, il faudra un certain temps.

–Allez, Ralphie, avait plaisanté Bob, un génie de l'informatique comme vous devrait pouvoir sortir ça en un tournemain!

–Je peux sortir quelque chose en un tournemain, mais je ne

garantis pas le résultat.

–Du calme. Si nous allégeons la charge de travail des frai-seuses, nous sommes tranquilles pour un moment et cela vous donnera le temps de développer un programme, Ralph.

–Vous avez peut-être le temps de souffler un peu, avait annoncé Jonah à cet instant, mais mon vol pour Chicago part dans 35 minutes.

Prenant tout à coup conscience de l'heure, j'avais dû mettre un terme brutal à notre réunion. Jonah et moi avions piqué un sprint jusqu'à ma voiture et en ignorant superbement les limites de vitesse, j'étais parvenu à déposer Jonah à l'aéroport juste à temps.

–Alex, je m'intéresse tout particulièrement aux usines comme la vôtre. J'apprécierais que vous me teniez au courant de l'évo-lution de la situation.

–Bien sûr! D'ailleurs, c'était mon intention.

–Merci, je vous appellerai bientôt.

Sur ce, il me fit un geste de la main et s'engouffra dans l'aéroport. Je pense qu'il avait dû réussir à prendre son avion, puisque je n'en ai plus entendu parler.

Le lendemain matin, je convoque tout le monde pour étudier la façon de mettre cette approche en route. Mais avant même que la discussion ne commence, Bob Donovan tire la sonnette d'alarme.

–Je crois que nous allons avoir un gros problème.

–Comment cela?

–Que va-t-il se passer si les rendements baissent dans toute l'usine?

–C'est un risque que nous devons prendre, Bob.

–D'accord, mais beaucoup de gens vont rester à ne rien faire.

–Il est effectivement possible que quelques ouvriers restent inactifs de temps à autre.

–Et nous allons les laisser les bras croisés?

–Pourquoi pas? demande Stacey. Nous les payons de toute façon. Cela ne nous coûtera pas plus cher. Qu'un ouvrier fabrique une pièce ou qu'il ne fasse rien pendant un moment, cela ne grèvera pas nos dépenses de fonctionnement. Par contre, les excédents de stocks, eux, immobilisent beaucoup d'argent!

–Que faites-vous des états mensuels? Il me semble que lorsque notre bon copain Bill Peach sera sur le point de décider, à la fin du mois, s'il ferme ou non l'usine, la baisse de nos rendements ne sera pas un élément très positif pour nous! Il paraît que c'est leur dada, aux gens du siège social.

–Il n'a pas tort, Al, dit Lou.

–Très bien! Écoutez-moi tous: si nous n'appliquons pas un système qui nous permet de régulariser le flux en fonction des goulots, nous manquons une occasion unique d'améliorer nos résultats et de sauver l'usine. Je n'ai pas l'intention de laisser faire ça, simplement pour respecter une norme qui a manifestement plus d'effet sur les bureaucrates que sur les résultats financiers. Fonçons, et si les rendements tombent, tant pis!

Ce morceau de bravoure semble émouvoir mon auditoire. Je poursuis:

–Bob, si vous voyez vraiment beaucoup de bras croisés dans les ateliers, inutile de leur tomber dessus, arrangez-vous simplement pour que ça ne se voie pas dans les états du mois prochain, d'accord?

–Compris, patron!

CHAPITRE 27

«... Je conclurai en disant que sans la hausse du chiffre d'affaires réalisé par l'usine de Bearington le mois dernier, la Division UniWare aurait été déficitaire pour le septième mois consécutif. Toutes les autres unités de la division n'ont enregistré que des gains marginaux ou ont perdu de l'argent. En dépit de l'amélioration à Bearington et du fait qu'elle ait permis à la division de produire un bénéfice d'exploitation pour la première fois cette année, il nous reste beaucoup de chemin à parcourir avant de recouvrer une situation financière solide.»

Ethan Frost termine ainsi un exposé et, sur un signe de tête de Bill Peach, se rassied. Je suis assis vers le milieu de la longue table autour de laquelle tous les directeurs d'usine sont rassemblés. À la droite de Peach, Hilton Smyth n'a pas l'air d'apprécier les compliments de Frost au sujet de mon usine et me considère d'un œil hostile. Néanmoins, je me détends dans mon fauteuil et m'accorde le luxe de contempler un moment, par la fenêtre, la ville inondée de soleil.

Le mois de mai est fini. Mis à part les problèmes de manque de pièces provenant des non-goulots, aujourd'hui résolus, il a été un excellent mois. Nous programmons désormais la sortie de toutes les matières premières selon un nouveau système imaginé par Ralph Nakamura, réglé sur le débit des goulots. À chacun d'eux, Ralph a installé un terminal d'ordinateur, de sorte qu'à mesure que les stocks sont traités, les informations sont immédiatement transmises à la base de données. Les premiers résultats obtenus avec le nouveau système sont excellents.

Après quelques expériences, Ralph avait rapidement découvert que nous pouvions prévoir la date de départ d'une livraison à un jour près. Partant de là, nous avons pu dresser, à l'intention du marketing, une liste de toutes les commandes, avec leur date d'expédition respective (j'ignore si le marketing a pris cette liste au sérieux, mais jusqu'à présent, elle a été respectée à la lettre).

Bill Peach me tire de ma rêverie.

—Rogo, puisque vous êtes le seul parmi nous à avoir amélioré vos résultats, nous commencerons par votre rapport.

Ouvrant mon dossier, je commence à exposer la situation de l'usine. Sur presque tous les plans, nous avons fait un bon mois. Le niveau des stocks a beaucoup baissé et continue de diminuer rapidement. En retenant certaines matières premières, nous ne sommes plus submergés par les en-cours. Les pièces arrivent aux goulots au moment opportun et elles circulent dans l'usine de façon beaucoup plus fluide qu'auparavant.

Et les rendements? Eh bien, au début, ils ont baissé lorsque nous avons ralenti l'approvisionnement en matières premières des ateliers, mais pas autant que nous l'avions craint, car nous puisions dans les excédents de stocks. Mais avec l'accélération spectaculaire du rythme des expéditions, nous avons très vite épuisé cet excédent. Avec la reprise des approvisionnements de matières premières aux machines non-goulots, les rendements augmentent de nouveau.

Donovan m'a même informé, confidentiellement, qu'ils reviendront pratiquement à leur niveau antérieur.

Mais la meilleure nouvelle, c'est que nous n'avons plus de commandes en retard. Incroyable à première vue, mais vrai. Le service à la clientèle est donc meilleur. Le produit des ventes est en hausse. Nous sommes convalescents. Dommage que nous ne puissions pas dévoiler les dessous de ce redressement dans le rapport que nous présentons.

J'ai fini, je lève les yeux et vois Hilton Smyth qui murmure quelque chose à l'oreille de Peach. Bill hoche la tête puis se tourne vers moi.

—Beau travail, Al, me lance-t-il, un peu crispé.

Pas un mot de plus. Il passe la parole à un autre directeur. Je suis passablement dépité par son laconisme et l'absence de commentaires plus flatteurs de sa part, surtout après l'éloge de Frost. J'étais arrivé à la réunion avec le sentiment d'avoir sauvé l'usine, et je m'attendais à un peu plus d'enthousiasme.

Mais il est vrai que Peach ignore l'ampleur du changement. Aurions-nous dû tout lui dire? Lou pensait que nous devions le faire, mais j'avais préféré attendre encore un peu.

Nous pourrions aller le voir, lui dévoiler toutes nos cartes et le laisser décider. C'est ce que nous finirons par faire, mais un peu plus tard et j'avais pour cela une bonne raison.

Je travaille avec Bill depuis de longues années et je le connais bien. C'est un homme intelligent, mais pas un novateur. Il y a deux ans, il nous aurait peut-être laissés tenter l'expérience, mais plus aujourd'hui. J'ai le pressentiment que si nous lui parlons tout de suite de ce que nous tentons, il s'affolera et m'ordonnera de gérer l'usine selon les méthodes comptables auxquelles il croit.

Je dois gagner du temps jusqu'à ce que je puisse lui démontrer de façon irréfutable que ma méthode (celle de Jonah plutôt) fonctionne. Il est encore trop tôt pour cela. Nous avons piétiné trop de règles établies pour pouvoir le mettre au courant sans risque.

Mais la grande inconnue reste le temps. Peach n'est pas revenu sur sa menace de fermer l'usine. Je pensais qu'il dirait quelque chose (devant les autres ou en privé) après avoir entendu mon rapport, mais il n'a pas soufflé mot. Je l'observe discrètement à l'autre bout de la table: il semble distrait, ce qui n'est pas dans ses habitudes. Il n'a pas vraiment l'air intéressé par ce qui se passe et on dirait que Hilton Smyth lui souffle ses paroles. Que peut-il bien avoir?

La réunion s'achève une heure après le déjeuner et je décide d'avoir une entrevue avec Peach, s'il peut me recevoir. Je le suis dans le couloir et lui demande de m'accorder quelques minutes. Il acquiesce et m'entraîne dans son bureau.

—Alors, Bill, allez-vous nous donner notre chance? ne puis-je m'empêcher de demander dès que la porte se referme.

Nous nous asseyons chacun dans un fauteuil devant son bureau. L'ambiance est ainsi moins formelle.

—Qu'est-ce qui vous fait croire cela? lance-t-il en me regardant droit dans les yeux.

—Bearington est sur la bonne voie. Nous pouvons faire gagner de l'argent à la division.

—Vraiment? Vous avez eu un bon mois, d'accord, mais en sera-t-il de même le mois prochain, et le mois d'après et les mois suivants? C'est ce que j'attends de voir.

—Nous pouvons le faire.

—Je vais être franc avec vous, Al: je ne suis pas encore convaincu que cela n'est pas simplement un feu de paille. Vous aviez tellement de commandes en retard, il fallait bien qu'elles partent un beau jour, non? En revanche, qu'avez-vous fait pour réduire les coûts? Rien, à ma connaissance. Pour que votre usine soit rentable à long terme, il faudrait abaisser les dépenses de fonctionnement de 10 à 15 %.

Mon estomac se noue, mais je plaiderai ma cause jusqu'au bout.

—Bill, si nous faisons encore mieux le mois prochain, nous donnerez-vous au moins un autre délai avant de recommander la fermeture de l'usine?

Il secoue la tête, l'air navré.

—Il faudra faire beaucoup mieux que ce que vous avez réalisé le mois dernier.

—Combien?

—Eh bien...15 % de mieux par rapport aux bénéfices que vous m'avez présentés.

Je hoche la tête.

—Je crois que c'est à notre portée.

—Très bien, dit-il, manifestement surpris par mon assurance. Si vous y arrivez et montrez que vous pouvez maintenir ce rythme, Bearington restera ouverte.

Je souris. Si nous réussissons, pensai-je, vous n'êtes pas assez stupide pour vous passer de nous.

Peach se lève. Notre conversation est terminée et je prends congé.

Une fois sur l'autoroute, ma Buick s'envole, je roule pied au plancher, la radio à fond, complètement surexcité. Les pensées se bousculent dans ma tête.

Il y a deux mois, je pensais que je serais aujourd'hui en train d'envoyer des c. v. un peu partout. Et aujourd'hui, Peach dit que si nous faisons encore un bon mois, l'usine restera ouverte. Nous y sommes presque, nous allons peut-être nous en tirer.

Mais 15 %... ?

Nous avons digéré notre matelas de commandes en retard à une allure vertigineuse, ce qui nous a permis de livrer un volume de produits incroyable par comparaison non seulement au mois, mais au trimestre et même à l'année précédente. Nous avons donc eu des rentrées d'argent considérables qui ont bien arrangé notre situation comptable. Nous n'avons plus de retard et les nouvelles commandes partent beaucoup plus vite qu'auparavant.

Je me demande soudain si je ne me suis pas mis dans de sales draps: où vais-je trouver les commandes nécessaires pour obtenir ces 15 % de mieux?

Peach n'exige pas seulement un bon mois, il veut un mois exceptionnel. Il n'a rien promis. Moi, si, et probablement trop. J'essaie de me rappeler le volume des commandes des prochaines semaines et de calculer s'il sera suffisant pour parvenir à améliorer de 15 % les résultats financiers de mai. J'ai l'affreux pressentiment que non.

Bon, je peux toujours anticiper sur les livraisons en expédiant en juin les commandes prévues pour la première ou la deuxième semaine de juillet.

Et après? Nous n'aurons plus rien à faire. Il faut davantage de commandes.

Je me demande où Jonah peut bien se trouver en ce moment.

Un coup d'œil au compteur m'indique que je roule beaucoup trop vite. Je ralentis, desserre ma cravate et essaie de me calmer. Inutile de me tuer en allant à l'usine, d'autant que lorsque j'y arriverai, il sera l'heure de rentrer à la maison.

À cet instant, je passe sous le panneau annonçant la sortie pour Forest Grove. Pourquoi pas? Il y a deux jours que je n'ai vu ni Julie ni les enfants. Depuis le début des vacances, tout ce petit monde est installé chez les parents de Julie.

Je prends la direction de Forest Grove. Dans une station-service, j'appelle Fran au bureau. Je lui demande d'abord d'annoncer à Bob, Stacey, Ralph et Lou que la réunion s'est bien passée pour nous, puis lui dis de ne pas m'attendre à l'usine cet après-midi.

En arrivant chez les Barnett, je suis accueilli chaleureusement. Je bavarde un long moment avec Sharon et Dave avant d'aller faire un tour avec Julie.

Alors que j'embrasse Sharon pour lui dire au revoir, elle me murmure à l'oreille:

–Papa, quand allons-nous rentrer à la maison tous ensemble?

–Très bientôt, j'espère.

Je voudrais bien en être sûr. La question de ma fille me trotte dans la tête car je me la pose à moi-même depuis un certain temps.

Julie et moi nous promenons dans le parc pendant un moment en bavardant, puis nous nous asseyons au bord du lac. Je suis silencieux et Julie finit par me demander ce qui ne va pas. Je lui répète la question de Sharon.

–Elle me la pose très souvent, me dit-elle, songeuse.

–Que lui réponds-tu?

–Que nous rentrerons très bientôt.

Je ne peux m'empêcher de rire.

–C'est ce que je lui ai dit. Le penses-tu vraiment, Julie?

Elle reste quelques instants sans rien dire puis sourit et me regarde avec tendresse.

–Tu sais, Al, je me suis vraiment sentie bien avec toi, ces dernières semaines.

–Merci, c'est réciproque.

–Mais... je ne suis pas encore tout à fait prête à revenir à la maison.

–Pourquoi? Nous nous entendons beaucoup mieux maintenant. Quel est le problème?

–Écoute: il y a longtemps que nous ne nous étions pas amusés comme cela et c'était formidable. J'avais vraiment besoin de te retrouver ainsi. Mais si nous reprenons la vie commune, tu sais ce qui va se passer: tout sera merveilleux pendant quelque temps puis les mêmes vieilles disputes recommenceront. Et dans un mois, six mois, ou un an... enfin, tu comprends ce que je veux dire.

–Julie, c'était vraiment si pénible que cela de vivre avec moi?

–Ce n'était pas... pénible. Simplement, tu ne me prêtais plus aucune attention.

–Mais j'avais des tas de problèmes dans mon travail, je ne savais pas comment m'en sortir. Qu'attendais-tu de moi?

–Certainement davantage que ce que tu m'accordais. Al, lorsque j'étais enfant, mon père rentrait du travail toujours à la même heure, toute la famille était réunie pour le dîner. Il passait la soirée avec nous. Avec toi, je ne savais jamais ce qui se passait.

–Tu ne peux pas me comparer à ton père. Il était dentiste: une fois sa dernière dent arrachée, il n'avait plus qu'à fermer boutique et à rentrer à la maison. Avec mon métier, je ne peux pas faire cela.

–Alex, le problème, c'est que c'est toi qui es différent. D'autres hommes travaillent et rentrent quand même chez eux à des heures régulières.

–Tu as en partie raison: je ne suis pas comme cela. Lorsque je commence quelque chose, je m'y plonge et j'oublie le reste. Cela tient peut-être à la façon dont j'ai été élevé. Chez moi, nous prenions rarement nos repas ensemble. Il fallait toujours que quelqu'un reste au magasin. Mon père avait une règle d'or: l'épicerie nous nourrissait, donc elle passait avant tout. Nous le comprenions et toute la famille travaillait ensemble.

–Et alors? Cela prouve simplement que nos familles étaient différentes. Moi, je te parle de quelque chose qui me perturbe depuis toujours, à tel point que je n'étais même plus certaine de t'aimer.

–Et qu'est-ce qui te fait croire que tu m'aimes à nouveau?

–Tu cherches une dispute?

Je détourne les yeux. Non, je n'ai aucune envie de me disputer avec Julie. Elle pousse un soupir.

–Tu vois, Alex, rien n'a changé...

Nous restons assis côte à côte, silencieux, un long moment, puis Julie se lève et s'avance vers le bord du lac comme si elle voulait me fuir. Mais elle revient finalement s'asseoir sur le banc et renoue notre dialogue.

–À dix-huit ans, j'avais toute ma vie organisée dans ma tête: les études, un diplôme de professeur, le mariage, une maison, des enfants. Dans cet ordre. Tout était prévu: je savais quelle vaisselle je voulais, le nom des enfants, le nombre de pièces de la maison, la couleur des tapis, tout. Et cela me semblait très important d'avoir tout cela. Mais aujourd'hui... je l'ai, et c'est comme si cela n'avait aucun sens.

–Julie, pourquoi ta vie doit-elle être conforme à cette... cette... image parfaite que tu as dans la tête? Sais-tu au moins pourquoi tu veux ces choses?

–Parce que j'ai été élevée comme cela. Et toi? Pourquoi veux-tu tellement faire une belle carrière? Pourquoi te sens-tu obligé de travailler nuit et jour?

Silence.

–Pardonne-moi, Alex, je ne sais pas où j'en suis.

–Ne t'excuse pas. C'était une bonne question. Je ne sais pas pourquoi je ne peux pas me contenter d'être épicier ou employé de bureau.

–Al, ne pensons plus à tout cela.

–Au contraire! Nous devons y réfléchir et nous poser d'autres questions.

–Par exemple?

–Par exemple, ce que nous attendons l'un et l'autre de notre mariage. Pour moi, le but du mariage n'est pas de vivre dans une maison parfaite où tout est réglé comme du papier à musique. Est-ce cela ton but?

–Tout ce que je demande à mon mari, c'est un minimum de présence et de sécurité. Et qu'est-ce que c'est que cette histoire de but? Lorsque tu es marié, tu es marié, c'est tout. Il n'y a pas de but.

–Dans ce cas, pourquoi se marier?

–On se marie parce qu'on veut s'engager... par amour... pour toutes les raisons pour lesquelles on se marie généralement! Alex, tu poses des questions idiotes.

–Idiotes ou pas, je les pose parce que nous vivons ensemble depuis 15 ans et que nous ne savons même pas ce que nous attendons de notre mariage... ou ce que nous voulons qu'il soit! Nous nous laissons porter, en faisant «ce que tout le monde fait». Or il s'avère que nous avons toi et moi des idées très différentes sur ce que notre vie est supposée être.

—Mes parents sont mariés depuis 37 ans et ils ne se sont jamais posé de questions. Personne ne pose ces questions. «Quel est le but du mariage?» Les gens se marient parce qu'ils s'aiment.

—Ceci explique cela, n'est-ce pas?

—Al, s'il te plaît, arrête de poser ces questions. Elles n'ont pas de réponse. Si nous continuons dans cette voie, nous allons tout gâcher. Si c'est ta façon de me faire comprendre que tu as des doutes au sujet de notre...

—Julie, je n'ai aucun doute sur notre couple. C'est toi qui ne parviens pas à mettre le doigt sur ce qui te rend malheureuse. Si tu essayais d'analyser les choses logiquement au lieu de nous comparer aux personnages d'un roman à l'eau de rose...

—Je ne lis pas ce genre de littérature!

—Dans ce cas, d'où te viennent ces idées sur ce qu'un mariage est supposé être? Il me semble simplement que nous devons nous débarrasser de toute idée préconçue sur notre mariage, et voir la situation telle qu'elle est. Après, nous pourrons décider comment nous voulons voir évoluer notre union et faire le nécessaire dans ce sens.

Mais Julie n'écoute plus. Elle se lève.

—Je crois qu'il est temps de rentrer, dit-elle.

Sur le chemin du retour, nous sommes aussi silencieux que deux icebergs partant à la dérive dans la nuit polaire: je regarde d'un côté de la rue, elle regarde de l'autre. En arrivant, Mme Barnett m'invite à dîner mais je refuse, prétextant l'heure tardive. J'embrasse les enfants, fais un vague signe de la main à Julie et m'en vais.

Je m'apprête à monter dans la Buick lorsque je l'entends arriver en courant derrière moi.

—Nous verrons-nous samedi soir? me demande-t-elle.

—Oui, avec plaisir, lui dis-je en souriant.

—Je suis désolée de ce qui s'est passé, Al.

—Ça ne fait rien. Il faut continuer à chercher jusqu'à ce que nous trouvions ce qui ne va pas.

Je la prends dans mes bras et l'embrasse: rien que pour cela, ça vaudrait presque le coup de se disputer.

CHAPITRE 28

J'arrive à la maison au moment où le soleil finit de se coucher. Le ciel est tout rose. Je glisse la clé dans la porte lorsque j'entends la sonnerie du téléphone. Je me précipite pour répondre.

–Bonjour!

C'est la voix de Jonah.

–Bonjour? dis-je en riant. Je suis en train d'admirer le coucher du soleil! D'où appelez-vous donc?

–De Singapour.

–Ah!

–Moi, de la fenêtre de mon hôtel, je regarde le soleil se lever. Alex, excusez-moi de vous déranger chez vous, mais je n'aurai plus la possibilité de vous parler dans les semaines à venir.

–Ah bon? Pourquoi cela?

–C'est assez compliqué et je n'ai pas le temps de vous expliquer cela maintenant, mais je suis certain que nous aurons l'occasion d'en reparler plus tard.

–Je vois... Je me demande ce qui se passe mais ne pose pas de question. C'est dommage. Cela m'ennuie car je m'apprêtais justement à vous appeler de nouveau à l'aide.

–Encore un problème?

–Non. Pour ce qui concerne l'usine, cela va même plutôt bien. Mais je viens d'avoir une réunion avec le patron de la division et il m'a annoncé que nous devions faire encore mieux.

–Vous ne gagnez toujours pas d'argent?

–Oui, nous sommes de nouveau rentables, mais nous devons accélérer le redressement pour éviter la fermeture de l'usine.

J'entends un petit rire au bout du fil.

–Si j'étais vous, Alex, je ne me ferais pas trop de souci à propos de la fermeture.

–Eh bien, si j'en crois ce que m'a dit le patron de la division, c'est une possibilité bien réelle. Tant qu'il n'aura pas officiellement levé la menace, je ne peux pas me permettre de la prendre à la légère.

–Alex, si vous voulez améliorer encore les résultats de l'usine, je ferai de mon mieux pour vous aider. Puisque je ne pourrai pas vous joindre pendant un moment, discutons-en tout de suite. Racontez-moi les derniers événements.

Je le mets donc rapidement au courant. Il me semble que nous avons atteint une limite théorique et je me demande s'il nous reste encore des possibilités d'innovation.

–C'est tout? interroge Jonah. Croyez-moi, Alex, ce n'est qu'un début. Voilà ce que je vous suggère...

Le lendemain matin, j'arrive très tôt à l'usine pour réfléchir à ma conversation avec Jonah. Ici, le soleil se lève à peine, alors qu'à Singapour, il doit être déjà couché. Je vais me chercher un café et rencontre Stacey.

–Bonjour, Alex! me lance-t-elle. J'ai entendu dire que les choses s'étaient plutôt bien passées pour nous à la réunion d'hier.

–Pas mal du tout, en effet, mais je crains qu'il nous reste encore un bon bout de chemin à parcourir avant de convaincre Peach que nous sommes véritablement débarrassés de nos maux. J'ai parlé à Jonah hier soir.

–Lui avez-vous parlé de nos résultats?

–Bien sûr, et il a suggéré que nous passions maintenant à ce qu'il appelle «l'étape logique suivante».

Elle fait une petite grimace nerveuse.

–C'est-à-dire?

–Diminuer de moitié la taille des lots de pièces aux non-goulots.

Stacey réfléchit une seconde.

–Mais pourquoi?

–Parce qu'en fin de compte, nous gagnerons davantage d'argent, lui dis-je en souriant.

–Je ne comprends pas. En quoi cela va-t-il nous aider?

–Stacey, c'est vous qui gérez les stocks: alors dites-moi ce qui se passerait si nous coupions nos lots en deux.

Elle sirote son café en silence pendant un moment, les sourcils froncés par la concentration.

–Eh bien, commence-t-elle lentement, il me semble que nous aurions en permanence moitié moins d'en-cours dans les ateliers. Donc, cela réduirait de moitié l'investissement nécessaire dans les en-cours pour que l'usine continue à tourner. Si nous arrivions à trouver un accord avec nos fournisseurs, nous pourrions sans doute diminuer nos stocks de moitié et, ce faisant, avoir moins d'argent immobilisé en permanence, ce qui soulagerait la trésorerie.

Je hoche la tête à chacune de ses phrases.

–C'est exact, Stacey. Mais ce n'est qu'une partie des avantages.

–Mais pour en tirer le meilleur parti, il faudrait que nous amenions nos fournisseurs à accroître la fréquence de leurs livraisons, tout en en réduisant le volume. Il va falloir que les Achats négocient cela, et je ne suis pas certaine que tous les fournisseurs nous suivront.

–Cela peut s'arranger. Ils finiront par accepter parce que c'est leur intérêt autant que le nôtre.

–Mais si nous réduisons la taille des lots, objecte-t-elle, nous aurons obligatoirement un plus grand nombre de réglages à faire sur les machines.

–Bien sûr, mais ne vous tracassez pas pour ça!

–Mais Donovan...

–Donovan s'en tirera très bien, même avec davantage de réglages. Et puis, je vous rappelle qu'il y a d'autres avantages immédiats pour nous, outre ceux que vous avez énumérés.

–Lesquels?

–Vous voulez vraiment le savoir?

–Bien entendu, voyons!

–Parfait! Alors, organisez une réunion avec les autres inté-
ressés et comme cela, tout le monde saura en même temps.

Je me suis débarrassé d'une corvée sur Stacey, mais elle me le
fait payer en organisant la réunion à midi, dans le meilleur
restaurant de la ville, sur mon compte de dépenses bien entendu!

–Je n'ai pas pu faire autrement, dit-elle d'un air innocent,
c'est le seul moment où tout le monde était libre, n'est-ce pas,
Bob?

–Absolument, répond-il.

Je ne suis pas fâché. Vu l'énorme travail qu'ils ont fait ces
derniers temps, je peux bien leur offrir à déjeuner. Je leur résume
la conversation que Stacey et moi avons eue ce matin et en arrive
aux autres avantages que j'ai évoqués.

Ce que Jonah m'a dit hier soir concernait en partie le temps
qu'une pièce passe dans l'usine depuis le moment où elle entre
sous forme de matière première jusqu'à l'instant où elle en sort
sous forme de produit fini. On peut diviser ce temps en quatre
parties.

La première concerne les réglages, c'est-à-dire le laps de
temps durant lequel les pièces restent en attente, pendant que la
machine est préparée pour l'usinage.

La deuxième concerne les temps d'usinage, c'est-à-dire le
temps nécessaire pour qu'une pièce acquière une forme nouvelle,
plus affinée.

La troisième touche aux files d'attente, ou temps morts
pendant lesquels les pièces attendent sur la chaîne qu'une machine
occupée à travailler sur d'autres pièces soit libre.

La quatrième concerne le temps d'attente, c'est-à-dire le temps
pendant lequel une pièce attend non pas une ressource mais une
autre pièce avec laquelle elle doit être assemblée.

Comme Jonah l'avait souligné hier soir, les temps de réglage
et d'usinage ne représentent qu'une faible part de la durée totale
de fabrication d'une pièce. Par contre, les temps morts et d'attente
avant assemblage représentent souvent la majeure partie du temps
qu'une pièce passe dans l'usine.

Pour les pièces qui transitent par les goulots, les temps morts absorbent le plus de temps car elles restent bloquées au goulot pendant longtemps. Pour celles qui passent uniquement dans les non-goulots, le temps d'attente est l'élément dominant, car ces pièces attendent dans l'atelier de montage celles qui proviennent des goulots. Donc, dans chaque cas, ce sont les goulots qui déterminent ce laps de temps et, par voie de conséquence, le volume des stocks et le produit des ventes.

Depuis toujours, nous déterminons la taille des lots selon la formule dite de la taille économique du lot (TEL). Sans entrer dans le détail, Jonah m'avait dit hier soir que cette formule se fondait sur un certain nombre d'hypothèses erronées. Pourquoi, m'avait-il suggéré, n'essayeriez-vous pas de réduire de moitié la taille actuelle de vos lots pour voir ce que cela donnerait?

Si nous faisons cela, par la même occasion nous réduisons de moitié le temps nécessaire pour traiter un lot, ce qui veut dire les temps morts et les temps d'attente, et nous divisons donc par deux environ le temps total de séjour des pièces dans l'usine, et...

—C'est tout notre cycle de fabrication que nous comprimons, et comme les pièces passent moins de temps dans les piles, la vitesse du flux s'accélère, dis-je en conclusion.

—Grâce à une rotation plus rapide des commandes, les clients sont servis plus vite, complète Lou.

—Non seulement cela, dit Stacey, mais la réduction du cycle de fabrication nous permet de répondre plus vite à la demande.

—Et si nous pouvons répondre plus vite à la demande, nous avons un avantage concurrentiel!

—Ce qui veut dire que les clients s'adressent de préférence à nous parce que nous pouvons livrer plus vite!

—Nos ventes augmentent!

—Nos primes aussi!

Mais Bob douche brutalement notre enthousiasme.

—Holà, holà, holà! Une minute!

—Qu'y a-t-il, Bob?

—Et les réglages? Si vous coupez en deux la taille des lots, vous doublez le nombre de réglages. Que faites-vous de la main-d'œuvre directe? Il faut économiser sur les réglages pour contenir les coûts.

—Je m'attendais à cette objection, leur dis-je. Écoutez bien tous: le moment est venu d'analyser soigneusement tout cela. Hier soir, Jonah m'a dit qu'il y avait un corollaire à la règle qui veut qu'une heure perdue à un goulot est une heure perdue pour l'ensemble du système.

—Oui, je m'en souviens, dit Bob.

—D'après lui, ce corollaire est qu'une heure gagnée à un non-goulot est un mirage

—Un mirage! Qu'est-ce que c'est que cette histoire? Une heure de gagnée est une heure de gagnée!

—Faux, Bob. Depuis que nous avons bloqué l'arrivée de la matière première provenant des ateliers jusqu'à ce que les goulots soient prêts à la recevoir, les machines non-goulots ne travaillent plus à plein temps. Accroître le nombre de réglages sur ces machines ne pose donc aucun problème, puisqu'ils seront faits pendant qu'elles sont inactives. Gagner du temps aux non-goulots n'augmente absolument pas la productivité du système. Le temps et l'argent économisés ne sont qu'une illusion. Même si nous doublons le nombre de réglages, cela ne dépassera pas la durée des périodes d'inactivité.

—D'accord, d'accord. Je vois ce que vous voulez dire.

Je reprends ma démonstration.

—Jonah a dit que la première chose à faire était de diviser par deux la taille des lots. Ensuite, il recommande que j'aille voir les gens du marketing pour les convaincre de lancer une nouvelle campagne promettant aux clients des délais de livraison plus courts.

—Sommes-nous en mesure de le faire? demande Lou.

—Nos cycles de fabrication sont d'ores et déjà sensiblement plus courts qu'auparavant, grâce au système de priorités et à l'amélioration de la productivité des goulots. De trois à quatre mois, ils sont passés à deux mois et même moins dans certains cas. Si nous coupons en deux la taille des lots, dans quels délais pensez-vous que nous pouvons répondre à la demande?

Ma question suscite un débat animé pendant cinq bonnes minutes.

—D'accord, reconnaît enfin Bob. Si nous coupons les lots en deux, il faudra deux fois moins de temps pour les traiter. Donc, au lieu de six à huit semaines, cela prendra environ quatre semaines... peut-être même seulement trois, dans certains cas.

–Supposez que je demande au marketing de promettre aux clients des livraisons en trois semaines!

–Quoi? s'écrie Bob.

–Ne nous demandez quand même pas l'impossible, dit Stacey.

–Bon, quatre semaines, alors. C'est raisonnable, non?

–Cela me paraît raisonnable, intervient Ralph.

Stacey et Lou donnent leur accord. Il ne reste plus que Bob. Je lui pose la question de confiance.

–Alors, Bob, vous marchez avec nous?

–Mmm... Pourquoi pas, après tout? Allons-y, tentons le coup.

Le vendredi matin, je prends la route en direction du siège social. J'arrive en ville juste au moment où le soleil atteint l'immeuble de verre d'UniCo qui brille de tous ses feux. La beauté du spectacle me distrait pendant quelques instants de mes préoccupations. J'ai rendez-vous avec Johnny Jons dans son bureau. Il n'a fait aucune difficulté pour me recevoir, mais j'ai bien senti que le motif de notre réunion ne lui plaisait guère. Tout dépend donc de ma capacité à le convaincre de nous accorder son appui pour ce que nous voulons faire, et cette perspective me rend passablement nerveux.

Le bureau de Jons n'est pas un bureau classique: c'est une longue table en verre posée sur des pattes en chrome. Je suppose que c'est pour que tout le monde puisse voir ses mocassins Gucci et ses chaussettes en soie, qu'il dévoile complaisamment lorsqu'il se laisse aller en arrière dans son fauteuil, les mains croisées derrière la tête. Il m'accueille aimablement.

–Comment allez-vous, Alex?

–Très bien, merci. C'est même pour cela que je voulais vous parler.

Immédiatement, son visage se ferme. Je me jette à l'eau.

–Voilà, Johnny: j'irai droit au but. Je n'exagère pas en disant que tout va bien. Comme vous le savez, nous avons rattrapé notre retard dans les livraisons. Au début de la semaine dernière, l'usine a commencé à produire strictement en vue de tenir les délais de livraison annoncés.

–En effet, reconnaît Jons, j'ai remarqué que dernièrement je
ne recevais plus d'appels affolés de mes clients attendant désespérément leurs commandes.

–Nous avons vraiment renversé la tendance. Regardez cela.

Je sors de mon attaché-case le dernier état des commandes
sorti par l'ordinateur. Entre autres choses, il porte les dates de
livraison annoncées, les dates d'expédition programmées par
Ralph et les dates d'expédition réelle des produits.

–Vous voyez, dis-je à Jons, tandis qu'il étudie la liste, nous
pouvons prévoir à un jour près, dans un sens ou dans l'autre, la
date à laquelle une commande partira de l'usine.

–Oui, j'ai déjà vu passer une liste de ce genre. Ce sont les
dates?

–Exactement.

–Impressionnant.

–Comme vous pouvez le constater en comparant quelques
commandes expédiées dernièrement avec celles du mois précédent, nos cycles de fabrication ont été considérablement
raccourcis. Chez nous, quatre mois ne sont plus un délai incom-
pressible. Entre le jour où vous signez le contrat avec le client et
celui où nous expédions, la moyenne actuelle est d'environ deux
mois. Maintenant, dites-moi si, à votre avis, cela peut nous aider
sur le marché.

–Bien entendu!

–Est-ce que quatre semaines nous aideraient encore plus?

–Quoi?... Al, ne soyez pas ridicule. *Quatre semaines!*

–Nous pouvons le faire.

–Allons donc! L'hiver dernier, alors que la demande pour nos
produits était très faible, nous promettions des livraisons en
quatre mois et il nous en fallait six! Et aujourd'hui, vous pré-
tendez n'avoir besoin que de quatre semaines entre la signature du
contrat et la livraison du produit fini?

–Je ne serais pas là si je n'étais pas certain de ce que j'avance,
lui dis-je en priant le ciel de ne pas m'être trompé.

Jons hausse les épaules, pas convaincu du tout.

–Johnny, la vérité, c'est qu'il me faut davantage de travail.
Notre retard est complètement rattrapé, notre carnet de commandes actuel s'épuise rapidement; il faut donc que je fasse travailler

davantage mon usine. Nous savons tous les deux que le marché est bon mais que la concurrence en prend une part plus grosse que la nôtre.

Jons me regarde, dubitatif.

–Pouvez-vous vraiment exécuter une commande de 200 modèles 12 ou de 300 DBD-50 en quatre semaines, Al?

–Testez-moi! Obtenez-moi 5 commandes, ou même 10, et je vous le prouverai.

–Et qu'adviendra-t-il de notre crédibilité si vous échouez?

Sentant la victoire proche, je me penche au-dessus de la table de verre.

–Johnny, je vous propose un pari: si je ne livre pas en quatre semaines, je vous paye une paire de Gucci tout neufs!

Il éclate de rire et se rend enfin.

–D'accord! Je prends le pari. J'informerai les gens des ventes que nous pouvons proposer des délais de livraison à l'usine de six semaines, pour tous les produits de Bearington.

Jons lève la main pour m'empêcher de protester.

–Je sais que vous êtes sûr de votre coup, Al, et si vous arrivez à expédier les nouvelles commandes en moins de cinq semaines, c'est *moi* qui vous achèterai une paire de chaussures!

CHAPITRE 29

La pleine lune nimbe la chambre d'une lueur argentée. Je n'arrive pas à dormir. Le réveil posé sur ma table de nuit indique deux heures quarante. Pelotonnée à côté de moi sous les draps, Julie dort profondément.

Appuyé sur un coude, je la regarde dormir. Ses longs cheveux bruns contrastant sur la blancheur de l'oreiller, c'est un joli spectacle. Je me demande à quoi elle rêve.

Je me suis réveillé au beau milieu d'un cauchemar. La scène se passait dans l'usine: je courais en tous sens dans les travées et Bill Peach me poursuivait dans sa Mercedes rouge. Chaque fois qu'il était sur le point de m'écraser, je plongeais derrière une machine ou sautais sur un chariot élévateur. Par la fenêtre de la portière, il me hurlait que mes résultats financiers étaient insuffisants. Il finit par me coincer aux expéditions: bloqué par une montagne de cartons, je ne pouvais aller plus loin et je regardais, impuissant, la Mercedes se ruer vers moi, lancée à toute allure. J'essayais de me protéger les yeux de l'éclat aveuglant des phares. Au moment où la voiture allait me passer sur le corps, je m'étais réveillé en sursaut: les phares de Peach étaient en fait les rayons de la lune qui tombaient sur mon visage.

Je suis maintenant trop éveillé et trop obsédé par le problème que j'avais essayé d'oublier hier soir avec Julie pour me rendormir. Je me glisse hors du lit sans réveiller ma femme.

Nous sommes seuls dans la maison. Nous n'avions rien prévu pour notre sortie d'hier soir et nous nous étions rappelés que nous avions une maison à Bearington où personne ne viendrait nous déranger. Nous avions donc acheté du pain, du fromage, une bouteille de bon vin et avions dîné en tête à tête, confortablement installés.

Debout devant la fenêtre du salon plongé dans l'obscurité, j'ai l'impression que le monde entier dort, sauf moi. Je suis irrité de ne pas pouvoir me reposer, mais je n'arrive pas à chasser les pensées qui se bousculent dans ma tête.

Hier, nous avons eu une réunion à l'usine, avec de bonnes et de mauvaises nouvelles. Heureusement, les premières compensaient largement les secondes. En tête venaient les contrats obtenus pour nous par les gens du marketing. Depuis ma conversation avec Johnny Jons, nous avons reçu une demi-douzaine de nouvelles commandes. Par ailleurs, les rendements ont augmenté, au lieu de baisser, à la suite des mesures que nous avons mises en place dans l'usine. Dans un premier temps, ils avaient chuté après que nous avions commencé à régler le débit des matières premières en fonction du cycle de traitement thermique et de passage dans la NCX-10. Mais c'était dû au fait que nous consommions les excédents de stocks. Une fois ceux-ci épuisés – ce qui fut fait rapidement en raison de l'accroissement du poste des ventes – les rendements étaient tout naturellement remontés.

Puis, deux semaines auparavant, nous avions introduit les nouveaux lots de plus petite taille. Curieusement, après avoir divisé par deux les lots destinés aux machines non-goulots, les rendements s'étaient maintenus, et il semble aujourd'hui que les ouvriers soient plus occupés qu'auparavant.

En fait, il s'est produit une chose assez fantastique: avant que nous réduisions la taille des lots, il n'était pas rare qu'un poste de travail reste inactif, faute de pièces à traiter, bien que nous nagions dans les excédents de stocks. Le blocage se produisait généralement parce que le poste de travail devait attendre qu'un autre poste, situé en amont, termine un lot comprenant un très grand nombre de pièces. De ce point de vue, rien n'a changé, mais les lots étant maintenant plus petits, les pièces passent d'un poste de travail à un autre beaucoup plus rapidement.

Autrefois, il nous arrivait de transformer en goulot une machine qui n'en constituait pas un initialement. Ceci obligeait d'autres centres de travail en aval à rester inactifs, avec une incidence négative sur les rendements. Maintenant, nous savons que les machines non-goulots doivent rester périodiquement inactives, mais elles le sont en fait moins souvent. Depuis que nous avons réduit les lots, le travail est plus fluide qu'auparavant et, curieusement, les périodes d'inactivité se remarquent moins. Leur durée est plus courte. Au lieu que certains ouvriers restent inoccupés pendant une ou deux heures d'affilée, ils n'ont plus maintenant que quelques interruptions de dix à vingt minutes dans la journée, pour le même volume de travail. C'est beaucoup mieux pour tout le monde.

Autre bonne nouvelle: les stocks sont au niveau le plus bas dans toute l'usine. Le contraste avec la situation antérieure est saisissant: les piles de pièces et de sous-ensembles ont diminué de moitié, comme si une armée de camions était passée par là pour tout emporter. C'est d'ailleurs un peu ce qui s'est passé. Les excédents de stocks sont partis sous forme de produits finis. Mais l'élément le plus positif est que nous n'avons pas de nouveau inondé l'usine de pièces en cours de fabrication. Les seuls encours qui demeurent dans les ateliers sont destinés aux commandes présentes.

Hélas, il y a quand même de mauvaises nouvelles. Et c'est à cela que je pense lorsque j'entends un bruit de pas derrière moi.

–Al?

–Oui.

–Que fais-tu dans le noir?

–Je n'arrive pas à dormir.

–Quelque chose qui ne va pas?

–Non, rien.

–Alors pourquoi ne reviens-tu pas te coucher?

–Je réfléchis.

Silence dans mon dos. Pendant un instant, je crois qu'elle est remontée se coucher, puis je sens sa présence à côté de moi.

—C'est l'usine qui te tracasse?

—Ouais.

—Mais je pensais que ça allait mieux, s'étonne Julie. Qu'est-ce qu'il y a?

—C'est notre indicateur de coût.

Elle vient s'asseoir à mes côtés.

—Raconte-moi ça.

—Ça t'intéresse vraiment?

—Bien sûr.

J'entreprends donc de lui expliquer: le coût des pièces semble avoir augmenté à cause des réglages supplémentaires que nécessitent les lots plus petits.

—Je vois, et c'est mauvais, n'est-ce pas?

—Politiquement parlant, oui. Mais d'un point de vue financier, ça ne change rien.

—Comment cela?

—Eh bien... tu sais pourquoi on a l'impression que les coûts de revient ont augmenté?

—Non, je n'en ai aucune idée.

Je me lève, allume une lampe et prends une feuille de papier et un stylo.

—Je vais te donner un exemple: suppose que nous ayons un lot de 100 pièces; il faut 120 minutes pour régler la machine, soit 2 heures. Le temps d'usinage de chaque pièce est de 5 minutes. Nous avons donc investi, par pièce, plus de 2 heures de réglage, divisé par 100. Cela fait 1,2 minute de réglage par unité. D'après les comptables, le prix de revient de la pièce est calculé sur la base de 6,2 minutes de main-d'œuvre directe.

Si nous coupons le lot en deux, nous avons toujours la même durée de réglage, mais répartie sur 50 pièces au lieu de 100. En ajoutant 5 minutes d'usinage, plus 2,4 minutes de réglage, on arrive à un total de 7,4 minutes de main-d'œuvre directe. Et tous les calculs sont établis à partir du coût de cette main-d'œuvre. Je lui explique ensuite comment les coûts sont calculés. Premièrement, il y a la matière première, puis la main-d'œuvre directe, enfin, il y a «les charges», constituées essentiellement par le coût de la main-d'œuvre directe multiplié par un certain facteur, environ 3 dans notre cas. Ainsi, en théorie, si la main-d'œuvre directe augmente, les charges aussi.

–Donc, avec davantage de réglages, le coût de fabrication des pièces s'élève, dit Julie.

–Il donne l'impression d'augmenter mais en réalité, il n'a eu aucune incidence sur nos dépenses. Nous n'avons pas embauché. Nous n'avons pas alourdi le coût en ajoutant des réglages. En fait, le prix de revient unitaire des pièces a baissé depuis que nous avons réduit la taille des lots.

–Baissé? Je ne comprends pas.

–Parce que nous avons réduit les stocks et accru nos rentrées d'argent grâce aux ventes. Les mêmes charges, les mêmes coûts de main-d'œuvre directe sont donc répartis sur une plus grande quantité de produits. En fabriquant et en vendant plus de produits pour le même coût total, nos prix de revient unitaire ont baissé et non augmenté.

–Comment l'indicateur peut-il être faux? s'étonne Julie.

–L'indicateur suppose que tous les ouvriers de l'usine sont occupés à chaque minute et donc que pour faire plus de réglages, nous devons obligatoirement embaucher. Ce n'est pas vrai.

–Que vas-tu faire?

Je lève les yeux vers la fenêtre. Le soleil pointe au-dessus du toit de la maison des voisins. Je prends la main de Julie.

Ce que je vais faire? Je vais t'emmener prendre le petit déjeuner dehors.

À peine suis-je arrivé à l'usine que Lou me rejoint dans mon bureau.

–Vous avez encore d'autres mauvaises nouvelles en réserve? lui dis-je en plaisantant.

–Non. Écoutez, Al... je crois que je peux vous aider pour cette histoire de prix de revient des produits.

–Ah bon! Comment?

–Je peux modifier la base dont nous nous servons pour déterminer le coût des pièces. Au lieu d'utiliser le facteur de charges des 12 derniers mois, ce que je suis censé faire, nous pouvons prendre celui des 2 derniers mois. Cela nous aidera car, pendant cette période, nos ventes ont considérablement progressé.

Je perçois immédiatement les possibilités que cela ouvre.

–Oui, cela pourrait marcher. Et, en fait, les deux derniers mois sont beaucoup plus représentatifs de ce qui se passe véritablement ici que la situation de l'an passé!

–Si on veut, objecte Lou en balançant les épaules. C'est vrai, mais si on se place du point de vue de la politique comptable, ce n'est pas valable.

–Je suis d'accord, mais nous avons une bonne excuse: l'usine est différente. Elle est en bien meilleure santé!

–Al, le problème est qu'Ethan Frost n'acceptera jamais notre petit tour de passe-passe.

–Alors pourquoi m'en parlez-vous?

–Frost ne l'acceptera pas s'il est au courant.

–Je vois.

–Je peux vous donner quelque chose qui passera comme une lettre à la poste. Mais si Frost et ses adjoints à la division y regardent d'un peu plus près, ils découvriront le pot aux roses en un rien de temps.

–Autrement dit, nous pourrions nous retrouver dans un sacré pétrin.

–Tout à fait. Mais si vous êtes prêt à prendre le risque...

–Nous aurions deux mois de répit pour montrer ce que nous pouvons faire, dis-je en complétant sa pensée.

Je tourne et retourne tout cela dans ma tête pendant cinq bonnes minutes. Je réfléchis tout haut.

–Si je présente à Peach des chiffres montrant une augmentation du coût par pièce, il n'y aura pas moyen de le convaincre que l'usine a progressé par rapport au mois dernier. De toute façon, lorsqu'il verra ces chiffres, nous serons dans le pétrin.

–Vous êtes prêt à tenter le coup?

–Oui.

–Très bien. Rappelez-vous, si nous sommes découverts...

–Ne vous faites pas de souci, Lou. C'est moi qui valserai.

Tandis que Lou sort, Fran m'annonce que Johnny Jons est en ligne. Je décroche le téléphone.

–Bonjour, Johnny. Que puis-je faire pour vous aujourd'hui?

Nous sommes presque de vieux amis. Nous nous appelons tous les jours, parfois même plusieurs fois, depuis quelques semaines.

–Vous vous souvenez de notre vieil ami Bucky Burnside?

–Comment pourrais-je oublier ce cher vieux Bucky! Il continue à se plaindre de nous?

–Non, plus du tout. En fait, nous n'avons plus aucun contrat en cours avec eux pour le moment. C'est justement pour cela que je vous appelle: pour la première fois depuis des mois, ils ont l'air de vouloir nous acheter quelque chose.

–Qu'est-ce qui les intéresse?

–Des modèles 12. Ils en veulent 1000.

–Magnifique!

–Peut-être pas. Ils veulent la totalité de la commande d'ici la fin du mois.

–Mais il reste à peine deux semaines!

–Je sais. Le représentant a déjà vérifié auprès de l'entrepôt. Nous n'avons qu'une cinquantaine de ces modèles en stock.

Sous-entendu: il faudrait fabriquer les 950 autres pour la fin du mois si nous voulons enlever l'affaire.

–Écoutez, Johnny, je vous ai dit que je voulais du travail et vous m'avez apporté quelques jolis contrats depuis notre conversation. Mais un millier de modèles 12 en deux semaines... vous m'en demandez beaucoup.

–Al, pour être honnête, je ne pensais pas vraiment que nous pourrions faire quelque chose pour cette affaire lorsque je vous ai appelé. Mais je voulais quand même vous en parler au cas où vous auriez eu une solution. Après tout, cela représente un peu plus d'un million de dollars de ventes pour nous.

–J'en suis tout à fait conscient. Mais pourquoi ont-ils besoin de ces produits aussi vite?

Jons m'explique que, renseignements pris, cette commande avait initialement été passée à notre plus gros concurrent, qui fabrique un produit analogue à notre modèle 12. Le concurrent a la commande depuis cinq mois mais ne l'a pas encore terminée et cette semaine, il a admis qu'il ne pourrait pas respecter la date de livraison annoncée.

–Je pense, poursuit Jons, que Burnside s'est adressé à nous parce qu'il a entendu dire que nous proposions aux autres entreprises des délais très courts. Franchement, je crois qu'ils ont le dos au mur. Si nous pouvions les tirer d'affaire, ce serait un bon moyen de les récupérer.

—Je ne sais vraiment pas quoi vous dire. Moi aussi, j'aimerais bien les récupérer, mais...

—Si seulement nous avions eu la bonne idée de faire du stock de modèles 12 le mois dernier, quand les affaires marchaient mal, nous aurions pu faire cette vente.

Je ne peux m'empêcher de sourire. Au début de l'année, j'aurais sûrement été d'accord avec lui.

—Dommage, soupire Jons. En plus de cette commande, nous aurions pu en tirer un avantage énorme.

—Dans quel genre?

—Burnside m'a laissé entendre clairement que si nous pouvions le dépanner, nous pourrions devenir leur fournisseur privilégié.

Je ne dis rien pendant quelques secondes.

—Vous voulez vraiment faire cette affaire, n'est-ce pas, Johnny?

—Vous ne pouvez savoir à quel point! Mais si c'est impossible...

—Quand devez-vous leur donner une réponse?

—Dans la journée ou demain au plus tard. Pourquoi? Pensez-vous pouvoir faire quelque chose?

—Il y a peut-être un moyen. Laissez-moi vérifier où nous en sommes et je vous rappelle un peu plus tard.

À peine ai-je raccroché que je convoque Bob, Stacey et Ralph dans mon bureau et je leur expose la situation.

—Ordinairement, je dirais que c'est hors de question, mais avant de dire non, voyons ce que nous pouvons faire.

Tous trois me regardent, certains que tout cela ne sera qu'une perte de temps.

—Essayons au moins de voir si c'est possible, d'accord?

Nous nous consacrons à cette affaire pendant tout le reste de la matinée. Nous établissons la liste des matières premières nécessaires. Stacey vérifie nos stocks. Ralph estime grosso modo combien il faudra de temps pour fabriquer les 1 000 unités une fois que la matière première sera disponible. À 11 heures, il a calculé que les goulots peuvent produire certaines pièces nécessaires au modèle 12 au rythme d'une centaine par jour.

−Théoriquement, nous pouvons accepter la commande, annonce Ralph, à condition de travailler exclusivement pour Burnside pendant deux semaines.

−Non, je ne veux pas de cela, dis-je en pensant à la douzaine de clients que nous mécontenterions pour en satisfaire un seul. Il faut trouver autre chose.

−Quoi? demande Bob, sans aucun enthousiasme.

−Il y a quelques semaines, nous avons réduit de moitié la taille de nos lots, grâce à cela nous avons raccourci le temps de séjour des stocks dans l'usine, ce qui nous a permis d'accroître le produit des ventes. Et si nous divisions de nouveau les lots par deux?

−Bon sang, je n'avais pas pensé à cela! s'écrie Ralph.

Bob se penche vers moi.

−Diminuer encore la taille des lots? Désolé, Al, mais je ne vois pas en quoi cela nous aiderait, avec les engagements que nous avons déjà pris.

−Vous savez, intervient Ralph, que nous avons prévu livrer plusieurs commandes en avance. Nous pourrions en déplacer quelques-unes à l'intérieur du système de priorité, afin de les expédier à la date normale. Nous disposerions ainsi d'un peu plus de temps libre aux goulots, sans que personne soit lésé.

Je félicite Ralph de son idée.

−Même comme ça, nous n'arriverons jamais à fabriquer 1 000 unités. Pas en deux semaines, grogne Bob.

−Bob, si nous coupons les lots en deux, combien d'unités pouvons-nous fabriquer en deux semaines, tout en livrant à temps les commandes en cours?

−Il faudrait voir.

−Je vais faire quelques calculs de mon côté, dit Ralph en se levant pour retourner à son ordinateur.

Pendant que Bob et Ralph étudient cette nouvelle possibilité, Stacey m'apporte des nouvelles des stocks. Elle a déterminé que nous pouvons obtenir toutes les matières premières nécessaires, soit sur nos propres stocks, soit auprès de divers fournisseurs, en quelques jours, à une exception près.

−Les modules de contrôle électronique pour le modèle 12 posent un problème: nous n'en avons pas suffisamment en stock et nous n'avons pas la technologie pour les fabriquer sur place. Nous avons bien trouvé un fournisseur en Californie, malheureusement, il lui faut entre quatre et six semaines, expédition comprise, pour livrer une telle quantité. C'est donc hors de question.

–Une minute, Stacey; nous pouvons changer de stratégie: combien de modules peuvent-ils nous livrer par semaine? Dans combien de temps pourraient-ils expédier la première livraison?

–Je ne sais pas, mais si nous procédons de cette manière, nous n'aurons pas la remise sur quantité.

–Pourquoi pas? Nous achèterions quand même 1 000 unités, mais les livraisons seraient échelonnées. Stacey, nous sommes en train de parler d'un million de dollars avec cette affaire!

–D'accord, mais il faudra entre trois et huit jours pour que les pièces arrivent ici par camion.

–Dans ce cas, pourquoi ne pas les faire venir par avion? Ce sont de petites pièces.

–Eh bien...

–Voyez ça, mais je doute fort que le prix du fret aérien mange le bénéfice sur une vente d'un million de dollars. Et si nous n'avons pas ces pièces, nous n'aurons pas cette affaire.

–Très bien. Je vais voir ce qu'ils peuvent faire.

À la fin de la journée, quelques détails restent à mettre au point mais nous en savons assez pour appeler Jons.

–Vous pouvez annoncer à Burnside qu'il aura ses modèles 12, Johnny.

–Vraiment? Vous voulez faire l'affaire?

–À certaines conditions. Premièrement, il n'y a aucun moyen de leur fournir les 1 000 unités en 2 semaines. Mais nous pouvons en expédier 250 par semaine pendant 4 semaines.

–Ils accepteront peut-être. Quand pouvez-vous commencer à expédier?

–Deux semaines après que nous aurons la commande.

–Vous en êtes certain?

–Nous expédierons à la date que nous annonçons.

–Vous êtes vraiment sûr de vous?

–Oui.

–Très bien, très bien. Je les appelle tout de suite pour voir si ça les intéresse. Mais j'espère que vous tiendrez parole, Al, parce que je ne veux pas recommencer à avoir des embêtements avec ces gens-là.

Deux heures plus tard, le téléphone sonne à la maison.

—Al? On l'a! On a la commande! m'annonce Jons, au comble de la jubilation.

Le doux bruit d'un million de dollars tombant dans nos caisses résonne dans ma tête.

—Et vous ne savez pas la meilleure: ils préfèrent même des livraisons échelonnées à une livraison globale de 1 000 unités !

—Alors c'est parfait, Johnny. Je mets immédiatement tout en route. Vous pouvez leur annoncer que dans 2 semaines à compter d'aujourd'hui, nous enverrons les 250 premières unités.

CHAPITRE 30

Nouvelle réunion au début du mois suivant: tout le monde est là, à l'exception de Lou qui, me dit Bob, doit arriver d'un instant à l'autre. En l'attendant, je demande à Donovan des nouvelles des expéditions.

—Où en sommes-nous dans la commande de Burnside?

—La première tranche est partie à la date prévue.

—Et le reste?

—Pas de problème, intervient Stacey, les modules de contrôle sont arrivés avec un jour de retard, mais assez tôt pour que le montage ne retarde pas l'expédition. Pour cette semaine, nous avons reçu la livraison dans les délais.

—Bien. Que donnent les lots plus petits?

—Le flux est encore meilleur qu'avant, répond Bob.

—Excellent!

—À cet instant, Lou, qui mettait la dernière main aux états mensuels, nous rejoint. Il se carre dans un fauteuil, l'air particulièrement satisfait.

—Alors, Lou, avons-nous nos 15 %?

—Non: 17 %, grâce en partie à Burnside, et les chiffres prévisionnels pour le mois prochain sont excellents.

Il résume ensuite brièvement les résultats du deuxième tri-mestre. Nous sommes désormais largement rentables, les stocks ont baissé de 60 % par rapport à ce qu'ils étaient 3 mois avant, et le produit des ventes a doublé.

–Eh bien! Nous en avons fait du chemin, n'est-ce pas? dis-je enfin.

Lorsque je rentre de déjeuner le lendemain, je trouve deux enveloppes immaculées portant le logo de la division UniWare sur mon bureau. J'ouvre la première et en sors une épaisse feuille de papier que je déplie. Elle ne contient que deux paragraphes et elle est signée de Bill Peach. Il nous adresse ses félicitations pour la commande Burnside. La deuxième lettre est également de Peach, elle est aussi courte et concise que la première et m'informe, sur un ton très officiel, que les résultats de l'usine seront examinés en détail prochainement au cours d'une réunion qui se tiendra au siège social.

Si la première lettre m'a fait plaisir, celle-ci me rend franchement euphorique: il y a trois mois, elle m'aurait donné des sueurs froides car je suppose, même si ce n'est pas exprimé noir sur blanc, que de cet examen dépendra l'avenir de l'usine. Je m'y attendais plus ou moins, mais aujourd'hui non seulement je ne redoute pas cette épreuve, je l'attends au contraire avec impa-tience. Qu'avons-nous à craindre? Rien, et c'est au contraire une occasion rêvée de montrer ce que nous avons fait.

Le produit des ventes ne cesse d'augmenter, les gens du marketing nous poussant de plus en plus auprès de la clientèle. Les stocks ne représentent plus qu'une infime partie de ce qu'ils étaient et continuent de diminuer. Avec l'afflux de commandes qui nous permet d'établir le prix de revient sur un plus grand nombre de pièces, les dépenses de fonctionnement sont en baisse. En bref, nous gagnons de l'argent.

La semaine suivante, je m'absente de l'usine deux jours, en compagnie du directeur du personnel, Scott Dolin. Nous assis-tons à une réunion très confidentielle à St. Louis, avec le groupe chargé des relations industrielles au sein de la division et tous les autres directeurs d'usine. L'essentiel de la discussion porte sur la façon de faire accepter une baisse des salaires par les différents syndicats. Je n'aime pas ça: à Bearington, nous n'avons pas particulièrement besoin d'abaisser les salaires. Je ne suis donc pas du tout enthousiasmé par la stratégie suggérée, sachant qu'elle pourrait provoquer des problèmes avec le syndicat, qui risque-raient à leur tour d'entraîner une grève, qui anéantirait les progrès que nous avons réalisés auprès des clients. De plus, la réunion est très mal organisée et dirigée et n'aboutit à rien de vraiment cons-tructif. Je rentre à Bearington avec un sentiment de frustration.

Il est presque quatre heures lorsque j'arrive à l'usine. À peine ai-je franchi la porte que la réceptionniste me fait signe qu'elle a un message pour moi: Bob Donovan a demandé à me voir dès mon arrivée. Je le fais appeler et il entre en trombe dans mon bureau quelques minutes plus tard.

–Que se passe-t-il, Bob?

–Hilton Smyth était ici aujourd'hui.

–Ah bon? Pourquoi?

–Vous vous souvenez de ce projet de film sur les robots dont on avait parlé il y a deux mois?

–Oui, mais il a été abandonné.

–Eh bien, le revoilà! Mais cette fois, c'est Hilton Smyth qui a pris les choses en mains, puisqu'il est responsable de la pro-ductivité pour la division. Ce n'est plus Granby qui s'en occupe. J'étais en train de prendre une tasse de café du côté de la travée ce matin, lorsque j'ai vu arriver une équipe de caméramen. Avant que je n'aie eu le temps de leur demander ce qu'ils faisaient là, Hilton Smyth est arrivé.

–Et personne ne savait qu'ils devaient venir?

D'après lui, Barbara Penn, chargée des communications avec le personnel, était au courant.

–Et elle n'a pas eu l'idée d'informer quelqu'un?

Je suis abasourdi.

–Tout ça s'est décidé très vite, plaide Bob. Vous et Scott n'étiez pas là, alors elle a pris les choses en mains, obtenu l'ac-cord du syndicat et tout organisé. Elle a bien fait circuler une note, mais personne ne l'a reçue avant ce matin.

–Bravo pour l'initiative!

Il me raconte comment l'équipe de Hilton s'est installée devant l'un des robots qui manipule des pièces. Mais le problème, c'est que ce robot n'avait rien à faire à ce moment-là.

Il est évident que dans un film sur la productivité, il n'était pas question de montrer un robot inactif. Bob et deux de ses adjoints étaient donc partis à la recherche d'un lot de pièces que le robot pourrait manipuler. Mais au bout d'une heure, Smyth, gagné par l'ennui, était parti faire un tour et n'avait pas tardé à repérer une ou deux choses bizarres.

–Lorsque nous sommes enfin revenus avec les pièces, Hilton a posé tout un tas de questions à propos de la taille de nos lots, poursuit Bob. Je ne savais pas trop quoi lui répondre, ne sachant pas ce que vous aviez raconté au siège social et, euh... enfin, j'ai pensé que je devais vous mettre au courant.

J'ai l'estomac noué. La sonnerie du téléphone retentit: Ethan Frost, au siège social, m'informe qu'il vient d'avoir une petite conversation avec Hilton Smyth. Je demande à Bob de m'excuser et il se retire. La communication avec Frost ne dure que quelques minutes.

Après quoi, je descends voir Lou et lui annonce:

–J'ouvre le bal, Lou: c'est une valse.

Deux jours plus tard, une équipe d'audit arrive à l'usine. Elle est dirigée par le contrôleur de gestion adjoint de la division, Neil Cravitz, un homme d'une cinquantaine d'années dont la poignée de main est aussi dure que le regard, ce qui n'est pas peu dire. Ils s'installent dans la salle de conférences. Ils découvrent en un rien de temps que nous avons modifié la base sur laquelle nous calculons le coût de revient des produits.

–Ceci est parfaitement irrégulier, déclare Cravitz en nous fixant par-dessus ses lunettes.

Embarrassé, Lou admet que son système n'est peut-être pas tout à fait conforme aux règles, mais que nous avions de bonnes raisons de calculer les coûts sur la base d'une période de deux mois.

–Ce système est beaucoup plus représentatif de la situation réelle, dis-je.

–Désolé, M. Rogo, tranche Cravitz. Nos règles valent pour tout le monde et nous devons nous y tenir.

–Mais l'usine est différente aujourd'hui! Les cinq comptables nous regardent sévèrement. Je comprends très vite qu'il n'y a rien à attendre d'eux: ils ne connaissent que leurs règles comptables.

Lorsqu'ils ont fini de refaire tous nos calculs, nos coûts apparaissent en hausse. Après leur départ, je tente de les prendre de vitesse en appelant Peach, mais on me répond qu'il est en voyage. Je demande à parler à Frost, mais il n'est pas là non plus. Une secrétaire me propose de me passer Smyth, apparemment le seul directeur présent dans les bureaux, mais je refuse d'un ton peu amène.

Chaque jour, pendant une semaine, j'attends la semonce que ne doit pas manquer de m'adresser le siège social. Rien, le silence total. Lou reçoit une réprimande de Frost sous la forme d'une note lui enjoignant premièrement de suivre strictement les règles de comptabilité établies pour l'ensemble de l'usine et deuxièmement de refaire nos états trimestriels en se conformant à la méthode des coûts habituelle et de les présenter avant l'examen. Mais pas un mot de Peach.

Lou m'apporte nos états révisés pendant que je suis en réunion. Je suis effondré. Avec la méthode normale, nous n'aurons pas nos 15 %, mais seulement 12,8 % d'augmentation du bénéfice d'exploitation, au lieu des 17 % calculés par Lou.

–Lou, on ne peut pas «arranger» ça encore un peu?

Il secoue la tête, désolé.

–À partir de maintenant, Frost va examiner à la loupe tout ce qui viendra de chez nous. Je ne peux rien faire de plus.

À cet instant, mon attention est attirée par un bruit qui se rapproche, une espèce de sifflement rythmé qu'il me semble reconnaître.

Je regarde Lou, qui hausse les sourcils en signe d'ignorance.

–Un hélicoptère?

Lou va à la fenêtre et jette un coup d'œil dehors.

–Gagné! Et il atterrit sur notre pelouse! s'exclame-t-il.

Je me précipite à la fenêtre juste au moment où l'hélicoptère se pose, en soulevant un nuage de poussière. Sans attendre l'arrêt complet du rotor, la porte s'ouvre et deux hommes sortent de l'appareil.

–Le premier ressemble à Johnny Jons, dit Lou.

–C'est Johnny Jons.

–Qui est l'autre?

Je n'en suis pas certain, je les observe pendant qu'ils traversent la pelouse en direction du parking. Quelque chose dans la démarche du deuxième visiteur, très grand, la chevelure argentée, me rappelle vaguement quelque chose. Soudain, son nom me revient en mémoire et...

–Oh, mon Dieu!

–Tiens, dit Lou finement, je ne pensais pas qu'il avait besoin d'un hélicoptère pour se déplacer!

–C'est pire que Dieu le Père... c'est Bucky Burnside !

Avant que Lou ait le temps de dire quoi que ce soit, je me rue dans le bureau de Stacey que je trouve debout devant la fenêtre en compagnie d'un groupe de personnes avec lesquelles elle devait être en réunion. Tout le monde est fasciné par ce sacré hélicoptère.

–Stacey, vite! Il faut que je vous parle immédiatement.

Elle me rejoint dans le couloir.

–Quelle est la situation des modèles 12 pour Burnside?

–La dernière livraison est partie depuis deux jours.

–À la date prévue?

–Bien sûr. Comme toutes les autres.

Je repars au triple galop en lui criant «merci» par-dessus mon épaule.

–Donovan!

Il n'est pas dans son bureau. J'interroge sa secrétaire.

–Où est Bob?

–Je crois qu'il est aux toilettes.

Nouvelle course dans les couloirs. Je trouve Bob en train de se laver les mains.

–Pour la commande Burnside, y a-t-il eu des problèmes de qualité?

–Non, me répond-il, surpris. Pas que je sache.

–Y a-t-il eu un problème quelconque?

–Non, dit-il en se séchant les mains, tout a marché comme sur des roulettes.

Je m'appuie contre le mur.

–Dans ce cas, qu'est-ce qu'il fabrique chez nous?

–Qui?

–Burnside! Il vient d'arriver en hélicoptère avec Johnny Jons.

–Quoi?

–Venez avec moi.

Nous allons tout droit à la réception. Personne. Je demande à l'hôtesse si elle n'a pas vu passer M. Jons avec un client.

–Les deux messieurs dans l'hélicoptère? Non, ils sont rentrés directement dans l'usine.

L'un derrière l'autre, nous franchissons la double porte qui donne accès aux ateliers. Un des contremaîtres nous aperçoit et nous indique la direction qu'ont prise Jons et Burnside. Nous ne tardons pas à les repérer.

Burnside s'arrête auprès de chaque ouvrier et leur serre la main! Je me demande si je ne rêve pas: à chacun, il serre la main, donne une tape sur l'épaule et dit quelques mots! Tout sourire dehors, en plus.

Jons le suit et fait exactement la même chose: dès que Burnside lâche la main de quelqu'un, il la secoue vigoureusement à son tour. Tout le monde y a droit.

Jons nous aperçoit enfin, pose la main sur le bras de Burnside et lui dit quelque chose. Burnside se retourne et vient vers nous la main tendue, un large sourire aux lèvres.

–Voilà celui que je veux féliciter tout particulièrement! s'exclame-t-il d'une voix de stentor. Je gardais le meilleur pour la fin, mais vous avez été plus rapide que moi! Comment allez-vous?

–Très bien, M. Burnside, je vous remercie.

–Rogo, je suis venu ici parce que je veux serrer personnellement la main à tout votre personnel, du premier jusqu'au dernier! Vous avez fait un boulot fantastique avec ma commande. Fantastique! Les autres crétins n'ont pas été foutus de l'exécuter alors qu'ils avaient cinq mois pour le faire, mais vos gars l'ont expédiée en cinq semaines! Vous avez dû en mettre un sacré coup!

Avant même que je puisse ouvrir la bouche, Jons intervient.

–Je déjeunais avec Bucky aujourd'hui et je lui ai dit que vous aviez tout arrêté ici pour vous occuper de sa commande.

Je bredouille un vague commentaire du genre «nous avons fait de notre mieux».

–Vous permettez que je continue la visite? demande Burnside, manifestement désireux de poursuivre sa tournée.

—Je vous en prie.

—Ça ne nuira pas au rendement, n'est-ce pas?

—Pas du tout! Allez-y.

Je me tourne vers Donovan et lui demande à voix basse d'aller promptement chercher Barbara Penn et de la ramener ici avec la caméra qu'elle utilise pour tourner les films d'information destinés aux ouvriers, sans oublier d'apporter une bonne provision de pellicule.

Donovan file vers les bureaux et j'emboîte le pas à Jons et Burnside, qui ont repris leur marathon dans les travées.

Je sens Johnny complètement surexcité. Profitant de ce que Burnside a pris quelques mètres d'avance sur nous, il me glisse:

—Quelle est votre pointure?

—Dix et demi, pourquoi?

—Je vous dois une paire de chaussures.

—Ça va, Johnny, oublions ça, voulez-vous?

—Pas du tout, mon vieux! Grâce à vous, nous avons tiré le gros lot. Nous avons rendez-vous avec les gens de Burnside la semaine prochaine, pour signer un contrat à long terme pour les modèles 12: 10 000 unités par an!

Je reste sans voix.

—Et ce n'est pas tout, poursuit Jons. Dès mon retour, j'organise une nouvelle campagne pour promouvoir tous les produits que vous fabriquez, parce que votre usine est la seule de toute cette satanée division qui soit capable d'expédier ponctuellement un produit de qualité. Avec vos délais de livraison, Al, nous allons faire exploser la concurrence! Grâce à vous, nous avons enfin quelque chose de solide.

Je rayonne.

—Merci, Johnny. Mais en réalité, la commande de Burnside ne nous a demandé aucun effort particulier.

—Chut! Ne le lui dites surtout pas!

Derrière moi, j'entends deux ouvriers:

—Tu as une idée de ce qui se passe? demande l'un.

—Pas la moindre, mais on a sûrement fait quelque chose de bien! répond l'autre.

La veille de l'examen des résultats de l'usine, après avoir préparé soigneusement mon exposé et photocopié notre rapport en 10 exemplaires, il ne me reste plus rien à faire et je décide donc d'appeler Julie.

–Bonsoir. Je dois me rendre au siège social pour une réunion demain matin, et puisque Forest Grove est plus ou moins sur le chemin, j'aurais aimé venir passer la soirée avec toi. Qu'en penses-tu?

–Très bonne idée! s'exclame Julie.

Je quitte l'usine un tout petit peu plus tôt en fin d'après-midi et me lance sur l'autoroute.

Tout en roulant, je jette un coup d'œil sur Bearington qui s'étale à ma gauche. Le panneau «À vendre» qui surmonte l'immeuble de bureaux du centre-ville est toujours là. J'imagine les 30 000 habitants de la ville qui n'ont pas conscience qu'une partie – petite certes mais importante quand même – de l'avenir économique de la ville sera décidée demain. La plupart d'entre eux ne s'intéressent aucunement à l'usine ou à ce que nous y avons fait; si UniWare choisit la fermeture, ils seront certainement mécontents et inquiets, mais si l'usine reste ouverte, personne ne s'en souciera. Nul ne saura jamais ce par quoi nous sommes passés.

De toute façon, que l'usine reste ouverte ou que nous fermions, je sais que j'ai fait tout mon possible.

Lorsque j'arrive chez les parents de Julie, Sharon et Dave se précipitent vers la voiture. Après m'être changé, je passe une heure à jouer avec mes deux enfants. Nous nous arrêtons lorsque Julie suggère que nous allions dîner tous les deux en tête à tête. J'ai l'impression qu'elle veut me parler. Je fais un brin de toilette et nous voilà partis. Sur le chemin du restaurant, nous passons devant le parc.

–Al, arrêtons-nous un instant.

–Pourquoi?

La dernière fois que nous nous sommes promenés dans le parc, nous n'avons pas terminé notre conversation.

J'obtempère. Nous sortons de la voiture et empruntons une allée du parc qui nous mène au banc près de la rivière, où nous nous asseyons.

–Quel est l'objet de ta réunion demain? me demande Julie.

–L'examen des résultats de l'usine. La division prendra une décision sur l'avenir de Bearington.

–Oh! À ton avis, que vont-ils choisir?

–Nous n'avons pas tout à fait atteint ce que j'avais promis à Bill Peach. Les chiffres ne reflètent pas vraiment la bonne santé de l'usine à cause des méthodes de calcul des coûts. Tu te souviens, je t'en avais déjà parlé?

Elle hoche la tête. Je suis encore furieux de ce qui s'est passé après l'audit.

–Mais même comme cela, nous avons fait un bon mois. Simplement, les états ne montrent pas à quel point nous avons progressé.

–Crois-tu qu'ils envisagent toujours de fermer l'usine?

–Je ne crois pas. Il faudrait être idiot pour nous condamner simplement à cause d'une augmentation du coût de revient des produits. Même avec des indicateurs erronés, nous gagnons de l'argent.

–C'était gentil à toi de me sortir pour le petit déjeuner l'autre jour, dit-elle en prenant ma main.

–C'était le moins que je puisse faire après t'avoir infligé un exposé à cinq heures du matin!

–En t'écoutant, j'ai compris qu'en fait je savais très peu de choses sur ton travail. J'aurais aimé que tu m'en parles davantage ces dernières années.

Je hausse les épaules.

–Je ne sais pas pourquoi je ne l'ai pas fait. Je pensais que cela t'ennuierait, ou je ne voulais pas t'inquiéter.

–C'est moi qui aurais dû te poser davantage de questions.

–Je travaillais tellement que je ne t'en ai guère donné l'occasion.

–Lorsque tu ne rentrais pratiquement plus à la maison, avant que je parte, j'ai vraiment cru que c'était à cause de moi. Je pensais que c'était une excuse pour rester loin de moi.

–Non, Julie, absolument pas. Les crises se succédaient et je pensais que tu comprenais à quel point elles étaient graves. Je suis désolé, j'aurais dû te parler davantage.

–J'ai réfléchi à certaines choses que tu as dites à propos de notre mariage lorsque nous étions ici la dernière fois. Je reconnais

que tu as raison. Pendant longtemps, nous avons vécu côte à côte
tout en nous éloignant l'un de l'autre. Au fil des années, je t'ai vu
de plus en plus absorbé par ton travail et pour compenser, je n'ai
rien trouvé de mieux que de m'occuper à décorer la maison et à
voir des amis. Nous avons perdu de vue peu à peu ce qui était
véritablement important.

Je la regarde. L'affreuse couleur de cheveux qu'elle avait
lorsque j'étais rentré à la maison le jour où la NCX-10 était
tombée en panne est enfin partie. Ses cheveux ont poussé, et ils
ont retrouvé leur belle couleur châtain foncé.

—Al, il y a quelque chose dont je suis maintenant certaine: je
veux passer plus de temps avec toi. Le fond du problème a
toujours été là en ce qui me concerne.

Elle m'enveloppe d'un regard plein de tendresse et j'ai la
gorge serrée.

—J'ai enfin compris pourquoi je ne voulais pas rentrer à
Bearington avec toi. Ce n'est pas seulement la ville, bien que je ne
l'aime pas beaucoup. C'est parce que depuis que nous sommes
séparés, nous passons beaucoup plus de temps ensemble
qu'autrefois. Lorsque nous habitions sous le même toit, j'avais
l'impression d'être un meuble. Alors que maintenant, tu m'ap-
portes des fleurs, tu fais un effort pour être avec moi, tu prends le
temps de faire des choses avec les enfants et avec moi. C'est
merveilleux, Al. Je sais que cela ne peut pas durer toujours car
j'ai l'impression que mes parents commencent à me trouver un
peu encombrante, mais j'aurais aimé que cela n'ait pas de fin.

Je commence à me sentir beaucoup mieux.

—Au moins, nous sommes sûrs que nous ne voulons pas nous
séparer.

—Al, je ne sais pas exactement ce qu'est notre but, ou ce qu'il
devrait être, mais ce dont je suis certaine, c'est que nous avons
besoin l'un de l'autre. Mais aussi je veux que Sharon et Dave
deviennent des gens bien et je veux que nous nous apportions
mutuellement ce dont nous avons besoin.

Je passe mon bras autour de ses épaules et la serre contre moi.

—Eh bien, il me semble que cela vaut le coup d'essayer. C'est
probablement plus facile à dire qu'à faire, mais je peux t'assurer
que j'ai bien l'intention de ne plus te prendre pour un meuble.

Mon vœu le plus cher est que tu reviennes à la maison, mais malheureusement toutes les pressions qui étaient à l'origine des problèmes n'ont pas complètement disparu. Et elles ne disparaîtront jamais totalement. Je ne peux pas négliger mon travail.

—Je ne t'ai jamais demandé de le faire. Simplement, je ne veux plus que tu m'ignores, ni les enfants. Et je te promets que je ferai un effort pour mieux comprendre ton travail.

Je souris.

—Tu te souviens, Julie, il y a bien longtemps de cela, juste après notre mariage et lorsque nous travaillions tous les deux, comme nous nous racontions notre journée et nous remontions mutuellement le moral lorsque nous avions des soucis! C'était agréable.

—Oui, mais après il y a eu les enfants et toutes ces heures supplémentaires à l'usine.

—C'est vrai, et peu à peu nous en sommes arrivés à ne plus parler de ces choses. Ne crois-tu pas que nous devrions essayer de nouveau?

—Ce serait formidable. Écoute, Al, je sais que mon départ a dû te sembler très égoïste. Je crois bien que j'ai perdu les pédales pendant un moment. Je suis désolée...

—Non, ne t'excuse pas. J'aurais dû faire plus attention à toi.

—Je te promets que j'essaierai de me rattraper, dit-elle avec un petit sourire. Et puisque nous sommes dans les souvenirs, peut-être te rappelles-tu notre première dispute et comment nous nous étions promis après de toujours essayer de considérer la situation en tenant compte du point de vue de l'autre? Je crois que ces deux dernières années, nous n'y sommes pas vraiment parvenus. Mais je suis prête à essayer de nouveau si toi aussi tu veux bien essayer.

—Je suis prêt.

Pour sceller ma promesse, je l'embrasse longuement.

—Alors... tu es d'accord pour te remarier?

—Je veux bien essayer une nouvelle fois, murmure-t-elle en se blottissant contre moi.

—Tu sais que ce ne sera pas toujours rose, Julie. Nous aurons d'autres disputes.

—Et il m'arrivera sans doute d'être de nouveau très égoïste.

–Allez, il faut célébrer ça. Et si nous allions à Las Vegas?
Elle éclate de rire.
–Tu parles sérieusement?
–Peut-être pas ce soir, puisque j'ai cette réunion demain. Mais est-ce que demain soir te conviendrait ?
–Ma parole, tu es sérieux!
–Depuis ton départ, mon salaire s'accumule à la banque. Il est grand temps que nous fassions quelque chose de tout cet argent.
–C'est d'accord! Allons faire la fête.

CHAPITRE 31

Le lendemain matin, au quinzième étage de l'immeuble UniCo, je pénètre dans la salle de conférences quelques minutes avant dix heures. Hilton Smyth est assis au bout de la longue table, Neil Cravitz à ses côtés. Ils sont entourés de plusieurs autres personnes de leurs services respectifs.

J'adresse un salut à la ronde.

–Si vous voulez bien fermer la porte, nous pouvons commencer, me dit Hilton Smyth, le visage fermé.

–Un instant, Bill Peach n'est pas encore arrivé. Nous devons l'attendre, non?

–Bill ne vient pas. Il participe à des négociations.

–Dans ce cas, je souhaiterais que cet examen soit remis jusqu'à ce qu'il puisse y assister.

Le visage de Smyth devient glacial.

–Bill lui-même m'a demandé de m'occuper de cet examen et de lui communiquer mes recommandations. Donc, si vous voulez défendre votre usine, je vous suggère de commencer tout de suite. Sinon, nous serons contraints de tirer nos propres conclusions sur la base de votre rapport. Avec cette augmentation du coût de revient des produits dont Neil m'a parlé, j'ai l'impression que vous nous devez quelques explications. Et pour commencer, je souhaiterais savoir pourquoi vous ne respectez pas les procédures en usage pour déterminer la taille optimale des lots.

Je ne réponds pas tout de suite. Je sens la moutarde qui me monte au nez. J'essaie de ne pas me laisser aller à la colère et de deviner ce que tout cela veut dire. Je n'aime pas du tout cette situation. Peach devrait être là, et il était prévu que je ferais mon exposé à Frost, et non pas à son adjoint. Mais il semble que Hilton se soit mis d'accord avec Peach pour être à la fois le juge, le jury et finalement le bourreau. Il me semble donc préférable de parler.

–Très bien, dis-je. Mais avant de commencer mon exposé de la situation telle qu'elle se présente dans mon usine, je voudrais vous poser une question: le but de la division UniWare est-il d'abaisser les coûts?

–Bien entendu, dit Hilton agacé.

–En fait, je ne crois pas que ce soit le but. Le but d'UniWare, c'est de gagner de l'argent. D'accord?

–C'est exact, intervient Cravitz en se redressant dans sa chaise. Hilton me fait signe de continuer.

–Dans ce cas, je vais vous démontrer que, quoi que nos coûts puissent sembler selon les indicateurs ordinaires, mon usine n'a jamais été en meilleure position pour faire des bénéfices.

Les dés sont jetés.

Une heure et demie plus tard, je suis en train de leur expliquer les effets goulots sur les stocks et le produit des ventes, lorsque Hilton m'interrompt.

–D'accord, vous nous avez exposé tout cela longuement, mais personnellement je n'en perçois pas l'importance. Vous aviez peut-être un ou deux goulots à votre usine et vous les avez repérés. Bravo, c'est très bien, mais lorsque j'étais moi-même directeur d'usine, nous nous accommodions fort bien des goulots.

–Hilton, le problème, c'est que nos hypothèses de départ sont erronées.

–Je ne vois pas ce qu'il y a de fondamental dans ce que vous venez de nous dire. C'est du simple bon sens, et encore, je suis gentil en disant cela.

—Non, c'est plus que du simple bon sens, parce que nous faisons chaque jour des choses qui sont en contradiction directe avec les règles établies qu'appliquent la plupart de ceux qui produisent.

—Par exemple? demande Cravitz.

—Selon les règles de la comptabilité de prix de revient que tout le monde applique depuis longtemps, nous sommes supposés équilibrer la capacité en fonction de la demande dans un premier temps, puis essayer de maintenir le flux. Mais nous ne devrions pas nous efforcer d'équilibrer la capacité: nous avons besoin d'un excédent de capacité. La règle que nous devrions appliquer est d'équilibrer le flux, et non la capacité, par rapport à la demande.

Deuxièmement, les incitations que nous proposons généralement sont fondées sur l'hypothèse selon laquelle le degré d'utilisation d'un ouvrier est déterminé par son propre potentiel. C'est totalement faux à cause de la dépendance. Pour n'importe quelle ressource qui n'est pas un goulot, le volume d'activité qui permet au système de produire des bénéfices n'est pas déterminé par le potentiel individuel de cette ressource, mais par une autre contrainte au sein du système.

Hilton s'impatiente.

—Quelle est la différence? Lorsqu'un ouvrier travaille, cela nous profite.

—Non, et c'est précisément la troisième hypothèse erronée. Nous avons supposé que l'utilisation et l'activation sont une seule et même chose. Mais activer une ressource et utiliser une ressource ne sont pas synonymes.

La discussion se poursuit sur ce ton.

Je dis qu'une heure perdue à un goulot est une heure perdue pour l'ensemble du système. Hilton dit qu'une heure perdue à un goulot est simplement perdue pour cette ressource.

Je dis qu'une heure gagnée à une ressource non-goulot n'est d'aucune utilité. Hilton affirme qu'une heure gagnée à un non-goulot est une heure gagnée à cette ressource.

—Cette discussion à propos des goulots ne mène à rien, s'impatiente Hilton. Les goulots limitent temporairement la production. Votre usine en apporte peut-être la preuve, mais les goulots n'ont que peu d'incidence sur les stocks.

—C'est exactement l'inverse, Hilton. Les goulots régissent aussi bien le produit des ventes que les stocks, et je vais vous dire ce que mon usine a démontré: elle a démontré que nos indicateurs de résultats sont erronés.

Cravitz laisse tomber son stylo, qui roule bruyamment sur la table.

—Comment devons-nous alors évaluer les résultats de nos opérations? demande-t-il.

—Par les résultats financiers. Et si on se base là-dessus, mon usine est aujourd'hui la meilleure de la division UniWare et peut-être même de la branche. Nous sommes les seuls à faire des bénéfices.

—Provisoirement, peut-être. Mais si vous gérez véritablement votre usine comme vous le dites, je ne vois pas comment elle pourrait continuer à faire des bénéfices à long terme, dit Hilton.

Je m'apprête à lui répondre, mais il ne m'en donne pas le temps.

—Non, je ne vois qu'une chose: votre indicateur de coût de revient des produits est en hausse, et lorsque les coûts augmentent, les bénéfices diminuent. Ce n'est pas plus compliqué que cela, et c'est exactement ce que je mettrai dans mon rapport à Bill Peach.

Je suis maintenant tout seul dans la salle de conférences. Messieurs Smyth, Cravitz et leurs acolytes sont partis. Je fixe mon attaché-case sans le voir, puis le ferme d'un coup de poing.

Je grommelle quelque chose à propos de leur obstination puis sors de la pièce et me dirige vers les ascenseurs. J'en appelle un, puis me ravise. Rebroussant chemin, je me dirige à grands pas vers le bureau du coin.

La secrétaire de Bill, Meg, me regarde approcher. Je m'arrête devant son bureau où elle fait semblant de trier quelques papiers.

—Il faut que je voie Bill.

—Il a des réunions toute la journée, me répond-elle.

—C'est urgent.

—Il a donné des instructions pour qu'on ne le dérange pas, me dit-elle froidement.

—Meg, il faut que je lui parle le plus vite possible.

Je n'ai pas fini de parler que j'aperçois Bill Peach au bout du couloir. Il se dépêche, mais avant qu'il puisse disparaître dans son bureau, je le rattrape.

–Bill...

–Bonjour, Al, s'exclame-t-il aimablement mais sans s'arrêter. Comment allez-vous?

–Pas très bien, Bill. Accordez-moi quelques minutes.

Il a déjà franchi la porte de son bureau mais je le suis sans lui donner le temps de la refermer. Il se tourne vers moi.

–Est-ce que cela ne peut pas attendre lundi? me demande-t-il.

–Non. Hilton Smyth va vous remettre un rapport négatif à propos de mon usine et il me semble que vous, en tant que patron de ma division, devriez entendre ce que j'ai à dire avant de prendre une quelconque décision. Peach fait une pause et se tourne vers moi. Il me désigne une chaise et m'invite à m'asseoir.

Nous nous faisons face, séparés par son bureau. Je commence à parler, mais Bill lève la main pour me faire taire et se penche en avant. Il s'accoude sur le bureau et appuie son menton sur ses mains croisées.

–Tout d'abord, commence-t-il, je suis désolé de ne pas avoir pu assister à votre présentation, mais j'avais une réunion avec Granby ce matin. Deuxièmement, il y a un certain nombre de choses que je veux vous dire.

J'attends.

–Je vous demande bien sûr de garder le silence jusqu'à ce que l'annonce officielle soit faite, poursuit-il, mais les choses sont suffisamment avancées pour que je puisse vous informer de certains changements. Tout d'abord, je ne serai plus votre patron à partir de la semaine prochaine.

–Vous partez?

–Je vais occuper de nouvelles fonctions au siège social du groupe.

–Oh! Félicitations. Puis-je vous demander qui vous remplacera?

–Eh bien, je n'ai pas encore eu le feu vert, mais je pense que ce sera Hilton Smyth.

J'ai l'impression que le sol se dérobe sous moi.

–Dans ce cas, lui dis-je, j'ai l'impression que tout mon travail n'aura servi à rien, car tout ce que Hilton voit, c'est que mes prix de revient ont augmenté, ce qui n'est même pas vrai.

Peach me fait un signe d'apaisement et continue.

–Attendez un instant, Al. Ce n'est pas du tout ce que vous croyez.

–Mais Hilton...

–Hilton n'est pas au courant de tout ce qui se passe ici.

–Je ne vous contredirai pas sur ce point.

–Et vous non plus d'ailleurs, ajoute Peach.

–Que voulez-vous dire?

–Al, UniCo a décidé de créer une nouvelle division formée de votre usine et de deux autres. Les derniers arrangements seront achevés dans les 30 prochains jours.

Je suis complètement abasourdi.

–Hilton dirigera la division telle qu'elle est actuellement jusqu'à ce que les choses soient en place. Après la modification dont je vous parle, un nouveau chef de division sera désigné et il sera placé sous mon autorité directe, tout comme Hilton pour sa division.

Des bruits de voix nous parviennent de derrière la porte. Bill jette un coup d'œil dans cette direction.

Je me dépêche de poser la question qui me tracasse, sentant que la conversation ne durera plus très longtemps.

–Pouvez-vous me dire qui dirigera la nouvelle division?

–Eh bien, je laisse ce soin à quelqu'un d'autre, annonce Bill en se levant.

Je le vois faire signe à quelqu'un derrière moi.

Je me retourne: J. Bart Granby III, président d'UniCo, est debout à la porte du bureau.

–Vous savez, Rogo, me dit-il en me regardant par-dessus ses demi-lunettes, vous m'avez beaucoup surpris. Nous avions pratiquement fait notre deuil de votre usine au début de l'année, mais après un départ plutôt lent, vous avez vraiment redressé la situation.

Tout en me parlant, il me donne de petites tapes dans le dos.

–Parfaitement exact, ajoute Peach. Évidemment, il y a bien l'augmentation du coût de revient des produits...

–Ça va, Peach, l'arrête Granby. Rogo a fait plus pour les résultats financiers que n'importe quel autre directeur. C'est cela qui importe. En fait, si nous sommes contraints de vendre ou de fermer une division, ce ne sera certainement pas la vôtre.

Je commence à comprendre, et un large sourire me monte aux lèvres.

Granby, lui aussi tout sourire, me demande:

—Eh bien, nous en avons assez dit: aimeriez-vous diriger la nouvelle division?

—Oh oui, certainement.

—Vous discuterez de votre salaire avec Peach plus tard, mais pour le moment, nous allons déjeuner. Si vous n'avez rien d'autre à faire, Rogo, pourquoi ne vous joignez-vous pas à nous?

Pendant tout le mois suivant, ignorant superbement les notes de plus en plus menaçantes de Hilton Smyth, je continue de gérer l'usine à mon idée et les commandes ne cessent d'affluer du service des Ventes.

Je parviens enfin à joindre Jonah à New York et lui raconte les derniers événements. Bien qu'il soit heureux pour moi, il n'a pas l'air surpris.

—Quand je pense que je me faisais du souci pour sauver mon usine et que j'en ai maintenant trois, lui dis-je.

—Vous avez fait exactement ce qu'il fallait faire, Alex: vous arranger pour que votre usine fasse des bénéfices. Bien sûr, le système est plus vaste qu'une seule usine et le résultat aurait pu être différent si ce que vous avez fait dans votre usine avait pu être appliqué à toutes les autres. Mais trois usines valent mieux qu'une et avec le temps...

—Je crois que j'ai eu pas mal de chance dans toute cette affaire.

—Alex, la chance n'a rien à voir là-dedans.

—Euh...

—Ce n'est pas par chance que vous m'avez appelé à Londres. Ce n'est pas par chance non plus que vous avez découvert vos goulots et réduit la taille de vos lots. Je vous le dis, la chance n'a pratiquement rien à voir avec cela.

—Peut-être, mais si je n'avais pas eu la chance de vous rencontrer ce jour-là à Chicago, je n'aurais jamais appris tout cela.

—Alex, étant donné le déroulement des événements, je peux vous affirmer que nous nous serions probablement rencontrés à un moment ou à un autre. Et ne vous faites pas d'illusions: vous *n'avez pas tout appris*. Prenez, par exemple, les règles que je vous ai indiquées; elles contiennent une vérité commune à toute unité de production. Une société qui observe ces règles gagnera de l'argent, celle qui ne les observe pas n'en gagnera pas. Il y a neuf règles et vous n'en avez apprises que six. Vous commencez à peine à apprendre et moi aussi, d'ailleurs. Et grâce à cela, vous allez sortir UniWare de ses difficultés à relativement brève échéance et faire gagner beaucoup d'argent à beaucoup de gens.

–Et en fait, c'est tout ce qui importe.

–Répétez-moi cela?

–C'est tout ce qui importe: faire de l'argent. C'est ça le but.

–Si vous vous souvenez de notre première conversation à Chicago, Alex, vous comprendrez que, pour moi, il y avait autre chose en dehors de gagner de l'argent, quelque chose de beaucoup plus important à mon avis.

–Mais je croyais que gagner de l'argent était le but, non?

–C'est le but pour une entreprise industrielle. Mais ce n'est pas le mien et je ne crois pas que ce soit le vôtre.

–Mais alors, quel est notre but?

–À votre avis, quel devrait-il être?

–Eh bien... euh... je ne sais pas.

–Je vous quitte maintenant, Alex. Je vous rappellerai. Mais entre temps, permettez-moi de vous faire une suggestion.

–Laquelle?

–Réfléchissez à ce que devrait être le but.

ÉPILOGUE

Le 747 traçait sa route dans la nuit, au milieu des étoiles, dans la lueur argentée de la lune. Dans la cabine des premières classes, tous les passagers étaient endormis, ivres ou abrutis d'ennui, à l'exception de deux. L'un d'entre eux parlait, comme il n'avait pas cessé de le faire depuis que l'avion avait décollé de Tokyo. L'autre, depuis le départ, écoutait, avec un intérêt passionné l'histoire que son compagnon lui racontait. Tous deux étaient fatigués mais ils n'avaient pas sommeil.

L'histoire s'acheva quelque part au-dessus du Canada. L'aube commençait à poindre au-dessus de l'horizon. Alex Rogo se laissa aller dans son fauteuil, but une gorgée d'eau et se détendit enfin. Son interlocuteur, Éric, se détendit aussi sur son siège, mais son visage était pensif.

Les deux hommes s'étaient connus à l'université et s'étaient liés d'amitié. Ils avaient préparé fiévreusement leurs examens ensemble puis étaient partis faire une virée ensemble en direction de Chicago pour y rechercher le meilleur steak au monde mais, par suite d'une panne d'essence, ils avaient dû se contenter de hamburgers à Gary dans l'Indiana. Deux jours avant la cérémonie de remise de leur diplôme, tous deux avaient été appelés sous les drapeaux et cette nuit-là, après avoir goûté tous les alcools qui se trouvaient sur l'étagère du bar de Big Bruno, ils s'étaient juré de ne jamais se perdre de vue. Ils avaient tenu parole, même si parfois ils avaient passé plusieurs années sans se voir. Comme son ami, Éric était entré dans l'industrie. Il était aujourd'hui cadre dans une société d'informatique installée à Boston. Sur une impulsion, il avait un soir appelé Alex pour avoir des nouvelles. Le hasard avait voulu que tous deux aient un voyage prévu au Japon à la même époque et que leurs dates de retour coïncident. Ils s'arrangèrent donc pour se rencontrer à Tokyo et rentrer par le même avion.

La veille de leur retour, ils réussirent enfin à déguster ensemble cet énorme steak dont ils avaient rêvé dans leur jeunesse.

—Qu'est-ce qui t'amène au Japon? avait demandé Alex.

—Ma société veut acheter de nouveaux robots pour accroître la productivité, avait répondu Éric. Et toi?

—J'essaie d'aider notre direction du Marketing à obtenir des contrats.

—Vraiment? Vous vendez des produits ici?

—Bien sûr.

—Le marché n'est pas facile.

—C'est vrai, mais nous nous débrouillons bien. Au début, les acheteurs pensaient que nous ne serions pas capables de satisfaire leurs normes de qualité et de livraison, mais nous y arrivons.

—Bravo. Je pensais que tu étais ici pour étudier la théorie du juste à temps ou quelque chose dans ce goût-là.

—Je m'y intéresse également, mais en ce qui me concerne, j'ai trouvé quelque chose d'un tout petit peu mieux.

—Mieux?

—Oui. Nous appliquons cette théorie dans ma division depuis deux ans environ.

Éric avait eu l'air sceptique mais manifestement intéressé.

—Parle-moi un peu de cela, Alex.

—Écoute, c'est une longue histoire, un peu trop longue pour un dîner. Pour le moment, oublions les affaires et profitons un peu du Japon pendant que nous y sommes.

Ils n'avaient donc repris leur conversation sur ce sujet que le lendemain, une fois installés dans l'avion. Éric voulait connaître cette théorie supérieure à celle du juste à temps. Alex l'avait averti qu'il lui faudrait un bon moment pour la lui expliquer en détail. Mais avec 14 heures de vol devant eux, cela lui laissait tout le temps.

–Et c'est comme ça que tu en es arrivé où tu en es aujourd'hui, avait demandé Éric.

–En fait, c'est comme cela que ça a commencé. Mais depuis, il s'est écoulé quelques années.

–Et les autres, que font-ils maintenant?

–Tout va bien de ce côté-là. Bob et Stacey font toujours partie de mon équipe. Bob s'est mis au régime il y a quelques années et il est superbe. S'il a minci physiquement, professionnellement il a pris du poids. Lou est à la retraite, il a eu quelques problèmes de santé mais il fait encore un peu de conseil pour nous de temps à autre. Ralph a eu deux promotions et il est maintenant au siège social.

–Et Julie et les enfants?

–Nous sommes toujours aussi amoureux, après ces folles années. Ce n'est pas toujours facile, mais nous nous comprenons mieux et nous passons davantage de temps ensemble. Elle va me rejoindre à New York et nous prendrons quelques jours de vacances. Les enfants vont bien. Dave est maintenant au secondaire et il profitera sûrement de notre absence pour faire quelques excentricités. J'en faisais autant à son âge. Quant à Sharon, elle vient de découvrir l'existence des garçons, mais heureusement pour ma tranquillité d'esprit, il semble que ce ne soit pas réciproque.

Éric sourit et resta silencieux un long moment, réfléchissant à l'histoire qu'Alex venait de lui raconter.

–Tu as vraiment réussi, n'est-ce pas? dit-il enfin.

–Tu veux dire quand on m'a confié la direction de ma division?

–C'est cela. Tu as vraiment réussi.

Alex réfléchit un instant puis éclata de rire.

–C'est vrai, j'ai eu ce sentiment et les autres aussi. En fait, je pensais que nous avions gagné la guerre, mais nous n'avions en réalité remporté qu'une bataille, importante certes mais seulement une bataille. C'est pourtant à cette époque que j'ai perdu la plus belle occasion de ma vie.

–Pourquoi? Que s'est-il passé?

–C'est encore une autre longue histoire et je crois que je te la raconterai une autre fois.

–D'accord, d'accord. Un épisode à la fois, concéda Éric mais en ayant l'air de penser qu'Alex faisait preuve de fausse modestie. Quand même, Al, c'est formidable ce que tu as fait. Tu vends des produits aux Japonais, tu as ta propre division et tout va bien, n'est-ce pas?

–C'est vrai, dit Alex en souriant. Nous sommes actuellement en pleine euphorie, mais la bagarre n'est pas terminée. Elle n'a pas de fin. Elle se déroule simplement à une échelle beaucoup plus grande.

Il regarda Éric en souriant.

–Et c'est très bien comme cela, dit-il en guise de conclusion.

Il se carra dans son fauteuil et se sentit soudain très fatigué. Le silence s'installa entre les deux hommes et, sans s'en rendre compte, Alex Rogo s'endormit.

L'avion roulait sur la piste lorsque Alex se réveilla. Dehors, les nuages étaient illuminés par le soleil. Alex avait dormi profondément et pendant longtemps. Éric, bien qu'il n'ait pas fermé l'œil, était bien éveillé. Regardant droit devant lui mais sans rien fixer de particulier, le menton reposant sur son poing fermé, il réfléchissait intensément. Il s'aperçut enfin qu'Alex était réveillé.

–Tu as manqué le petit déjeuner, lui annonça-t-il.

–C'était bon?

–Pas mal pour plus de 10 000 mètres au-dessus du sol.

–Tu n'as pas du tout dormi?

–Je me suis assoupi quelques minutes mais en fait j'avais trop de choses en tête pour dormir.

–À quoi pensais-tu?

–À tout ce que tu m'as raconté. Tu sais ce que j'ai décidé? Je vais faire dans mon usine exactement ce que tu as fait à Bearington. Tu m'as vraiment ouvert les yeux. Si nous réussissons aussi bien que vous à Bearington, tu imagines où nous en serons dans un an! C'est formidable, Alex, vraiment formidable!

Éric avait effectivement l'air enthousiasmé d'appliquer dans son usine ce qu'Alex avait mis tant de temps à apprendre, et d'obtenir une réussite éclatante à brève échéance. Mais Alex, lui, ne souriait pas.

–Tout ça, c'est très bien, mais attends un instant. Laisse-moi te poser une question: comment vas-tu t'y prendre?

–Exactement de la même façon que toi. Je suis impatient de rentrer à Boston. Pour commencer, je vais convoquer tout le monde et leur répéter ce que tu m'as dit. Nous rechercherons les goulots, diminuerons la taille des lots, ferons baisser le niveau des inventaires et... enfin, nous appliquerons les neuf règles!

Alex secoua la tête.

–Non, non, non, un instant. Il ne faut pas que tu imites ce que nous avons fait.

–Pourquoi pas? Ça a marché pour toi, non?

–Écoute, Éric, si nous étions concurrents ou ennemis, je te dirais: «Vas-y, retourne à Boston et persuade tout le monde de procéder aux mêmes changements que ceux que j'ai apportés à Bearington.» Mais je ne ferai pas cela parce que nous ne sommes pas concurrents et que tu es mon ami.

Éric le regarda, déconcerté.

–Je ne comprends pas. Tu crois que je n'y arriverai pas? Tu crois que je ne suis pas suffisamment intelligent pour m'en tirer?

–Ce n'est pas ça du tout. Tu es aussi intelligent que moi et peut-être même davantage.

–Alors tu penses que ça ne marchera pas dans mon usine?

–Mais si! Ça marche dans n'importe quelle entreprise et même pour les services.

–Alors pourquoi ne pourrions-nous pas avoir les mêmes résultats que toi?

–Tu peux avoir les mêmes résultats. Je peux même te dire que la première année, si tu arrives à faire faire à tes gens ce que nous avons fait à Bearington, ta rentabilité augmentera considérablement. Mais le problème n'est pas là.

–Alors, où est-il ?

–As-tu réfléchi à ce qui va se passer lorsque tu vas raconter mon histoire aux autres?

—Ils seront aussi enthousiasmés que moi, nous apporterons
toutes les améliorations dont tu as parlé et nos problèmes seront
résolus.

Alex secoue la tête.

—Tout d'abord, tu dois te rappeler que tu vas avoir à défendre
des idées totalement nouvelles.

—Ah, je vois: tu penses qu'il va y avoir de l'opposition.

—C'est exactement cela: de l'opposition. Dès que les gens
comprennent que tu vas suggérer quelque chose de nouveau,
même si c'est mieux, ils ont tendance à s'y opposer. Ils trouveront tout un tas de raisons pour te convaincre que la nouvelle
idée ne marchera pas.

—Tu as probablement raison. Mais pourquoi? Pourquoi les
gens se comportent-ils comme cela?

—Bonne question.

—Il s'agit pourtant d'améliorer les choses, ce n'est pas quelque
chose de... menaçant.

—Qu'est-ce que c'est qu'une amélioration, à ton avis?

—Une modification qui apporte quelque chose de mieux, dit
Éric après avoir réfléchi une seconde.

—Bon ou mauvais, une amélioration reste un changement, et
cela veut toujours dire une incertitude. On s'aventure vers l'in-
connu, et c'est cela qui fait peur aux gens.

—Donc, quand tu parles d'amélioration, ça se traduit par de la
crainte, n'est-ce pas?

—Changer est ce qui est le plus difficile pour une entreprise.
As-tu jamais réfléchi qu'une bonne partie de ce que nous faisons,
en tant que responsable, est en fait orienté contre le changement?
Nous nous efforçons de contrôler, de prévoir et d'établir des
certitudes en tenant compte de toutes les variables. Les responsables ne sont pas les seuls à être hostiles au changement.
Tout le monde l'est.

Éric secoue la tête, déçu.

—Tu as sans doute raison. Il n'est pas étonnant que ce soit si
difficile de s'améliorer.

L'hôtesse ramassa les plateaux du petit déjeuner. Éric pensa
brusquement à quelque chose et se tourna vers Alex, désireux de
le convaincre.

–Pourtant, les entreprises changent. Elles s'améliorent. Ça, tu ne peux pas le nier.

–Bien sûr que non. Par la volonté, ou l'autorité ou encore l'influence politique, tu peux amener une entreprise à procéder à des changements isolés, mais il faut longtemps pour obtenir l'accord de tout le monde et même après cela, les gens gaspillent un temps incroyable à discuter de nuances qui n'ont guère de rapport avec la question essentielle. Et ce processus n'aboutit souvent qu'à une seule amélioration, ce qui n'est pas vraiment le but recherché.

–Où veux-tu en venir?

–Écoute, supposons que tu parviennes à convaincre tout le monde d'accepter que ton usine soit gérée en fonction de chaque contrainte ou en réduisant la taille des lots ou encore selon ce que tu veux leur faire faire. Qu'arrivera-t-il une fois que les améliorations auront été apportées?

–Les résultats seront meilleurs.

–C'est exact. Et encore?

–Tout le monde sera satisfait.

–Exactement, et cela, c'est l'une des plus mauvaises choses qui puissent arriver.

–Pourquoi? Je ne vois pas ce qu'il y a de mal à être satisfait! Je passerai pour un héros, nous gagnerons tous davantage d'argent et nous serons heureux jusqu'à la fin des temps. Fin de l'histoire.

–Pas tout à fait. Vois-tu, en réalité, l'histoire n'a pas de fin.

–Je ne comprends toujours pas où tu veux en venir.

–Vous nagerez peut-être dans le bonheur la première année. Mais que feras-tu l'année suivante?

Éric rejette la tête en arrière et détourne son regard pendant un instant.

–Je ne sais pas. Je suppose que je verrai ça lorsque le moment sera venu. De toute façon, pourquoi devrais-je me faire du souci? D'après ce que tu m'as dit, nous pouvons faire un énorme bond en avant.

–Certainement. Mais à notre époque, une seule amélioration, aussi importante soit-elle, ne suffit pas pour maintenir une avance pendant longtemps. La course se joue à l'échelle mondiale. La concurrence est plus intense qu'elle ne l'a jamais été. Pense un instant à ce que nous devons affronter.

Alex commence à énumérer les effets de la concurrence en comptant sur ses doigts.

–Les cycles de vie des produits sont plus courts. Les acheteurs exigent des produits absolument sans défaut et n'hésitent pas à changer de fournisseur pour obtenir cette qualité. Il y a la technologie nouvelle, qui évolue elle-même de plus en plus vite. Il y a la concurrence internationale, de plus en plus active sur nos marchés intérieurs. Il y a l'expansion des marchés nationaux aux marchés mondiaux, ce qui implique encore plus de changements, plus de souplesse pour s'adapter et des enjeux encore plus élevés. Et tout cela à un rythme échevelé. C'est pourquoi une amélioration n'est jamais suffisante.

–Dans ce cas, il vaudrait peut-être mieux que j'oublie ton histoire. J'ai l'impression, à t'entendre, que ce n'est même pas la peine d'essayer. Quelle que soit l'amélioration que j'apporte, elle ne suffira pas, alors je ferais aussi bien de m'économiser cet effort et de laisser les choses comme elles sont.

–Mais non, bien sûr que non. En fait, je te suggère de faire exactement l'inverse. La seule façon pour une entreprise de survivre et de prospérer est d'évoluer...

–Mais nous venons de convenir que les gens résistent aux changements!

–Et si le changement devenait la règle plutôt que l'exception? Suppose que l'entreprise consacre son énergie non pas à instaurer la stabilité mais au contraire à mettre en place un processus permanent d'amélioration?

Éric secoue la tête.

–Une seconde. Soyons réalistes. Si une amélioration entraîne la résistance dont nous avons parlé, comment espérer pouvoir jamais mettre en place un tel processus?

–Comment fait une entreprise pour s'assurer que certaines choses sont faites de façon systématique?

Éric est gagné par un sentiment de frustration.

–Arrête un peu, Alex! Pourquoi toutes ces questions? On croirait entendre ton professeur!

–Jonah?

—Oui. Pourquoi ne peux-tu pas me donner simplement une réponse précise?

Alex le regarde gravement et poursuit.

—Crois-moi, Éric, il y a une raison importante à toutes ces questions. Si je me contentais de te donner toutes les réponses que je connais, tu n'aurais en fin de compte que des conseils. Mais si tu trouves les réponses par toi-même, elles t'appartiennent. Elles t'apporteront des solutions spécifiques et tu y croiras beaucoup plus parce que tu les auras trouvées toi-même.

Éric regarde longuement son ami pour s'assurer qu'il est sérieux.

—Très bien. Quelle était la question? dit-il enfin.

—Présentons les choses de cette façon: comment ta société s'assure-t-elle que les choses avancent?

—Eh bien, nous suivons un processus déterminé.

—Exactement. Vous avez des processus. Et lorsque vous voulez faire quelque chose de nouveau, vous mettez en place un nouveau processus. Pourquoi un processus permanent d'amélioration devrait-il être différent?

Éric ne dit rien pendant un moment.

—Un processus permanent d'amélioration, murmure-t-il enfin d'un ton songeur. C'est une idée bizarre: comment fonctionnerait-il?

—C'est un processus cyclique, une série d'actions qui se répètent sans cesse, avec des variations en fonction des circonstances. L'expérience que nous avons faite à Bearington nous a montré qu'un très petit nombre de contraintes, dans un système de fabrication, détermine le niveau général des résultats.

—Il faut donc connaître ces contraintes.

—Exactement.

Il explique alors à Éric comment, grâce à l'expérience de Jonah, il avait appris que la plupart des entreprises sont soumises à un ensemble de contraintes diverses.

—Par exemple, il est possible que la capacité de chaque ressource de l'entreprise soit supérieure à la demande du marché. La ressource qui a la plus faible capacité au sein du système peut traiter 200 unités, mais le marché ne peut en absorber que 100.

—Donc, le marché constitue le goulot.

—Non, un marché n'est pas une ressource. Par définition, il ne peut donc pas être un goulot. Il peut, comme c'est souvent le cas, constituer une contrainte, mais jamais un goulot.

—D'accord, j'ai compris.

—Dans d'autres cas, il est possible que la demande soit supérieure à la capacité d'au moins une ressource. Ainsi, cette ressource goulot constitue la contrainte.

—Je te suis.

—La plupart des entreprises sont soumises à plusieurs contraintes. Quelles qu'elles soient, supposons que tu les aies trouvées; dans le cadre d'un processus permanent d'amélioration, que ferais-tu ensuite?

—Je gérerais l'ensemble du système en fonction des contraintes.

—C'est exact. Mais comment les gens qui travaillent dans le système savent-ils ce qu'ils doivent faire?

—Il faut qu'ils soient informés. Il faut faire en sorte que chacun sache exactement où se situent les contraintes.

—Et chacun doit agir en tenant compte de l'effet de ses actions sur les contraintes. Cela doit être la préoccupation majeure de tous les membres de l'entreprise.

—Et en particulier de la direction, je suppose.

—Absolument.

Éric commence à comprendre.

—Et lorsqu'on travaille avec les contraintes, on essaie d'en tirer le maximum exactement comme tu l'as fait avec Herbie et les goulots dans l'usine.

—Exactement. Ou comme lorsque j'ai convaincu Johnny Jons d'obtenir d'autres commandes. Dans le même temps, tu gères toutes les autres ressources du système non pas en fonction de leur potentiel spécifique, mais en fonction de la capacité des contraintes qui ont une influence sur ces ressources.

—D'accord. Mais ne faudrait-il pas essayer d'accroître la capacité des contraintes?

—Évidemment, et c'est l'étape suivante. Mais lorsque tu accrois la capacité de chaque contrainte pour augmenter les ventes, que se passe-t-il?

—L'ensemble du système obtient de meilleurs résultats.

–Certes, mais ce ne sera pas la seule conséquence.

Éric réfléchit longuement, mais sans résultat. Alex lui donne une indication.

–Lorsque tu accrois la capacité des contraintes, quel en est l'effet sur les autres éléments du système?

Le visage d'Éric s'éclaire.

–L'effet sur tout le reste en est modifié.

–Il peut même être modifié considérablement. Une fois que les limites d'une contrainte auront été repoussées, une contrainte nouvelle – ou un nouvel ensemble de contraintes – apparaîtra. Les contraintes se déplaceront au sein du système, elles passeront également de l'entreprise au marché qui les répercutera à son tour sur l'entreprise. L'attention des responsables et de toute l'organisation suit cette évolution au fur et à mesure qu'elle se produit.

–Tout le monde est donc attentif en même temps.

–Lorsque les nouvelles contraintes se confirment, le cycle recommence encore une fois.

–Autrement dit, il n'y a pas de fin et l'entreprise s'améliore continuellement?

–Non, pas continuellement. Un processus permanent d'amélioration ne veut pas dire que l'on s'améliore tout le temps. Le rythme de progression est variable. Simplement, ce processus fait que chacun sait exactement ce qu'il doit surveiller pour améliorer les résultats, ce qui est la clé de tout.

–J'en suis convaincu.

–Mais tu as raison dans un certain sens: il n'y a pas de ligne d'arrivée, pas de terme au processus.

Éric était impressionné. Il retournait toutes ces idées dans sa tête. Le signal «Attachez vos ceintures» s'alluma. L'avion longeait maintenant l'île de Manhattan. Par le hublot, Alex admira un moment le panorama, fasciné par sa complexité. La voix d'Éric le tira de sa contemplation.

–En y réfléchissant, lui demandait son ami, je me demande comment on fait pour savoir quelle est la chose la plus importante à améliorer à un moment donné.

–Éric, la réponse à cette question est une autre histoire beaucoup plus longue encore que celle que je viens de te raconter. Laissons-la pour une autre fois. Sache simplement que c'est possible. Que penses-tu de l'idée?

—Il est vrai qu'au fond c'est vraiment cela que nous recherchons, n'est-ce pas? Si nous pouvions mettre en place ce processus, aucune entreprise ne stagnerait.

Alex regarda avec amusement son ami enthousiasmé par les possibilités qu'il entrevoyait. Il y avait longtemps qu'il n'avait pas vu cette expression sur le visage d'Éric et ça le captivait plus encore que Manhattan. Cela lui rappelait ces années d'université où avec Éric et d'autres amis ils oubliaient pendant un temps leurs études pour s'embarquer dans des conversations interminables sur Dieu, le sexe, la politique, l'avenir et où ils refaisaient le monde. Cela lui rappelait l'étonnement d'un enfant pour qui tout est nouveau, toutes les possibilités sont infinies et toutes les réponses inconnues.

Il avait l'impression de se retrouver dans son ami. Au cours des dernières années, lui aussi avait beaucoup cherché et s'était enthousiasmé devant tout ce qu'il était possible de faire. Avec un tel processus, le monde n'aurait peut-être pas besoin d'attendre plusieurs générations avant que ses institutions évoluent vers un monde meilleur. Le concept allait bien au-delà de la simple volonté de gagner de l'argent.

—Nous pourrions mûrir, nous améliorer sans cesse, disait Éric.

—En ce qui concerne ton usine, comprends-tu maintenant pourquoi ce n'était pas une si bonne idée que cela d'imiter simplement ce que j'ai fait à Bearington?

Éric le regarda, perplexe.

—Écoute, lorsque j'étais à Bearington, j'ai eu la chance d'être soumis à une pression terrible.

—La chance?

—Je sais que cela peut paraître bizarre, mais c'est vrai. La situation était tellement désespérée que quelques améliorations n'étaient pas suffisantes. Il nous fallait absolument le progrès permanent. Nous ne l'avons pas compris sur le moment, mais la nécessité faisant loi, nous nous sommes trouvés embarqués dans un processus permanent d'amélioration.

Alex fait une pause puis reprend.

—Que crois-tu qu'il est arrivé lorsque la crise a été passée à

Bearington et que j'ai essayé d'introduire tout ce que j'avais appris dans les autres usines de ma nouvelle division?

–En l'absence de pression, tout le monde a dû vouloir continuer le train-train habituel.

–Exact. Nous nous sommes laissés endormir et peu à peu les résultats ont commencé à retomber. Brusquement, je me suis aperçu que la concurrence commençait à nous rattraper rapidement. L'effet des résultats que nous avions obtenus commençait à s'éroder, et lorsque j'ai essayé d'attirer l'attention de mon entourage sur cette situation, je n'ai rencontré aucun écho. C'était comme si l'entreprise s'était mise en pilotage automatique. À Bearington, plus personne ne pensait à...

–Bearington était retombée dans ses erreurs?

–Oui. Et dans les autres usines, personne n'avait vraiment commencé à réfléchir. Au mieux, tout le monde semblait penser qu'il fallait faire un gros effort et qu'après cela, tout irait pour le mieux dans le meilleur des mondes.

Alex, qui n'avait pas fait attention, fut surpris par le choc des roues sur la piste d'atterrissage. Par le hublot, il regarda le paysage qui défilait à toute allure. Lorsqu'il se tourna de nouveau vers Éric, il lui posa une dernière question.

–Est-ce que tu sais quelle a été notre plus grosse erreur?

–Vous avez concentré toute votre énergie sur les améliorations elles-mêmes au lieu de l'axer sur le processus d'amélioration.

–Exactement! C'est pourquoi si, une fois de retour à Boston, tu consacres toute ton énergie à faire faire aux gens simplement ce que nous avons fait nous-mêmes, tu laisseras passer une grande chance.

Éric écoutait avec beaucoup d'attention.

–Parce que les améliorations élimineront les pressions dont je peux tirer parti et il s'écoulera peut-être beaucoup de temps avant qu'elles ne réapparaissent.

–C'est tout à fait cela; je crois que tu as parfaitement compris.

–La première chose à faire est donc de vaincre la résistance au changement.

–Oui. Il faut t'efforcer d'obtenir un consensus non pas sur les améliorations individuelles...

–Mais un consensus sur l'adoption du processus permanent

de développement, finit Éric, comme si c'était la chose la plus logique du monde.

L'avion vint se garer devant le terminal. Le bruit des moteurs s'éteignit peu à peu. Les passagers se levèrent immédiatement, impatients de se dégourdir après une si longue immobilité. Éric et Alex se levèrent eux aussi, prirent leur bagage à main et s'avancèrent dans l'allée.

–Et si cela ne marche pas assez vite? demanda Éric. Ce n'est peut-être pas bien, mais c'est une réalité dont je dois tenir compte: ma direction attend un résultat rapide, à brève échéance. Ce processus permanent d'amélioration va demander un certain temps, n'est-ce pas?

–Pas nécessairement, regarde ce qui est arrivé à Bearington. Et si tu mets le processus en marche, tes gains à court terme seront une raison de plus pour persévérer et recueillir des bénéfices à plus long terme. Si tu fais cela assez vite, aucun concurrent ne pourra jamais te battre.

Près de la porte de l'appareil, ils passèrent devant l'hôtesse, une jeune femme à l'allure de mannequin et au sourire stéréotypé. Elle s'apprêtait à leur dire quelques mots, mais les voyant en grande conversation, préféra s'abstenir. Les deux hommes sortirent de l'avion avec soulagement. Ils débouchèrent dans le terminal. À la porte, Éric se retourna.

–Comment? Comment dois-je m'y prendre?

–Commence par créer la culture.

–Non, je veux dire où puis-je apprendre la façon de mettre tout cela en place?

–Auprès de la même source que moi.

Ils se dirigèrent vers la douane et lorsqu'ils y arrivèrent, Alex aperçut Julie qui lui faisait de grands signes. Il lui fit signe à son tour.

–Eh bien, je suis content de t'avoir revu, lui dit Éric en lui tendant la main.

–Moi aussi.

Les deux hommes se serrèrent la main chaleureusement.

–Et merci pour l'histoire, pour tout, continua Éric. Je t'appellerai de Boston dès qu'il y aura quelque chose d'intéressant.

–D'accord. J'espère que tout se passera bien.

Alex allait s'éloigner lorsque son ami le retint par le bras.
–Encore une chose, Alex: quel est le véritable but?
Alex Rogo le quitta sur ces mots:
–Réfléchis: qu'est-ce que cela peut bien être?

IMPRESSION
MÉTROLITHO

Imprimé au Canada